우루과이라운드

협상 대책 관계부처 회의 1

우루과이라운드

협상 대책 관계부처 회의 1

한국학술정보

| 머리말

우루과이라운드는 국제적 교역 질서를 수립하려는 다각적 무역 교섭으로서, 각국의 보호무역 추세를 보다 완화하고 다자무역체제를 강화하기 위해 출범되었다. 1986년 9월 개시가 선언되었으며, 15개 분야의 교섭을 1990년 말까지 진행하기로 했다. 그러나 각 분야의 중간 교섭이 이루어진 1989년 이후에도 농산물, 지적소유권, 서비스무역, 섬유, 긴급수입제한 등 많은 분야에서 대립하며 1992년이 돼서야 타결에 이를 수 있었다. 한국은 특히 농산물 분야에서 기존 수입 제한 품목 대부분을 개방해야 했기에 큰 경쟁력 하락을 겪었고, 관세와 기술 장벽 완화, 보조금 및 수입 규제 정책의 변화로 제조업 수출입에도 많은 변화가 있었다.

본 총서는 우루과이라운드 협상이 막바지에 다다랐던 1991~1992년 사이 외교부에서 작성한 관련 자료를 담고 있다. 관련 협상의 치열했던 후반기 동향과 관계부처회의, 무역협상위원회 회의, 실무대책회의, 규범 및 제도, 투자회의, 특히나 가장 많은 논란이 있었던 농산물과 서비스 분야 협상 등의 자료를 포함해 총 28권으로 구성되었다. 전체 분량은 약 1만 3천여 쪽에 이른다.

2024년 3월

한국학술정보(주)

| 일러두기

· 본 총서에 실린 자료는 2022년 4월과 2023년 4월에 각각 공개한 외교문서 4,827권, 76만여 쪽 가운데 일부를 발췌한 것이다.

· 각 권의 제목과 순서는 공개된 원본을 최대한 반영하였으나, 주제에 따라 일부는 적절히 변경하였다.

· 원본 자료는 A4 판형에 맞게 축소하거나 원본 비율을 유지한 채 A4 페이지 안에 삽입하였다. 또한 현재 시점에선 공개되지 않아 '공란'이란 표기만 있는 페이지 역시 그대로 실었다.

· 외교부가 공개한 문서 각 권의 첫 페이지에는 '정리 보존 문서 목록'이란 이름으로 기록물 종류, 일자, 명칭, 간단한 내용 등의 정보가 수록되어 있으며, 이를 기준으로 0001번부터 번호가 매겨져 있다. 이는 삭제하지 않고 총서에 그대로 수록하였다.

· 보고서 내용에 관한 더 자세한 정보가 필요하다면, 외교부가 온라인상에 제공하는 『대한민국 외교사료요약집』 1991년과 1992년 자료를 참조할 수 있다.

차례

정리보존문서목록

기록물종류	일반공문서철	등록번호	2019080078	등록일자	2019-08-13
분류번호	764.51	국가코드		보존기간	영구
명 칭	UR(우루과이라운드) 협상 대책 관계부처회의, 1989-91. 전4권				
생 산 과	통상기구과	생산년도	1989~1991	담당그룹	다자통상
권 차 명	V.1 1989-90				
내용목차	* 대외협력위원회, UR 대책 실무위원회 등				

0001

경 제 기 획 원

협일일 10502- 448　　　　503-9139　　　　1989. 11. 27.

수신 수신처참조 (외무부 통상기구과)

제목 UR협상 중간점검 및 향후 대책수립을 위한 회의개최

1. UR협상은 금년말까지 각국의 서면제안 등을 기초로 협상타결안의 윤곽을 마련하고 내년부터 이에 대한 실질적인 협상을 진행할 전망입니다.

2. 이같은 협상추이를 감안하여 지금까지 협상진전상황을 중간점검해 보고 90년의 협상추진 대책방안을 논의하기 위해 다음과 같이 UR 대책 관련회의를 개최코자하오니 참석해 주시기 바랍니다.

다　　음

가. 일　　시: '89. 11. 30(목), 15:30

나. 장　　소: 경제기획원 소회의실 (1동 722호)

다. 참석범위:

경제기획원	제 1협력관 (주재)
"	정책 1과장
외 무 부	통상기구과장
재 무 부	국제관세과장
"	투자진흥과장
농림수산부	국제협력과장
상 공 부	국제협력담당관
대외경제정책연구원	박태호박사

라. 의　　제: 별 첨

첨부: 회의개요 1부. 끝.

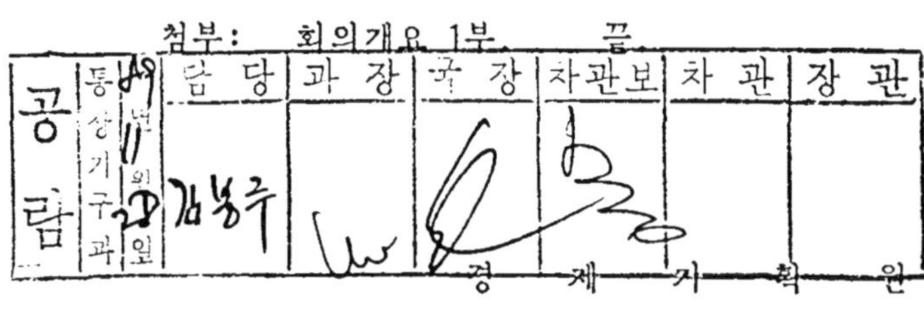

공람	통상기구과	89년 11월 28일	담 당	과 장	국 장	차관보	차 관	장 관
			김봉주					

경 제 기 획 원

수신처: 외무부장관, 재무부장관, 농림수산부장관, 상공부장관, 대외경제정책연구원장.

0002

UR대책 관련회의 개요

1. 회의개요

- 일 시: '89. 11. 30, 15:30

- 장 소: 경제기획원 소회의실 (1동 722호)

- 참석범위:

경제기획원	제 1협력관 (주재)
"	정책 1과장
외 무 부	통상기구과장
재 무 부	국제관세과장, 투자진흥과장
농림수산부	국제협력과장
상 공 부	국제협력담당관
K I E P	박태호 박사

2. 주요 토의 의제

- 대외협력위원회 개최문제
  - o 개최시기
  - o 참석범위
  - o 회의진행결과 (보고방식 등)
  - o 회의안건 작성
  - o 사전 UR대책 실무위 개최 필요성여부

- UR진전상황평가 및 향후 대응방안 (회의안건 작성관련)
  - o UR전반 입장
  - o 의제별 입장

※ 회의자료는 추후배부

0003

UR 협상 점검 및 대응책 수립 회의 결과 보고

1989.12.1.
통상기구과

1. 회의개요

공람	통상기구과	89.12.1	담 당	과 장	국 장	차관보	차 관	장 관

ㅇ 일　　시 : 89.11.30. 15:30

ㅇ 장　　소 : 경제기획원 소회의실

ㅇ 참석범위 : 경제기획원　제1협력관 (주재)

경제기획원　정책1과장

외 무 부　통상기구과장

재 무 부　국제관세과장, 투자진흥과장

농림수산부　국제협력과장

상 공 부　국제협력담당관

K I E P　박태호 박사

2. 토의내용

ㅇ 경제기획원

- UR 협상이 지난 3년간 진행되었으며, 내년에는 실질적인 협상이 진행될 전망인바,

첫째, 지난 3년간 UR 협상 진행 결과를 장관님들께 보고하고,

둘째, 향후 협상 방향에 대하여 지침을 받기 위하여 대외협력위원회를 개최코자함.

- 1 -

0004

- 그동안 2-3명의 경제장관들로부터 UR 의 중요성에 비추어 지금까지 아무런 보고가 없다는 불평을 받았는바, 금일 협의를 통하여 보고의 형식과 내용을 논의코자 함.

ㅇ 외무부

- 첫째, 현 협상 단계가 각국들이 자기 관심사항만 밝히고 있는 단계로 아직은 본격적인 협상과 타협 단계에 와 있지 않는 상황이므로 장관들로부터 지침을 받을 사항이 없음.

- 둘째, 보고만을 목적으로 한다 하더라도 우선 방대한 분야에 걸쳐 세부 기술적인 토의를 하는 UR 협상 내용을 장관들께 과연 효과적인 보고가 가능하겠는지도 의문임.

- 현단계로서는 관계부처 실무급 회의를 더 활성화하여, 협상에 임해 나가는데 주력해야함.

ㅇ 재무부

- 양 부처의 의견에는 일장, 일단이 있기는 하나, 일단은 장관님들께 보고하는 기회를 갖는 것은 좋을 것 같음.

ㅇ 상공부

- 장관 회의는 현안이 있을때 보고하여 결심을 얻는 것이 관례였읍. 지금 현재 특별한 현안이 없는 상황에서 장관 보고는 필요치 않다고 생각함.
- 필요하다면 국장급선에서 다시한번 이 문제를 토의함이 좋겠음.

o 농림수산부

- 지급 현재는 농수산부의 공식 입장을 밝힐 단계가 아님.
- 개인적으로 장관 보고에는 큰 문제가 없다고 생각함.

o 경제기획원

- 대외협력위 개최 여부는 국장회의를 개최하여 다시 토의하겠음.
- 그러나 장관보고 자체가 의의가 있을것 같고 자료도 이미 준비가 되었으니 모인 기회에 이 자료를 점검해 보도록 함이 좋겠음.

o 외무부

- 장관 보고를 하더라도 이런 방대한 보고를 해보아야 별효과가 없음. 굳이 보고를 한다면 내용을 대폭 줄여야 할 것임
- 또한 자료내용을 토의 한다는 것은 보고하겠다는 기본전제가 깔려 있기 때문에 반대임.
- 상공부 의견대로 국장급 회의를 개최하여 다시한번 보고 여부부터 결정하도록 하는 것이 좋겠음. 보고할 분들은 결국 국장들이 아닌가 ?

o 경제기획원

- 12월 중순경에 이 문제와 관련하여 국장 회의를 열도록 하겠음.   끝.

~~0004~~

UR 협상 진전 상황 및 향후 대응 대책

1989.11.30.

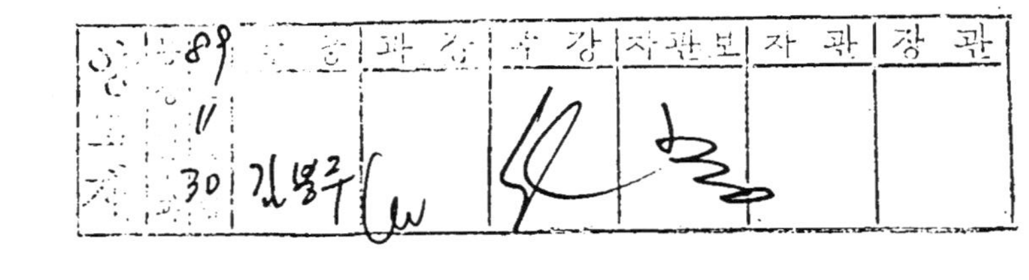

외 무 부

통 상 기 구 과

0007

1. 경제기획원 대책에 대한 외무부 의견

경제기획원	외 무 부
1. UR 협상의 아국 참여 현황 ㅇ 아국의 UR 협상 참여 성과 미흡 - 아국 관련 분야 협상 부진 · 12개 의제에 총 26건의 서면제안 제출 ㅇ 세부 쟁점 사항에 대한 구체적인 입장 정립 및 논리개발 미흡 - 의제별 연계 문제, 의제별 Trade-off 등 전반적인 협상 전략 대비책에 대한 연구 부족	1. UR 협상의 아국 참여 현황 ㅇ 아국의 UR 협상 참여 대체로 만족 - 선진국에 미흡하나 개도국으로서는 다수 제안국 ㅇ 세부 쟁점사항에 대한 구체적 입장 정립 및 논리개발 미흡 - 의제별 연계 문제, 의제별 Trade-off 등 전반적인 협상 전략 대비책 수립 문제는 지금까지의 UR 협상 단계로 보아 시기 상조 - 90년초부터 수립 필요
2. 추진방향 ㅇ 협상 추진 전략 수립 - 우리 실정에 맞는 국제경제상의 역할 및 기여 방안 검토	2. 추진방향 ㅇ 협상 추진 전략 수립 - 동일 이해 국가들과의 협조는 지금까지 만족한 상태

0008

경제기획원	외 무 부
· 온건개도국등 동일 이해국과 협조방안 강화등 - 구체적 협상 전략 수립 · 쟁점사항에 대한 아국입장 재검토 및 세부입장 구체화 · 90년 UR 개시전 부처별 UR 대책 실무소위 및 실무위원회 개치 및 내년도 협상 전략 수립 · 의제내 또는 의제간 Trade-off 에 효율적으로 대응	- 구체적 협상 전략 수립 필요 · UR 대책 실무소위 개최 및 협상 전략 수립
ㅇ 현행 대응 체제 (부처별 분야 할당)의 문제점 및 대책 - 16개 협상 의제를 모두 포괄할 수 있는 대표 부재	ㅇ 현행 대응 체제의 문제점 및 대책 - 16개 협상 의제에 대한 전체 대표 설정 불필요 · 실제 포괄 가능성에 의문, 현 체제대로 제네바 대표부에서 포괄 가능 · 전체 대표 설정시 일견 효과적일 것 같으나 행정상 이중 구조 설정으로 불필요한 행정 소모 때문에 효과 의문 · 지금까지의 BOP 협의 및 쇠고기 패널 문제등 GATT 상 제반 문제를 담당부처에서 전체 대표가 되어 추진한 것이 보다 효과적이었음.

0009

경제기획원	외 무 부
- 협상팀 구성의 2원화 (제네바팀 및 본부팀) 및 본부팀 구성시 일관성 결여	- 협상팀 구성의 2원화 및 본부팀 구성시 일관성 결여 · 다른 참가국들도 동일한 체제 (제네바팀 및 본부팀)로 운영 · 본부팀 일관성 결여 - 정부대표 임명 추천시 각부처 시정 노력 필요
- 전문 연구기관 및 국내업계, 학계 의견 수렴 노력 미흡	- 전문 연구기관 및 국내업계, 학계 의견 수렴 노력 미흡 · 담당 실무소위별로 실무소위 소집등에 포함 활용 노력 강화 필요
- UR 대책 실무위원회 운영 활성화 · 부처간 이견 조정기능 강화 · 필요시 대외협력 위원회에 보고 및 중요 결정 사항 상정 · 실무소위 관장 부처 국장 (또는 과장급) 들의 비공식 모임 정례 개최 및 협의 기능 강화	- UR 대책 실무위원회 운영 활성화 · 현 실무소위를 적극 활용, 각담당부처에서 실무소위 소집등을 통한 협상 대책을 수립하는 방안이 효율적 · 다만 의제간 Trade-off 등 전반 문제 검토 필요 발생시에는 UR 대책 실무위 활용

0010

경제기획원	외 무 부
- 현지 협상력 강화 · 본부 대표단 적극 참여 및 대책자료 적기 송부 · 제네바 주재관 중심으로 회의별 협상 대표를 구성함으로써 일관성 유지 · 각료 회의시 본부 각료급 수석대표, 주제네바 대사 또는 공사를 교체 대표로 임명, 본부대표단은 조정 역할 · 본부대표는 가급적 동일인으로 선발하여 전문성 및 일관성 확보 · 장기적으로 다자간 협상 전담 대사 임명 방안 및 전문가 양성 방안 강구	- 현지 협상력 강화 · 지금까지의 본부대표단 참여 및 대책자료 제공은 예산 사정등을 감안할때 대체로 만족 · 주재관 중심으로 협상대표 구성은 국내감각 미흡 및 타국과의 협조상 문제점을 내포, 협상 대표 구성은 현행대로 하고 · 본부대표는 가급적 동일인으로 선발, 전문성 및 일관성 유지 · 다자간 협상 전담 대사 임명 방안은 현 제네바 대사를 활용
- 정부.민간간 협조 체제 구축 · 대외경제 정책연구원에 UR 협상 총괄 연구 대책반 구성 운영 · KDI, KIET, KREI 등과의 협조를 통한 대응전략 수립 · Seminar 개최, UR 관련사항 기고등을 통한 민간 부문과의 협조 강화	- 정부.민간간 협조 체제 구축 필요 · 담당 소위별 실무회의 소집시 적극 참여 방안 강구 · Seminar 개최시 관계부처 담당관도 초청

0011

2. 대외협력 위원회 개최 문제

ㅇ 개최시기 : UR 협상 진전 단계상 시기상조

- 특별한 Issue 부재, 단순한 보고는 무의미
- 현재는 각국 입장 개진 단계, Trade-off 등 최종 Bargaining 단계에 가서 고려

3. UR 진전상황 평가 및 향후 대응방안

ㅇ UR 전반 입장

- 과거 어느 Round 보다 더많은 실질 진전
- 아직 다수의 주요쟁점 존재
- 시장접근, 섬유, 세이프가드, MTN, 농산물 분야는 물론 서비스, TRIPs, TRIMs 등 신분야에서도 수출.입국 및 선진.개도국간 입장 차이 노정
- 협상 타결을 위한 각국의 정치력 발휘 절실히 요청

ㅇ 의제별 입장

- 관심분야
  - 아국 수출 신장에 직접 관련되는 분야 : 비관세, Standstill/ Rollback, Safeguards, MTN (반덤핑, 상계관세)
  - 국내산업 정책상 방어가 요청되는 분야 : 관세, 농산물 및 열대산품
  - 국민 경제에 파급 효과가 큰 신분야 : 서비스, 지적소유권

0012

- 향후대책

  · 종전의 수출국 입장에서 중점을 두어온 분야 (Safeguards, SS/RB, 반덤핑등) 외에도 수입국 입장에서 방어가 절실히 요청되는 농산물 분야등에서의 아국입장 최대 반영을 위해 잔여 UR 협상 과정에서 입장이 비슷한 국가 (농산물의 경우, 이씨, 일본, 스위스, 북구등 수입국) 와의 협조 강화

  · 특히, 신분야의 경우 다수 개도국의 참여가 아국의 이익과 부합되므로 잔여 신분야 협상 과정에서 개도국의 입장을 적절히 반영하는 노력 강화

- ~~기타 의제별 참고자료는 아.태 각료회의 참고자료 참조.~~

0013

대외협력위원회 회의자료

- 우루과이라운드 (UR) 동향과 우리의 대응 -

1989.12.20

통상기구과 89.12.19	담 당	과 장	국 장	차관보	차 관	장 관
	김복주					

외 무 부

통 상 국

0014

대외협력위원회 회의자료

- 우루과이라운드 (UR) 동향과 우리의 대응 -

1989.12.20

외 무 부

통 상 국

공람	통상	담 당	과 장	국 장	차관보	차 관	장 관
고재	89. 12. 19	김복우	(서명)				

0015

1. UR 추진현황

ㅇ 86.9. Punta del Este 각료 선언으로 공식 출범
  - 무역협상위원회 (TNC) 산하, 16개 협상그룹 설치
  - 90년말까지 협상 시한 설정

ㅇ 88.12. 및 89.4. 중간평가 회의 개최, 후반부 협상 기본방향 설정

ㅇ 90.12. 브랏셀 최종 각료회의 개최를 통해 협상 종결 예정
  - 89.9-12 각국의 모든 제안 제출
  - 90.1-8 문제점에 대한 집중 협상
  - 90.9-12 전체적 조정 및 마무리 작업

  * 아직도 시장접근, 섬유, 세이프가드, MTN, 농산물 분야는 물론 서비스, TRIPs, TRIMs 등 신분야에서도 수출.입국 및 선진.개도국간 입장차이등 다수 쟁점 존재

2. 아국의 대응현황

ㅇ 86.12. UR 대책 실무위원회 및 산하 7개 실무 소위원회 구성
  - UR 대책 실무 위원회 (위원장 : 경제기획원 대외경제조정 실장)
  - 외무부 소관 소위원회 : GATT 조문, MTN 협정, 분쟁해결, GATT 기능 및 SS/RB 대책

0016

o 각종 공식, 비공식 회의 참가를 통해 아국입장 적극 개진

- 현재까지 총 12개 분야, 26건의 서면제안 제출

3. 아국 관심 주요 협상 분야

o 아국 수출 신장에 직접 관련되는 분야 : 비관세, 섬유, Safeguards, MTN (반덤핑, 상계관세)

o 국내산업 정책상 방어가 요청되는 분야 : 관세, 농산물 및 열대산품

o 국민 경제에 파급 효과가 큰 신분야 : 서비스, 지적소유권

4. 향후 대응방안 (경제기획원 안)

o UR 대책 관련 위원회의 조정 기능 강화

- UR 대책 실무위 조정 기능 강화

- UR 대책 실무 소위 활성화

- 필요시 대외협력 위원회 개최

o 정부.민간간 협조 체제 구축

- 관련 연구기관 최대한 활용

- 업계.학계등 민간 참여 확대

o 최종 타결될 협상 결과 예측 및 이에대한 대책 마련

- 국내 제도 정비 및 국내 보완책 마련

0017

5. 장관님 언급 요망사항

가. 아국의 협상 대응 평가

ㅇ 현재까지의 아국의 협상 대응체제 및 참여 수준은 대체로 양호

나. 향후 협상 참여 활성화 방향

ㅇ 남은 1년간의 협상 기간중 아국의 경제적 이해에 주요한 협상 분야를 선별, 협상력 집중

- 관세, 비관세, 섬유, 세이프가드, MTN 협정, 농산물, 서비스, 지적소유권등

ㅇ 당분간 UR 대책 실무 소위를 적극 활용, 관련부처간 유기적 협조 체제하에 협상 분야별 입장 및 전략 수립, 대처

ㅇ 아국의 중대한 이해가 걸린 분야에서 협상력 강화 위해 입장이 유사한 국가와 공동 보조 노력 강화

- 농산물 분야에서 일본, 스위스, 북구등 수입국과 협조
- Safeguards 분야에서 호주, 뉴질랜드, 홍콩, 싱가폴 등과 협조
- 섬유분야에서 섬유수출 개도국과의 공동 보조

다. 대외협력 위원회 개최 문제

ㅇ 아직은 실무 협상 단계로 시기 상조

ㅇ 협상 최종 단계에서 일괄 타결 (package) 필요성 대두등 정치적 결단 필요시 개최

0018

對外協力委員會
報　告　案　件

우루과이라운드(UR)動向과 우리의對應

1989. 12.

經 濟 企 劃 院

0019

目　次

1. UR의 背景 및 推進過程

1. UR의 背景

1) UR은 GATT의 8번째 多者間 貿易協商임

— 6次協商(케네디라운드, '64.5 ~ '67.6)까지는 주로 關稅引下 중심의 協商推進

○ '70年代以後 先進國 關稅水準의 全般的인 引下로 非關稅障壁이 主要貿易規制手段으로 등장

— 7次協商(東京라운드, '73.9 ~ '79.7)에서는 關稅引下와 함께 非關稅障壁 緩和를 위한 11개의 多者間協定 締結

2) '80年代 들어 保護主義 傾向의 深化 및 GATT體制의 弱化

— 世界貿易 不均衡의 擴大로 保護貿易主義 增大

○ 日本, NIEs의 급격한 부상으로 美國의 國際收支赤字 擴大

○ 美國, EC등 先進國의 構造調整 遲延으로 保護主義政策 强化

〈各國의 貿易收支 推移〉

(通關基準, 億$)

	'81	'83	'85	'87	'88
美 國	-396	-693	-1,336	-1,700	-1,380
西 獨	122	165	254	659	728
日 本	86	205	467	802	775
A-NIEs	-130	-54	67	214	143

* 資料 : IFS, A-NIEs는 韓國, 臺灣, 홍콩, 싱가폴 4個國

— 最近 保護主義 傾向은 GATT規律을 逸脫하는 각종 非關稅障壁 動員

○ 纖維, 鐵鋼등 斜陽産業에 대한 輸出自律規制, 市場秩序協定 締結

○ 反덤핑 및 相計關稅의 濫用

0021

— 農産物分野 및 서비스, 知的所有權등 新分野에 대한 通商摩擦 擴大

o 新分野의 交易增大에도 불구하고 이를 規律하는 GATT規範 不在

— 이와같은 保護主義 增大와 함께 雙務主義, 地域主義가 만연되어 多者間體制인 GATT의 機能이 크게 弱化

3) '80年代 初盤부터 美·日등 先進國을 중심으로 GATT體制의 機能强化를 위한 새로운 多者間 貿易協商의 推進 問題가 제기

— 商品分野의 自由貿易秩序를 回復

— 過去 多者間 協商과는 달리 서비스등 新分野의 交易自由化까지 廣範圍하게 包括

2. UR의 推進過程

— '86.9月 GATT閣僚宣言으로 UR의 公式出帆

o 協商總括機構인 貿易協商委員會(TNC)를 設置하고, 그傘下에 商品協商그룹과 서비스協商그룹 設置

o '90年末까지 協商時限 設定

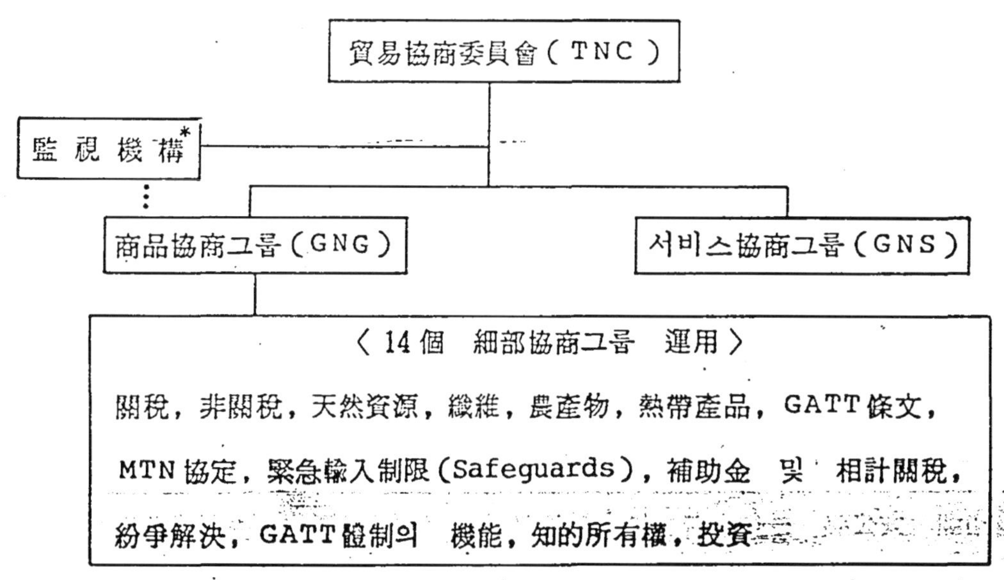

* 保護主義措置 凍結 및 撤廢(Standstill / Rollback)에 대한 監視機構

— '87.1月以後 各 協商그룹別로 年5～6回의 公式會議와 각종 非公式會議 開催

o 初期段階에서는 協商對象, 協商方法, 基本原則등의 論議에 重點

— '88.12月 閣僚級 中間評價會議를 開催하여 議題別로 後半部 協商基本方向 設定

— 現在 다음과 같은 協商日程에 따라 本格協商이 進行中

o '89下半期 : 各國이 必要한 모든 提案을 제출하여 協商妥結案의 윤곽마련

o '90上半期 : 問題點에 대한 集中的 協商을 進行하여 議題別로 協商妥結案 마련

o '90下半期 : 최종적인 調整作業

— '90.12月 브뤼셀에서 최종 閣僚級 TNC會議를 開催하여 UR終了 豫定

'86 9月	'87 1月	'88 12月	'89 4月	'90 12月
閣僚宣言 (우루과이)	TNC 會議	閣僚級 TNC 會議(몬트리올)	高位 實務級 TNC會議	閣僚級 TNC會議 (브뤼셀)

* UR期間中 主要先·開途國(20餘國)이 參席하는 非公式 閣僚會議를 年 1～2차례 開催

0023

Ⅱ. 我國의 對應現況

- UR結果는 우리의 交易 및 經濟成長에 큰 影響을 미칠 것으로 豫想되어 UR開始와 동시에 國內 協商對應體制를 마련
  - o UR에 대한 我國立場을 綜合調整하기 위해 對外協力委員會 傘下에 UR對策實務委 設置('86.12)
  - o UR對策實務委 傘下에 7個 實務小委를 設置('87.1)하고 委員들은 關聯部處 및 民間諮問機關 擔當者들로 廣範圍하게 構成
- 現地協商은 駐제네바 代表部를 중심으로 對應
  - o 現地 協商力 提高를 위해 協商팀의 大幅 補强(9名 → 15名)

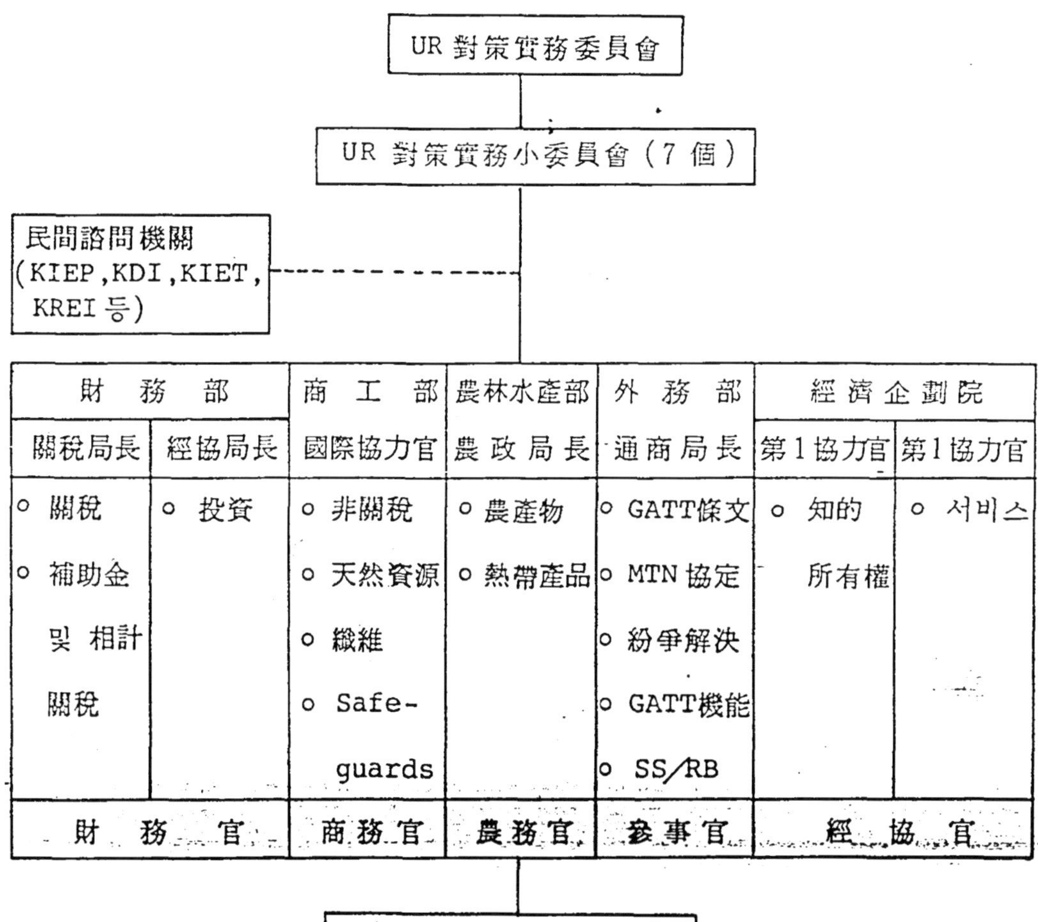

— 我國의 立場을 明確히 밝히고 協商力 提高를 위해 我國의 關心 事項에 대해서는 書面提案을 推進

o 我國은 12個 議題에 대해 總 26件의 書面提案(單獨提案 20件, 共同提案 6件)을 하여 開途國중에서는 多數 提案國에 속함

〈我國 書面提案 現況〉

議題別	提案回數	主要內容
關稅	2回	關稅引下目標, 引下方式, 基準稅率 등 基本原則
非關稅	2回	對象措置別 協商方法
纖維	2回	多者間 纖維協定(MFA) 撤廢方案
農産物	2回	食糧安保등 農業의 特殊性이 반영된 交易自由化 方案
熱帶産品	1回	關稅引下計劃 등 自發的 寄與措置
GATT條文	2回	關稅讓許 再協商權(28條) 擴大方案
MTN協定	6回	反덤핑協定 및 政府調達協定 改正
Safeguards	2回	Safeguards 措置 發動要件 强化
補助金 및 相計關稅	4回	補助金 許容範圍, 相計關稅 發動要件 强化
紛爭解決	1回	紛爭解決節次 改善方案
知的所有權	1回	保護基準, 施行節次에 대한 細部立場
서비스	1回	서비스協定 構造 및 內容

— 모든 協商過程에 積極參與하여 我國立場을 開陳

o 제네바에서 開催되는 公式會議(年間 95回 程度), 各種 非公式會議(穩健先·開途國會議, 開途國間會議 등)에 參席하여 我國立場 積極 開陳

o 제네바地域 以外에서 開催되는 關係會議, 高位實務會議 등에도 本部 代表團을 中心으로 積極參與

0025

Ⅲ. 主要議題別 論議動向

1. 關 稅

- 協商結果가 가장 可視的이고 産業全般에 影響을 미쳐 先·開途國 모두 關心을 갖고 協商에 적극참여
  - o 33%이상의 關稅引下目標와 대폭적인 關稅讓許에 合意

主 要 爭 點	論 議 動 向
- 關稅引下方式을 一定한 公式에 의거 一括引下할 것인지, 兩者間品目別 協商으로 할 것인지 여부	- 美國을 除外한 대부분의 國家(我國包含)는 公式適用에 의한 一括引下를 主張
- 協商對象品目에 農産物 포함여부	- 農産物 포함을 主張하는 美國 등 農産物輸出國과 이를 農産物協商그룹에서 一括 다루어야 한다는 EC 등 農業保護國(我國包含)의 立場對立

2. 農産物

- 農産物交易의 完全自由化를 主張하는 農産物輸出國(美國, 濠洲, 카나다등)과 農産物交易의 自由化擴大를 主張하는 農業保護國(EC, 日本, 我國등 輸入開途國)의 立場이 첨예하게 對立

主 要 爭 點	論 議 動 向
- 非關稅措置 및 補助金의 감축	- 農産物 輸出國은 非關稅 및 補助金의 撤廢를 主張한 반면(美國은 10年 期限設定), 農業保護國은 이의 撤廢보다는 GATT내에서의 運用改善을 주장
- 農業의 非交易的要素 考慮問題	- 農業保護國은 식량안보, 雇傭, 地域開發 등 農業의 특수성을 고려하여 輸入規制 및 國內 補助金의 許容을 주장
- 輸入開途國 優待	- 輸入開途國은 農業分野의 취약성을 考慮하여 農産物交易 自由化時 長期猶豫期間 認定을 주장

0026

3. 纖 維

— 인도, 파키스탄, 我國등 纖維輸出開途國은 현재 GATT規律 밖에서 運用되고 있는 多者間 纖維協定(MFA)의 撤廢方案 마련을 위해 協商에 注力하고 있으나, 美國·EC등 先進國의 소극적인 態度로 協商進展이 부진

主 要 爭 點	論 議 動 向
— 協商對象에 MFA에 의한 쿼타이외의 非關稅, 補助金등 다른 規制措置도 包含 여부	— 纖維輸出開途國은 協商對象을 MFA 規制撤廢에 限定할것을 主張하고 있으나, 先進輸入國은 協商對象을 擴大함으로써 實質的인 協商進展을 저지
— MFA의 GATT에로의 統合開始 및 終了時限	— 纖維輸出開途國은 UR期間中 統合時限 設定을 주장하고 있으나, 先進輸入國은 時限設定에 미온적 입장

4. 緊急輸入制限(Safeguards)

— 纖維와 함께 我國, 홍콩등 開途國의 큰 關心分野이나 主要爭點事項에 대한 先·開途國間의 視覺差異가 커서 協商進展이 不振

主 要 爭 點	論 議 動 向
— 措置發動時 모든國家에 無差別 適用할것인지 또는 一部國家에 選別 適用을 許容할 것인지 與否	— 開途國은 措置發動時 無差別原則의 遵守를 主張하고 있으나, 美國·EC등 先進國은 필요시 選別適用의 許容을 主張
— 輸出自律規制등 GATT에 위배되는 灰色措置의 撤廢問題	— 開途國은 協定發效後 一定期間內 灰色措置의 撤廢를 主張하고 있으나, 先進國은 現實與件을 고려하여 GATT體制內 양성화를 主張

5. 知的所有權

- 브라질, 인도등 强硬開途國들이 GATT권능과 關聯하여 協商對象縮小를 圖謀하고 있으나, 美國 등 先進國이 큰 關心을 갖고 協商力을 集中하고 있어 先進國 의도대로 協商進行中

主 要 爭 點	論 議 動 向
- 特許, 商標, 著作權등 知的所有權別 保護基準의 制定	- 開途國들은 同問題를 世界知的所有權機構등 關聯 專門機構에서 擔當해야 한다고 주장 o 我國은 GATT에서의 保護基準制定을 주장하는 先進國立場을 支持하되, 保護와 使用의 均衡 維持를 위해 强制實施權 認定등을 强調
- 知的所有權 侵害商品의 交易防止를 위한 行政的·司法的節次마련	- 美國, EC등 先進國은 協定에 具體的인 節次를 規定할 것을 주장하고 있으나, 我國등 穩健開途國은 協定에서는 Guide-line만 정하고 細部節次는 各國의 國內法에 委任하자는 立場

6. 서 비 스

- 知的所有權과 함께 美國등 先進國이 가장 큰 關心을 가지고 協商力을 集中하고 있는 分野로 先·開途國間의 活潑한 參與로 協商進展이 빠른 分野임.
  - o 서비스는 우리나라 GNP의 切半以上을 차지하고 있을 뿐아니라 包括範圍가 다양하여 거의 모두 部處가 연관되어 있음.

主 要 爭 點	論 議 動 向
- 支店이나 子會社 設置, 合作投資등 設立形態의 制限	- 先進國은 서비스供給者가 원하는 모든 設立形態의 許容을 주장하는데 대해, 開途國(我國包含)은 設立形態를 制限할 수 있다는 立場
- 勞動力移動의 範圍	- 先進國은 Key-Personnel에 限定하고 있으나, 開途國은 單純勞動者등 廣範圍한 勞動力移動의 保障 要求
- 設立이 許容된 企業에 대한 國內營業上의 內國民待遇	- 先進國은 原則的으로 內國民待遇 許容을 주장하고 있으나, 開途國(我國包含)은 留保 및 條件賦課 許容 주장

0028

Ⅳ. 向後 協商展望 및 우리의 對應

1. 協商展望

- 지금까지 全般的인 協商進展은 各國의 參與擴大로 比較的 순조롭게 進行되어 왔으나, 向後協商은 初期段階에 비해 더욱 複雜하고 어려운 過程이 남아 있음.
  - o 農産物, 서비스등 主要分野의 合意到達에 相當한 調整 및 妥協努力 必要
  - o 纖維등 開途國關心分野의 協商進展 不振에 따른 開途國의 强力한 반발이 豫想되어 이를 最終的으로 調整하는 作業에 相當한 時間 所要豫想
  - o 特히 UR의 期限內 妥結은 協商結果에 대한 議會의 反應을 考慮한 美國立場과 EC統合과 關聯한 EC立場 등 協商主導國의 政治的 妥結意志에 큰 影響을 받을 것으로 豫想

- 그러나 '90年初부터는 지금까지의 原則的, 理論的 論議와는 달리 具體的인 實質協商에 진입할 것으로 豫想되므로, 우리도 이에대한 積極的인 對應努力이 必要
  - o UR對策 關聯委員會의 機能을 强化하여 議題別로 我國의 實益을 確保할 수 있는 具體的인 代案을 마련
  - o 我國立場 反映을 위해 現地協商에 積極 對處하고 特히 議題別 特性에 따라 利害關係를 같이하는 國家와 共同對應努力 强化
  - o 最終的으로 妥結된 協商內容을 勘案하여 國內制度의 整備 및 補完對策 推進

2. 우리의 對應

(1) UR對策 關聯委員會의 調整機能 强化

- UR對策實務小委에서 '90年 UR開始前 早速한 時日內에 我國立場을 具體化하고, 協商進展狀況에 따라 協商戰略 補完
  - o 細部爭點事項이 도출되고 各國의 立場이 부각된 狀態이므로 우리도 이에대한 立場을 具體化하고 對應論理 마련
  - o 主要爭點事項에 대한 priority設定과 爭點別 trade-off 등 協商戰略 樹立
    - 貫徹必要分野, 寄與可能分野, 協商推移에 따라 讓步可能分野 등 設定
  - o 我國立場 樹立過程에서 現地協商팀과 有機的인 協調體制를 構築하고 또한 民間業界, 學界, 硏究所들의 參與誘導
    - 主要 協商議題에 대해서는 專擔作業班 設置 등 對策機構 補完 (例 : 서비스分野別 12個- UR對策委員會, 關稅諮問委員會)

- 全般的인 協商戰略, 主要會議(TNC會議등)對策, 議題別로 部處間 異見調整이 必要한 分野 등에 대한 UR對策 實務委의 調整機能 活性化
  - o UR對策 實務小委 擔當部處間 非公式 協議機能 强化
  - o 協商進展狀況에 따라 必要時 對外協力委員會에 報告 및 主要決定事項 上程

0030

(2) 政府・民間間의 協調體制 構築

— 對外經濟政策硏究院에 UR協商 總括硏究對策班 구성운영

o 他 關聯硏究機關 등과 協調體制를 構築하여 全般的인 對應戰略 硏究

o 90年 1月中 UR關聯 政策協議會(KIEP주관) 開催

— 民間部門과의 協調 强化

o 協商議題別로 民間業界, 學界, 硏究所 등의 參與下에 Seminar 등을 開催하여 國民認識을 제고하는 한편, 利害關係集團間 意見收斂 機會로 활용

o 言論에 대한 取材源提供등 弘報活動 强化

o 協商議題別 業界代表, 民間專門家 등에 대한 제네바회의 參席機會 擴大

(3) 最終 妥結될 協商結果의 豫測 및 이에대한 對策마련

— 協商結果에 따른 國內制度整備

o 現行 貿易管理制度에 대한 全般的인 檢討

o 協商結果와 일치하지 않는 國內制度 改善 및 새로운 制度 導入

— 産業政策的 次元에서 國內補完對策 마련

o 協商結果履行에 따른 産業別 影響分析 및 競爭力 向上 對策 마련

o 특히 서비스등 新分野의 開放 및 補完對策마련

제 3차 대외협력위원회 결과보고

1. 일시 및 장소 : 89.12.26(화) 15:00-16:45, 경기원 대회의실

2. 안 건

   ㅇ 의결사항

   - EC 통합대책 실무위원회 운영규정(안)

   ㅇ 보고사항

   - EC 통합의 진척상황과 우리의 대응

   - UR 동향과 우리의 대응

3. 참 석 자

   부총리겸 경제기획원장관

   외무부장관

   재무부장관

   상공부장관

   동자부장관

   건설부장관

   보사부장관

   노동부장관

   교통부장관

   체신부장관

   과기처장관

   안기부 제 2차장

   농림수산부 차관

0032

4. 회의내용

가. EC 통합대책 실무위원회 규정(안) 및 EC 통합의 진척사항과 우리의 대응

(경기원 제 2협력관 보고후)

보사부장관 :

EC 통합대책에 대한 실무적 연구도 중요하지만, 현재 EC 회원국 개별국가에 대한 연구도 부족한 상태임. 이들 개별국가에 대한 연구를 강화해야 하며, 기초가 될수 있는 자료수집체계의 확립이 필요함.

과기처장관 :

EC 통합연구에는 미국, 일본과의 상대역학적인 관계연구도 필요하며 EC 통합연구에 동구대책도 포함, 대책위원회 구성이 바람직함.

상공부장관 :

EC 연구를 위해서는 적어도 영.불.독 BENELUX 에 대한 심층적 연구가 필요함. 여태까지 유럽국가 및 EC 에 대한 연구가 없었던 것은 아니며, KOTRA, KIET 등의 기존 연구에 대한 자료의 계속적인 축적 및 정리가 필요한 바, 대책반 구성을 계기로 새로 다시 시작하는 것은 문제임. 또한 경기원 안과 같이 실무대책반이 많이 있는 것이 좋은지 manage 할수 있을 정도로 줄이는 것이 좋은지에 대한 연구가 우선 필요함.

부 총 리 :

대책반 수에 대해서는 우선 발족한 후, 운영과정에서 문제점이 있으면 통합, 정리토록 하겠음.

보사부장관 :

EC 가 92년 통합으로 추구하는 바가 무엇인지를 파악, 이에 대한 집중연구가 필요한 바, 상품의 규격 표준화가 가장 중요한 것으로 생각됨.

외무부장관 :

EC 에 대한 각종 연구가 계속 진행중에 있었으며, 이러한 시기에 EC 통합대책 실무위원회가 구성되는 것은 시의 적절한 것임.

정보수집 및 활용문제와 관련, 재외공관의 중요한 업무중의 하나가 정보수집이며, 그간 재외공관들은 계속 관련정보의 수집 기능을 열심히 수행하여 왔음. 이렇게 수집된 정보를 국내적으로 잘 정리, 활용하고 있냐를 우선 반성해야 함.

재외공관에 경제부처 주재관 파견문제에 대해서는 직원상주가 필요한 정도의 업무량이 있느냐가 중요하며, 외무부 또는 타 경제부처 담당관을 통한 업무수행 방안 강구도 필요하다고 생각됨.

직원상주가 꼭 필요하다고 판단되어, 주재관을 파견할 경우에도, 적절한 인재선발이 필요하며, 언어능력 등이 부족, 업무활동이 극히 미약한 경우도 있는 것으로 보고되고 있음.

안기부 제 2차장 :

동구권의 민주화와 관련 EC 와 동구권과의 관계연구에 대한 대책반이 필요함.

재무부장관 :

EC 통합대책과 관련해서는 정부차원에서 협력할 사항과 업계가 실제로 EC 통합과정에서 느끼는 불편 제거라는 2가지 측면에서 파악하여야 함.

대책반에 업계의 참여의 대폭 확대가 필요하며, 학문적인 접근 보다는 실질적인 접근이 바람직할 것임. 이러한 연구를 통해 아국기업 진출에 문제가 있는 것으로 파악되는 것은 외무부에 통보, 조치토록 하고, 국내에서 해결 가능한 것은 관계부처간 해결토록 해야 할 것임.

외무부장관 :

동구권과 EC 와의 관계연구 필요성에 대해 여러 장관께서 언급 하셨는데, 대책반과는 별도로 동 문제는 해외공관 등을 통해 외무부에서 연구, 대책을 마련토록 하겠음.

체신부장관 :

표준규격에 대한 연구는 정부 및 연구소 전문가들이 먼저 시작 하여, 업계에 전파해야 하는 바, 이를 위한 전문가 파견이 필요함.

동자부장관 :

금번 연구대책반에 에너지분야가 빠져있는 바, EC 의 에너지기술, 특히 원자력기술에 대한 연구가 중요하므로, 에너지분과를 설치 하는 것이 필요할 것으로 생각됨.

부 총 리 :

동자부장관 의견대로 대책반 1개를 추가하는 방향으로 조정토록 하는 것이 좋겠음.

보사부장관 :

식품, 의약품의 규격문제도 있으니, 실무대책위원에 보사부 위생국장 추가를 희망함.

동자부장관 :

동자부의 자원협력실장도 추가해 주길 바람.

부 총 리 :

체신부장관 말씀도 있었으니, 보사부, 동자부, 체신부 관계국장을 추가토록 하겠음.

안 기 부 :

동구권 관계도 있으니, 안기부 관계관도 포함하는 것이 좋겠음.

부 총 리 :

실무위원회 규정안에 위원을 추가할 수 있는 규정이 있으니, 추후 안기부도 추가토록 하겠음.

EC 통합 실무대책반 구성(안) 은 위원에 보사부, 동자부, 체신부 관계관을 추가하여, 관계장관님들 이의가 없으시면 원안대로 의결토록 하겠음.

나. UR 동향과 우리의 대응

(경기원 제 1협력관 보고후)

동자부장관 :

UR 협상 진전사항 보고는 처음 듣는 것으로 유익했음. 천연자원 분야에 대한 UR 논의사항을 동자부로서는 전혀 모르고 있는 바, 협상시 보안유지가 필요치 않은 것은 전체 정부부처간 협조 및 대응책 마련을 위해서도 관계 실무부처에 알려주면 좋겠음.

교통부장관 :

본의제와는 거리가 있지만, 외무부장관께서 계시니, 경제외교와 관련 몇 말씀드리고자 함.

경제외교 추진면에서 소홀한 점이 있다는 생각이 있는 바, 그 예로서 항공협정문제에 있어, 일방적으로 미국의 요구는 수용하면서, 아국의 요구사항은 관철치 못하고 있는 점임. 한가지 양보를 하면, 상대측의 양보도 얻을 수 있는 적극적인 노력이 필요하다고 생각됨.

해외주재관 문제와 관련, 현재 행정이 다원화, 전문화 되고, 운수, 교통분야의 기술이 계속 발전되는 점을 감안할 때, 교통 attache 의 해외공관 파견이 필요함. 외무부에 신청하였으나 아직 회답이 없는 상태임.

외무부장관 :

외무부는 항공협정에 상당한 관심을 갖고, 열심히 추진하고 있는 바, 시카고 취항문제도 본인이 미 국무장관에게 직접 거론하여 해결하였음. 미국과의 협상에 있어서는 시간이 필요하며, 한.미관계 전체의 관점에서 조명을 해야 한다고 생각함.

해외주재관 문제는 특정한 정보수집을 위해 1년 내내 상주할 필요성이 있는가가 가장 중요하며, 꼭 필요한 업무량만 있으면 인원파견에 제한이나 반대를 하지 않고 있음.

재무부장관 :

UR 협상관련, 우리의 우선순위를 정할때, 미국, EC 등 협상세력들의 동향들도 고려해야 할 것임.

동자부장관 :

해외주재관 문제와 관련, 이것이 관계부처 공무원의 교육, 훈련의 기회도 된다는 것을 고려하여 주시길 바람. 끝.

19866

기 안 용 지

분류기호 문서번호	통기20644-	(전화 :)	시 행 상 특별취급	
보존기간	영구·준영구. 10. 5. 3. 1.	장 관		
수 신 처 보존기간				
시행일자	1990.4.26.			

보조기관		협조기관		문 서 통 제
국 장	전결			검열 1990.5.04
심의관				
과 장				발 송 인
기안책임자	김 봉 주			

경 유 수 신 참 조	경제기획원장관	발신명의	
제 목	UR 협상 추진 계획 송부		

대 : 협일일 10502-192

대호, 당부 담당 UR 협상 그룹에 대한 향후 추진 계획을 별첨과 같이 송부 합니다.

첨부 : 표제 자료 1부. 끝.

0039

1505-25(2-1) 일(1)갑 190mm×268mm 인쇄용지 2급 60g/㎡
85. 9. 9. 승인 "내가아낀 종이 한장 늘어나는 나라살림" 가 40-41 1989. 11. 14

분쟁해결

1. 협상추진 기본 방향

ㅇ 통상분쟁의 쌍무적 해결 방식을 지양한 다자간 해결 방식 확립을 위한 기반 조성

- 미 301조등 일방조치 발동억제

ㅇ 아국의 BOP 졸업과 관련, 향후 대아국 제소증가에 대비

- Consensus 에 의한 패널보고서 채택

- 권고사항의 이행력 확보 방안 마련시 신축성 부여

2. 쟁점별 아국 및 주요국 입장

쟁 점	주요국 입장	아국입장
일방조치 발동억제 및 국내법 일치 문제	ㅇ EC, 인도, 브라질 - 무역관련 국내 법규를 갓트에 일치 - 체약국단의 분쟁해결 절차 규정 준수 공약 강화 - 일방조치 발동 억제 ㅇ 미국 : 국내법규의 갓트 일치 반대	- 미301조등 일방조치 발동억제에 대하여는 EC, 인도 등의 입장에 동조 - 국내법의 갓트 분쟁 해결 절차에의 일치 문제는 입장 표명 유보
패널보고서 채택 방식 (consensus-2 방식 채택 여부)	ㅇ 미국, EC : 상소절차도입으로 당사국의 Block 방지 ㅇ 카나다등 평화그룹 온건국 대다수 : 분쟁당사국은 보고서 채택시 기권은 가능하나 Block은 불가 ㅇ 호주 : Consensus 2 방식 ㅇ 일본, 인도, 브라질등 : 콘센서스 방식고수 및 패널보고서 질 개선을 통한 당사국 Block 방지	- Consensus 방식 고수
패널권고 사항의 합리적인 이행기간 설정	ㅇ EC : 이사회가 패널 결론 채택시 이행시한 결정 ㅇ 카나다 : - 합리적인 이행기간은 패소국이 일차적으로 제시, - 단, 패널이 이행기간을 제의하는 것도 가능하며, - 이사회가 이행기간을 결정하는 것도 장점이 있음.	- 갓트 분쟁 해결절차의 원활한 기능을 위해서는 합리적 이행기간을 신축성 있게 정하는 것이 바람직

0040

쟁 점	주요국 입장	아국입장
	○ 홍콩 : · 합리적인 이행기간은 패널이 결정 ○ 미국 · 패소국이 일정기간내 승소국과 협의, 권고 이행 일정합의	
이행력 확보 (보상 및 보복)	○ 미국 : 불이행 또는 이행일정 미합의시 승소국에 양허 철회권 자동 부여 ○ 북구, 인도, 캐나다등 : · 보상 의무화에 반대 · 보상의 장기조치화에 반대 ○ 일본 : 보복은 극히 예외적인 경우로 제한 ○ 개도국 : - 개도국이 피소국이면서 패소국인 경우 개도국이 보상의 형태 및 품목을 선택토록함. - 개도국이 제소국인 경우에도 가능한한 개도국이 원하는 보상 부여	- 보상 · 보복 의무화 및 장 · 단기적 보상 조치는 바람직 하지 않음 · 보상 · 보복은 극히 예외적인 경우로 한정
상소절차	○ 미국 : 일방당사국이 패널 보고서에 법적 해석상 이의제기 경우, 자동적 또는 이사회의 결정에 의거, 상소기구가 법적 문제 검토 ○ EC : 상소제도 도입 제안 및 이경우 Consensus 절차 변경 가능 ○ 대다수 국가 : 동제도의 목적, 실행 가능성, 효과에 대한 검토 필요	- 상소절차 도입에 반대 · 상소절차 도입시, 패널 보고서 채택 Consensus-2 방식 찬성 논거 강화 예상 · 중소국가들은 동 절치를 통한 패널 보고서 내용 번복 기대 곤란
제3국의 권리 의무	○ 미국 : 일단 채택된 패널보고서 내용중 조사결과 부분을 모든 체약국에 적용 제안 ○ EC, 홍콩, 우루과이 : 분쟁마다 성격 상이하므로 모든 체약국 적용은 비논리적	- 조사결과가 국제법상 구속력 있는 선례를 구성치 못하는 것이 관행

0041

쟁 점	주요국 입장	아국입장
Non-violation 분쟁	○ EC : - 갓트 위반의 분쟁과는 달리 취급해야함. - Non-violation 분쟁의 경우 신의성실에 의거한 보상으로 족함. ○ 미국 : - Non-violation 분쟁의 경우에도 권리.의무가 균형을 회복해야함.	- 갓트 위반의 분쟁과는 달리 취급되어야함. - 신의성실에 의거한 보상으로 족함.
중재절차 도입	○ 미국 : 구속력 있는 중재절차 도입 ○ 일본 및 EC : 분쟁당사자만 구속 (사실 조사에 한정) · 중재 제도가 기존 패널을 통한 분쟁해결 절차를 대체해서는 안됨. · 세부적인 중재 절차 수립은 바람직하지 않음.	- 당사국간 상호 합의된 조건하에, 구속력 있는 중재 절차를 패널과정 이전 절차로 도입 · 당사자간 합의된 중재 조항은 이사회에 회부, 승인 · 중재결과 이사회 제출, 이사회는 Take note
패널리스트 선정	○ 미국 : 15-20 인정도의 전문가 그룹 구성 및 동그룹에서 선정 ○ EC : 소수의 전문지식 소지한 민간인으로 구성 ○ TNC 합의 : 자격있는 공무원 또는 민간인 5인으로 구성 (미합의시 3인으로 구성)	· TNC 합의 대로 선정 · 전문가 그룹 선정 관련 문제 발생소지 · 공무원 또는 민간인 공히 포함

3. 협상 추진 전략

가. 쟁점별 우선순위 설정

1) Consensus에 의한 패널보고서 채택

2) 권고사항의 이행력 확보 방안 마련시 신축성 부여 (합리적 이행기간 및 보상, 보복)

3) 일방조치 억제(미 301조등)

0042

4) 상소 절차도입

5) 제3국 권리의무

6) non-violation 분쟁

7) 중재절차 도입

8) 패널리스트 선정방안(선정 방안 구체화가 전제)

나. 아국 입장 관철 필요 부분 : 우선순위 1)-3)

다. 아국 양보가능 부분 : 우선순위 4)-8)

라. 이해 관계국과 공동대처 방안

ㅇ 일방조치 발동억제 : 미국을 제외한 모든 참가국들과 협조

ㅇ 패널 보고서 체택방식 : 일본, EC, 개도국들과 협조, Consensus 방식 고수

ㅇ 이행력 확보 : 일본과 협조,보복은 극히 예외적인 경우로 한정

4. 협상결과의 이행방안

ㅇ GATT불일치 국내법의 정비

ㅇ 각종 무역정책 입안시 갓트 일치 여부 사전 검토

ㅇ 국내 통상법 전문가 양성

0043

갓 트 조 문

1. 협상 추진 기본 방향

ㅇ 교역 확대에 필요한 조항에 대한 수정 및 개선

· 양허재협상권 (28조)의 확대

· 지역협정(24조) 및 Waiver(25조 5항) 요건 강화

ㅇ 아국 BOP 졸업과 관련, 17조(국영무역), 조부조항(PPA)등의 향후 활용 가능성 확보 필요

ㅇ BOP 조항에 대하여는 선진·개도국간의 첨예한 대립을 감안, 중도적 입장 견지

2. 쟁점별 아국 및 주요국 입장

쟁 점	주요국 입장	아국입장
18조 B (BOP 조항)	ㅇ 선진국 : 동조항이 각국 유치산업 보호 목적으로 장기간 남용되고 있으므로 이를 규제할 필요성이 있음 · 미,캐나다 : BOP에 근거한 수입 제한 허용 기간의 단기화 및 품목별 철폐계획 제시 · EC : BOP 조항은 갓트상 일반 의무의 예외 조항이므로 예외의 남용 제한 필요 ㅇ 개도국 : 개정 필요성 합의 부재 및 개도국 경제사정 불변으로 토의 대상이 될수 없음	- 아국의 BOP 졸업 사실과 UR 내 다른 협상에서의 개도국과의 협조 관계를 고려, 입장 불표명
17조 (국영무역)	ㅇ 미국등 선진국 : 동 조항이 적용되는 국영무역 범위, 갓트 통보 의무등의 명료화 필요성 주장. 국영무역의 규율강화 (MFN 원칙, 내국민대우 원칙, 11조상의 수량제한 금지의무, 보조금 관련 규율 적용) ㅇ 동구권 국가 및 일부 개도국 : 전면 재검토에 반대 (통보 의무등 일부 문제만의 검토 가능성은 시사)	- 국영무역의 범위, 갓트 통보 의무등의 명료화에는 선진국과 동일한 입장 - 내국민대우 의무는 국영무역에는 적용되지 않음. - 11조상의 수량제한 금지 의무는 국영무역에 적용되지 않는다는 일본 입장에 동조

0044

쟁 점	주요국 입장	아국입장
	ㅇ 일본 - 내국민대우 의무 및 11조상의 수량 제한 금지 의무는 국영무역에는 적용되지 않음 - 대부분의 국영무역 기업이 농산물과 관련되므로 갓트조문 협상그룹이 농산물 그룹에서의 협상 결과를 예단해서는 안됨	- 적어도 독점 국영무역 기업에 대하여는 11조 의무가 적용되지 않음. (갓트 20조 d 항 관련)
24조 (지역협정)	ㅇ 미국,일본등 : 지역협정이 확대되어 가고 있는 추세를 지적, 동협정등에 대한 통제 및 감시강화 필요성을 주장 ㅇ 이씨등 : 기존 협정의 재검토는 불가 (기존 감시 기능의 존재등을 들어 재검토에 반대 입장)	- 지역협정 역외국에 대한 불이익 시정 방안 검토 - 감시강화,잠정협정의 존속기간 설정 방안 강구등 필요
25조 5항 (웨이버)	ㅇ 이씨등 - 예외적으로 인정되는 동 규정이 항구적으로 사용되고 있음을 우려, 웨이버 부여시 최장시한설정, 경제적사유에 대한 기준설정, 웨이버외의 대안부재, 매년 요건 검토, 기존 웨이버의 일정시한내 철폐 주장 - Waiver 로 불리한 영향을 받는 체약국에 22조 및 23조 원용 권리 부여 고려 필요 ㅇ 미국등 : 웨이버의 사례별 특수성을 이유로 기존 웨이버 재검토에 반대	- 예외적으로 인정되고 있는 동규정이 항구적으로 사용되고 있는 실정을 감안 - 기존 웨이버의 재검토 및 웨이버 부여시 시한 설정 주장
28조 (재협상권)	ㅇ 각국의 양허 재협상시 협상권 확대와 관련, 현재 스위스, 뉴질랜드, 이국등이 각각 인구, GNP, 총 수출액등을 기준으로 제안 ㅇ 미국,EC,일본등 선진국은 재협상권 확대에 반대 ㅇ 일본 : 과거 교역 실적이 없는 신상품에 대한 관세양허 재협상시 현재 생산 수준, 미래 수출 예상치, 설비 및 투자 수준등을 고려한 새로운 협상 절차 제의	- Peace Group 과 공동 제안을 통해 양허 재협상권 확대 추진 • PSI 산정방식 : AE/TE 추가 • 관세 재양허 교섭 실패시 차별적인 보복 허용 불가
조 부 조 항	ㅇ 이씨 : 일정시한(X년)을 설정 모든 조부조항 철폐 - 사무국, 각국의 조부조항에 대한 통보내용을 종합 발간예정	- 조부조항 철폐에 대하여는 협상 추이 관망 ※ 사무국 요청에 따라 2개 조항을 예시 목록으로 통보

0045

3. 협상 추진 전략

가. 쟁점별 우선순위 설정

1) 양허 재협상권(28조)확대 추진

o AE/TE 상위 1개국에 대한 PSI 자격 추가 인정

o 관세 양허 재협상 실패시, 차별적인 보복허용 불가

2) 국영무역

3) 조부조항 개선

4) 지역 협정(24조)의 명료화 및 개선

5) Waiver 규율강화

6) BOP 조항

나. 아국입장 관철필요 부문 : 우선순위 1)-2)

다. 아국 양보 가능 부문 : 우선순위 3)-6)

라. 이해 관계국과 공동대처 방안

o 평회그룹과의 공동제안 및 협조를 통해 양허 재협상권 확대 추진

o 일본등 공동이해국들의 입장에 동조, 24조 개선 및 17조 활용 가능성 확보

0046

갓트기능

1. 협상추진 기본 방향

ㅇ 무역정책 검토 체제는 아국등 선발개도국의 무역정책 검토가 강화될 가능성이 있으므로 이에대한 과다한 부담이 되지 않도록 유도

ㅇ 체약국 무역정책 감시기능 강화를 위한 국내 무역 정책의 명료성 강화 조치는 각체약국의 자발적인 조치이어야 하며, 통고 절차 개선은 회원국들의 부담등을 고려, 신중한 접근이 필요

ㅇ 국제금융기구와의 관계강화는 선진국 입장의 신중한 수용 방안 검토

- 선·후진국간의 입장 대립 감안, 적극적 입장 표명 자제
- 갓트기능 강화와 관련한 EC 제출 예정인 ITO체제 전환 문제 및 카나다의 WTO 제안등에 관한 아국 입장 검토

2. 쟁점별 아국 및 주요국 입장

쟁 점	주요국 입장	아국입장
가. 체약국 무역 정책 감시기능 강화 ㅇ Domestic Transparency	ㅇ 호주, 카나다, 홍콩, 뉴질랜드 : 각체약국들은 국내정책의 명료성 제고를 위한 최선의 방책강구	ㅇ 각체약국들의 독자적인 국내 정치적·법적구조를 감안한 자발적인 조치라야 함
ㅇ 통고 절차 개선	ㅇ 미국, 이씨, 뉴질랜드 : 중앙기탁소설치, 모든통고의 단순화 및 표준화등 통고절차 강화 ㅇ 대다수국가 : UR 협상 최종 각료 회의시 결정 채택을 통해 UR 협상 이후의 Work program으로 하도록 합의	ㅇ 통고절차개선에는 찬성하나, 각종 통고의무의 조화 문제, 회원국들의 행정적·예산상 부담, 기존 통고 의무와의 중복 문제등을 고려 신중한 검토 필요

0047

쟁 점	주요국 입장	아국입장
나.갓트의 전반적 효율성 향상 ㅇ소규모 각료급 회의설치 문제	ㅇ 주요선진국 : 갓트정책 결정 과정의 원활화를 위하여 동회의 설치 필요 ㅇ 개도국 : 일부 주요국에 의한 정책 주도 우려 때문에 설치에 반대	ㅇ 자문적 성격의 소규모 각료급 회의 설치에 찬성 · 규모는 20개국 정도
다.국제통화금융 기구와의 관계 강화 (IMF, IBRD)	ㅇ 국제기구간 관계강화 방안 · 선진국 : 기구간 제도적인 협력 방안부터 논의 · EC : 무역, 금융 및 재정간 일관성에 관한 관련기구 각료급 합동선언문 제안 · 제도적 협력 및 실질적 협력 포함 · 후진국 : 실질적 차원의 협력방안 강구가 중요 ㅇ 구체적 협력 방안 · 선진국 : 단계적으로 우선 사무국 차원의 협력방안부터 고려 - EC : 기구상호간 협력은 각기구의 staff, 통제기구에서 고위 수준 까지도 포함 - 후진국 : 관련기구 수뇌간 협의 에서 실질 문제 취급 ㅇ IMF/IBRD 의 금융지원과 관련한 무역정책 수립에 갓트 참여 문제 - 선진국 : 각국 무역정책에 대한 갓트 사무국의 의견 반영은 당연 · EC : 갓트의 IMF/IBRD 금융지원에 대한 무역정책 조건부여는 부적합, IMF/IBRD의 갓트 권리의무에 대한 간섭도 부당 · 개도국 : IMF/IBRD 에 의한 각국 정책 간섭에 더하여 갓트에 의한 추가간섭 초래 우려 ㅇ IMF/IBRD 구조조정 계획에 의한 무역 자유화에 credit 부여 문제 · 선진국 : 양허된 자유화 조치만을 대상 - EC : IMF/IBRD 의 금융지원 관련 자유화 조치에 credit 부여 기회 제공 - 개도국 : 자발적 또는 구조조정 계획에 의한 자유화에도 credit 부여	ㅇ 선진국 입장의 신중한 수용검토 - 선진국과 후진국간의 입장대립을 감안, 당분간 적극적 입장 표명 자제 ㅇ 입장표명 불요

0048

3. 협상 추진 전략

가. 쟁점별 우선 순위 설정

o 통고 절차 개선에 있어 회원국의 과중한 부담이 되지 않도록 한다는 협상 목표외에는 특별히 관철해야할 사항 없음

나. 이해관계국과 공동대처 방안

o 해당없음.

0049

MTN 협정

1. 협상추진 기본방향

ㅇ 이국이 가입한 반덤핑 협정등 주요 협정의 개정을 통하여 선진국 비관세 장벽의 완화와 협정 취지에 이탈된 각국 입법 경향 저지

ㅇ 개도국의 MTN 협정 가입 저해 요인 제거

ㅇ 개도국의 MTN 협정 참여 확대를 통한 MTN 협정과 GATT 간의 integrity 제고

2 쟁점별 이국 입장

주요쟁점	주요국 입장	이국입장
반덤핑 협정	ㅇ 미국,뉴질랜드,호주 : · 반덤핑 협정에 치우친 협상 진전 기피 · 수입국 입장에서 협정 완화 추구 · 우회 덤핑 수출 행위 규제 강화등 새로운 잇슈 포함 주장 ㅇ EC : - 우회덤핑 규제강화주장 ㅇ 카나다 : · 수출입국의 이익균형, 일방주의 방지를 위한 다자체게 강화, · 시장접근 기회 보장등을 위한 현 협정의 명료성 제고 주장 ㅇ 일본,개도국 : · 반덤핑 협정 논의 활성화 · 수출국 입장에서 동종제품, 국내 산업의 범위등 규정상 모호한 개념의 명료화 · 반덤핑 조사 개시 요건의 강화	· 반덤핑 협정 논의 활성화 · 수출국 입장에서 동종제품, 국내 산업의 범위등 규정상 모호한 개념의 명료화 - 반덤핑 조사 개시 요건의 강화 - 새로운 잇슈논의 반대

0050

주요쟁점	주요국 입장	아국입장
기술장벽 협정	ㅇ 미국,일본,북구등 선진국 : - 지방 정부기구 및 비정부기관의 협정 적용 범위 확대 · 시험자료의 상호 인정등 협정상의 의무를 확대 강화 ㅇ 개도국 : 기본 원칙에서 선진국과 대체로 동일	- 지방 정부기구 및 비정부기관의 협정 적용범위 확대 - 시험자료의 상호 인정 확대
수입허가 절차 협정	ㅇ 미국,EC : · 비자동 수입허가에 대한 규율 강화 및 수입제한 기준 마련등 현 협정상 의무를 강화시켜, · 수입허가로 인한 무역 왜곡 효과 제거 ㅇ 개도국 : 현 협정상 의무는 수입허가 절차에 국한시켜야 하며 수입허가 내용까지는 다룰 수 없음	- 수입허가 절차의 강화 및 명료성 제고에는 동의하나 · 수입허가 제도 지체의 갓트상 근거, 존속기간 등에 대한 규율 강화는 티 협상 그룹에서 논의할 문제임.
정부조달 협정	ㅇ 개도국 : 개도국 우대정신의 반영으로 개도국의 협정 가입 장애 제거 ㅇ EC : 협정비가입국이 잠정가입을 통하여 협정가입시의 손익을 파악토록 함으로써 궁극적으로 가입을 촉진 시킴	- 개도국의 경우 객관적인 최저 가입요건 설정, 가입시 양허수준이 총조달의50%에 달하면 가입 허용, 최저개도국의 경우, 이보다 낮은 수준으로 가입 허용 가능 - 최소요건을 준수하여 가입코지 하는 개도국은 최종 양허목록과 함께 유예기간중 연도별 양허 확대 계획을 제시, 체약국들과 협상

0051

3. 협상 추진 전략

1) 쟁점별 우선순위 설정

가) 아국 관철 필요 부분 : 반덤핑 협정

나) 아국 기여 및 양보 가능 부분 : 기술장벽협정, 수입허가 절차 협정, 정부조달협정

나) 쟁점별 아국입장 (반덤핑 협정)

o 덤핑사실 존재의 결정

- 가격 비교의 공정성 확보 (Negative 덤핑 문제등)

  · 양 가격의 가중평균 기준으로 비교(수출자격 산정시 Negative 덤핑도 포함)

  · 보다 객관적인 제3국 가격 우선 적용

- 구성가격 산정기준의 합리화

  · 수출자가 국내 시장에서 실현한 실제비용 및 이윤을 기준으로 산정

- 동종상품 개념

  · 완제품에 대한 반덤핑조치를 별 조사없이 부품에 확대 적용할 수 없도록 구분을 명확히 함.

o 피해판정 기준

- 국내산업 정의

  · 국내생산의 50%이상을 생산하는 경우로 함

- de-minimus(최소 수입량)

  · 수입국 국내시장의 2% 미만을 차지하는 수입의 경우는 국내 산업 피해 판정시 제외

- cumulation (피해의 누적)

  · 피해판정은 각 수출자별로 이루어져야 하며 다만 예외적 (국내 및 기타 수출국제품과 경쟁하는 경우)으로 인정

0052

- 공공이익 고려
  - 국내생산자 피해뿐만 아니라 소비자등의 이익도 고려,
    국가경제 전체 측면에서 피해 결정

o 조사개시 조건의 강화

- 실질수입 또는 구체적 계약이 체결된 경우에 한하여 조사개시 가능

o 반덤핑 관세 소멸시효 및 재심절차 확립

- 소멸시효의 인정(3년)
- 재심절차의 확립(매1년마다 재심, 재심 완료시한 설정)

2) 이해관계국과 공동대처 방안

o 반덤핑 관련, 수출국(일본, 홍콩, 싱가폴)과 덤핑존재 결정 및 피해 판정의 자의성 방지, 조사절차의 명료성 확보등 기본 입장 고수를 위하여 긴밀히 협조

4 기타사항

o 협상 참가 계획(반덤핑 협상)

- '90.7 말까지 협상 text 작성 예정
- 수출・수입국간 issue 별 Trade-off 가능성에 대비, 아국의 기본입장 재검토
- 비교적 중도적 입장을 취해온 카나다, 호주에 입장설명, Trade-off에서 아국입장 반영토록 노력

o 부처간 협조 필요사항

- 반덤핑 협정 운영 현황 및 아국 업계의 입장등 파악, 협조
- 관련부처간 유기적 협조체제 강화 (외무, 상공, 재무부)

0053

SS/RB 감시기구

1. 협상 추진 기본 방향(협상목표)

ㅇ UR 협상기간중 SS/RB 공약의 실질적 이행을 통한 일방적·보호주의적 무역 조치 억제 및 Grey Area 조치등 GATT 규정 밖의 무역조치 철폐

2. 쟁점별 아국 입장

쟁 점	주요국 입장	아국입장
SS/RB 공약 이행 강화	ㅇ 홍콩,인도,브라질등 대다수 개도국 · 감시기구 협의 결과를 보다 확고한 조치 (해당조치의 철폐등)와 연계 · RB 공약 이행을 위한 Target Date 설정 ㅇ 미국,일본,호주,EC,북구등 선진국 · SS/RB 공약은 다분히 정치적 선언이며 자발적 성격이 강함 · Target Date 설정은 비현실적이며 RB 공약 이행에는 시간이 소요	ㅇ 원칙적인 공약 이행 필요성지지 ㅇ Target Data 설정등은 현실성이 없으므로 입장유보
Grey Area 조치의 SS/RB 대상 여부	ㅇ 미국, EC 등 - VER, OMA 등은 GATT 상 합법조치라는 인식하에 동 공약 대상에서 제외 ㅇ 개도국 및 일본 - Grey Area 조치는 GATT/MFN 원칙에 위배되는 불법조치로서 SS/RB의 대상	ㅇ VER, OMA 등은 GATT 위배조치로 SS/RB 의 대상이 됨.
미국의 301조 일방주의 조치	ㅇ 일본 : · 미국의 일방적 보복적 조치는 다지무역 체제 위협 · 국제무역 축소, UR 협상의 약화 초래 및 SS 공약 위배 ㅇ EC,카나다,호주,홍콩,ASEAN 등 대다수 국가 동조 ㅇ 미국 : · 종합통상법은 시장개방과 자유무역을 지향하며 국제무역 규범을 최대한 활용함이 의도 · 여하한 규범이 부실한 분야에서는 다른 수단을 강구할 수 밖에 없음	ㅇ 미국의 301조는 다자무역 체제를 위협하며, UR 협상에서의 미국의 지위를 강화함으로서 SS 공약에 위배

0054

3. 협상추진 전략

1) 문제점 및 향후 협상 전망

o SS/RB 공약의 이행은 UR 협상의 성공을 위한 중요한 요소이나, 협상이 진행됨에 따라 모든 관심이 실질협상이 이루어지는 각 분야별 협상으로 옮겨감으로써 감시기구는 원래 예정된 기능을 못하고 있음

o 중소 선진국 및 개도국들은 UR 협상 종료전에 감시기구 활동에서도 중요한 실적을 남기고자 할 것이나, SS/RB 공약은 정치적인 선언이라는 선진국들의 태도 변화를 기대하기는 어려울 것이며, 따라서 현재대로 각국의 공약 위배 조치에 대한 검토 및 각국의 자발적 R/B 통고선에서 계속될 전망.

2) 아국대응 방안

o 이러한 감시기구 협상 침체 상태의 시정을 위한 중소국가의 initiative에 동조하는 방안은 일응 상정가능 하나, 갓트상 불법조치의 처리 문제 및 패널 권고사항 이행등 정치적 성격의 문제가 관련이 되어 있으므로 협상 진전 추이를 지켜보며 신중히 대응하는 것이 바람직.

0055

김봉주 서기관
국장님.

경 제 기 획 원

협일일 10502-112 503-9152 1990. 4. 10.

수 신 수신처참조

제 목 향후 UR협상 추진계획 제출

1. 우루과이라운드(UR)협상은 금년말 타결을 목표로 하고 있기 때문에 현재 각국간에 구체적이고 실질적인 협상이 진행중에 있읍니다. 따라서 우리나라도 마무리협상에 대비하여 각 의제별로 구체적인 협상추진계획이 필요한 단계에 와 있읍니다.

2. 이를 위해 4월중 대외협력위원회를 개최하여 지금까지의 협상 진전 상황을 점검해 보고 금년말까지의 UR전반 및 각 의제별로 구체적인 협상 추진 계획을 수립.결정코져 합니다.

3. 따라서 각 부처별로 담당의제에 대하여 금년말까지의 향후 협상 추진계획안을 작성하여 '90.4.20까지 당원에 제출해 주시기 바랍니다. 끝.

경 제 기 획 원 장

수신처 : 외무부장관(통상국장), 재무부장관(관세국장, 경제협력국장), 농림수산부장관(농업협력통상관), 상공부장관(국제협력관).

0056

협상추진계획안에 포함되어야 할 요소 (예시)

1. 협상추진 기본방향 (협상목표)

2. 쟁점별 아국입장 재정립

   - 기존입장중 변경.보완이 필요한 부문

   - 아직 입장이 정립되지 않은 부문

3. 협상추진전략

   1) 쟁점별 priority 설정

      - 아국입장 관철필요 부문

      - 아국의 기여가능 부문

      - Trade-off에 대비한 양보가능 부문

   2) 이해관계국 (peace그룹, 선진국, 개도국등)과 공동대처방안

4. 협상결과의 이행방안

   1) 국내제도 정비

   2) 경쟁력 향상을 위한 보완대책 등

5. 기타사항

   - 협상참가계획

   - 다른부처와 협조필요사항

   - 민간부문과 협조방안 (정책협의회, 전문가회의 개최 등)

0057

지급

경 제 기 획 원

대총 10500- 300 503-9130 1990. 5. 26.

수신 수신처 참조

제목 제5차 대외협력위원회 개최

대외협력위원회 규정(대통령령 제12535호)에 의한 제5차 대외협력위원회를 다음과 같이 개최코자 하오니 참석하여 주시기 바랍니다.

- 다 음 -

1. 일 시 : 1990. 5.30(수) 15:00

2. 장 소 : 경제기획원 대회의실

3. 안 건

- 의결사항

0 GATT 정부조달협정 가입(안) (상공부)

- 보고사항

0 UR 협상동향 및 대응방향(경제기획원)

0 EC 통합대책과 우리의 대응(경제기획원)

0 UR 농산물협상 전망과 대응(농림수산부)

4. 참 석

- 위원장 부총리겸 경제기획원장관

- 위 원 외무부장관

재무부장관

농림수산부장관

상공부장관

동력자원부장관

건설부장관

13510

0058

대총 10500- 1990. 5. 26.

보건사회부장관

노동부장관

교통부장관

체신부장관

과학기술처장관

대통령비서실(외교안보보좌관, 경제수석비서관)

국무총리행정조정실장

국가안전기획부 제2차장

조달청장(옵서버) 끝.

경 제 기 획 원 장

수신처 : 국가안전기획부장, 외무부장관, 재무부장관, 농림수산부장관, 상공부장관, 동력자원부장관, 건설부장관, 보건사회부장관, 노동부장관, 교통부장관, 체신부장관, 과학기술처장관, 대통령비서실장(경제수석비서관, 외교안보보좌관), 국무총리행정조정실장, 조달청장.

0059

대외 협력위원회 개최

ㅇ 개최일시 : 5.30(수), 15:00

ㅇ 장 소 : 경기원 대회의실

ㅇ 의 제

- 의결사항 : 갓트/정부조달 협정가입안
- 보고사항 : UR / 농산물 협상 전망 및 대응
  UR / 서비스 협상 전망 및 대응
  EC 통합대책

ㅇ 참 석 자

- 부총리, 외무부장관, 재무부장관, 농림수산부장관, 상공부장관, 동자부장관, 건설부장관, 보사부장관, 노동부장관, 교통부장관, 체신부장관, 괴기처장관, 대통령비서실 외교안보보좌관, 경제수석비서관, 행조실장, 안기부 제2차장
- 조달청장(참관)

장관님 지시: 차관께서 참석하도록

0060

第5次 對外 協力 委員會 會議 資料

90. 5. 30

通　　商　　局

0061

目　　　次

0062

I. GATT 政府調達 協定 加入案 檢討

1. 政府調達 協定 槪要

가. 協定 內容

ㅇ 政府購買에 대한 協定加入國間 無差別 原則 및 內國民 待遇 규정

- 자국 상품 우선 購買를 許容하는 GATT 3조 8항을 수정하는 효과

ㅇ 協定適用 對象 調達 購買

- 가입시 讓許한 購買機關(Entities) 및 品目中 13만 SDR (약 16만불, 한화 1억원정도) 이상의 購買와 이에 수반하는 서비스
- 단, 하기 例外認定(協定上으로 인정된 例外)
  - 무기, 戰爭物資등 國防 및 安保關聯 調達
  - 공중道德, 秩序, 안녕, 保健등과 관련된 조달
- 기타 加入國은 加入當時 讓許 交涉을 통해 일정 例外(留保)를 설정 가능

  예 : 中小企業育成, 生産 또는 재판매용 물품의 구매등

나. 成立 經緯

ㅇ 79.4 동경라운드(73-79)結果로 協定 제정

ㅇ 81.1 發效

ㅇ 88.2 協定 내용 일부 개정

다. 加入國 現況

○ 美・日・加・澳・서서・北歐3國・싱가폴・홍콩・이스라엘등 11개국

○ EC 9개국(그리스, 스페인, 폴투갈 除外)

※ 我國등 31개국이 옵서버로 參與

라. 加入 節次 : 別添 1.

마. 加入 推進 經緯

○ 85년까지 2차례 推進하였으나 中斷,

- 79-82년간 : R/O 協商 進行도중 미・EC・카나다의 과도한 讓許 요구로 中斷
- 85.1 : GATT 事務局 要請으로 內部 檢討만 進行

○ 89년 이후 加入 推進 本格化

- 89.3 美國의 政府調達 및 通信市場 開放 요구와 관련, 재검토 착수
- 89.12.7-8 韓・美 經濟 協議會
  - 政府調達 協定 加入 積極 檢討 의사 표명
- 90.1.17 加入 推進 政府 방침 확정(경제장관회의)
- 90.2.14-15 韓・美 通信會談
  - 調達廳, 遞信部, 한국전기통신공사의 통신분야 일반제품 및 부대서비스를 政府調達 協定 適用 대상으로 讓許 할것에 동의

    ※ 韓・美 通信 會談 合意 內容 : 別添 2
- 90.3.9 GATT/政府調達委員會에 가입의사 公式 表明
- 90.3-5 關係部處 對策會議를 통해 我國 加入案(讓許案) 검토

○ 상기 讓許案 確定後 6.29 開催 예정 政府調達 委員會에 맞춰 GATT 事務局 정식 제출후 讓許 協商 추진 예정

- 2 -

0064

바. 加入時 期待効果

○ 年間 약 300억불 규모의 세계 政府調達 市場 진출 기회 확대

- 가입시 我國業體의 외국시장 추가진출 가능액(추정) : 2.4억불

○ 세계 10대 交易國으로서의 위상에 맞는 國際 經濟 活動 참여 필요

- 불필요한 通商摩擦의 사전 예방 가능

○ 國際 競爭 入札을 통한 國內製品의 경쟁력 提高

2. 協定 加入案

讓許機關 List 와 協定 適用 排除(例外) 條項 (Notes)으로 구성

가. 讓許機關 List

(1) 35개 中央行政機關

○ 3원(監査院, 經企院, 統一院)

○ 6처(法制處, 總務處등)

○ 15부(外務部, 內務部등)

○ 11청(調達廳, 國稅廳등)

※ 國防部, 철도청은 불포함

※ 內務部의 치안유지용 물품 제외

※ 農水産部의 需給調節, 農業保護 및 國民食糧 확보 목적의 농산물 구매 제외

0065

(2) 2개 政府投資機關

ㅇ 한국전기통신공사

ㅇ 한국주택공사

※ 전기통신공사는 양허 품목을 Positive list 로 제시 (현재 준비 작업중)

나. 協定 適用 排除 條項(Notes)

ㅇ 協定 加入 당시 國內 法規에 特別 購買 節次가 있는 구매

- (예) 豫算 會計法 施行令 104조에 의한 隨意 契約

ㅇ 재판매용 또는 판매를 위한 상품 생산용 물품구매

- (예) 조달청 비축물자, 담배 원료

ㅇ 特定購買 決定이 중요한 국가 政策 目標에 背馳될 경우,

- 政府의 결정으로 協定 適用 排除 가능

ㅇ 北韓地域으로 부터의 구매

3. 檢討意見 (말씀 資料)

가. 一般 事項

ㅇ 본 加入案은 그간 關係部處간 긴밀한 協議와 旣存 加入國의 讓許 List 를 충분히 檢討하여 作成한 것으로, 대체적으로 無難

ㅇ 89.12 한・미 經濟 協議會 및 90.2 한・미 通信會談등을 통하여 政府가 公約하고 90.3 갓트/政府調達 委員會에서도 加入 의사를 정식 통보한 사항임을 감안, 可及的 최대한 성의 있는 List 를 작성 제출, 불필요한 오해 發生 소지를 最小化함이 바람직.

나. 讓許 機關

- 國防部가 List 에 漏落되어 있는바, 여타국의 例와 같이 Positive List 方式으로 國防部도 讓許機關에 포함함이 바람직

  ※ 參考 : 關係部處 회의에서도 當部 포함 수개 부처가 동 意見 提示하였으나, 國防部는 극히 消極的

- 讓許機關은 大韓民國 政府組織法상의 보조기관, 特別 地方 行政 機關 및 附屬機關을 포함 한다는 주(note)의 내용은 北歐, 日本등이 유사한 주(note)를 명기 하고 있으니 대부분의 기입국의 예를 따라 삭제가 바람직

- 調達廳이 中央調達機關임을 감안, 註(footnote) 에 調達廳은 기입안에 열기된 35개 讓許 機關을 위한 調達分과 자체 소요 調達分만을 讓許함을 명기함이 바람직 (즉 地方行政機關등의 要請에 의한 購買分은 제외 된다는 점을 분명히 밝힘)

- 政府投資機關의 讓許에 특히 신중한 접근 필요
  - 실제 金額을 基準으로 한 讓許効果는 中央 行政機關의 과다 여부 보다는 讓許하게될 政府投資機關의 숫자에 달려 있음을 고려,
  - 韓國電機通信公社의 Positive list 作成 과정에 한·미 通商 協商 結果 이외의 사항이 추가로 양허되는 일이 없도록 신중
  - 79-82년 協商經驗에 비추어 加入案상의 2개 政府投資機關에 추가 하여 KBS, 철도청, 한전등에 대한 양허요청이 있을 可能性이 있으므로 이들 機關 의 讓許 可能 여부 사전 검토 및 아국의 2차 , 3차안등 단계적 協商 代案을 시전에 마련해둠이 필요

다. 協定 適用 排除 條項 設定

(1) 協定 加入당시 國內 法規에 特別購買 節次가 있는 購買의 排除

- 日本, 이태리등의 예가 없는것은 아니나,
- 지나치게 包括的 이어서 받아들여 지지 않을 可能性도 있으므로
- 이에 대비, 대상 法規를 면밀히 檢討 꼭 필요한 例外에 관해 項目별로 具體的으로 準備 必要

  예 : 중소기업 제품구매, 국산화 촉진, 농협등의 조합 납품 제품등 구체적으로 예외 설정준비

(2) 特定購買 결정이 중요한 國家政策 目標에 背馳될 경우 적용 배제

- 역시 너무 包括的임
- 北歐 오지리등의 예가 있으나, 이들국가의 加入당시 보다 크게 악화된 現在의 國際通商 환경하에서는 쉽게 받아들여 지지 않을 가능성도 있음

  ※ 參考 : 스위스, 오지리, 노르웨이, 스웨덴, 핀랜드 加入案에 동일 예외 설정

  適用實績 : 핀랜드2건, 노르웨이1건

- "政府次元의 決定"이라는 文案은 決定次元이 모호하므로 "國務會議 決定"등으로 명시가 바람직

  ※ 參考 : 스위스의 경우에는 "政府次元의 決定 (at the Swiss Government level)"으로 표현, 여타국은 "閣議의 결정 (at the cabinet level)"이라는 표현 사용

(3) 北韓地域으로 부터의 購買

. 我國이 일부러 "분단상태의 특수성"을 운운하거나, 대한민국 통치권이 사실상 미치지 않는 地域 이라는 表現으로 北韓을 지칭하기 보다는, 단순히 "이 協定은 南北韓 交易(Inter-Korean trade)에 적용되지 않는다" 또는 "이 협정은 北韓 (North Korea)으로 부터의 調達購買에는 適用되지 않는다"는 文案이 바람직할것으로 일단 사료 되다.

- 적절한 文案은 對北韓 接觸指針등 政府의 旣存 方針을 감안, 外務部가 成案 提示 예정

(첨부 1)

加入 節次

讓許 Offer List 提出

↓

Request/Offer 協商 (旣存加入國과의 加入條件 協商)

↓

合意된 條件과 讓許 List를 GATT 事務總長에게 通報

↓

GATT 事務局은 상기 條件 및 List 를 協定加入國에 回覽
(30일내 意見 취합)

↓

加入議定書 (Instrument of Accession) 寄託

↓

30일후 加入 効力 發生

(첨부 2)

韓·美 通信會談 購買分野 合意事項

1. 通信調達에 관한 原則

ㅇ 韓國은 美國製品 및 供給者들에게 비차별적인 調達節次 施行

ㅇ Offset 賦課 禁止

ㅇ 調達課程에 不滿處理節次 樹立 施行

2. 適用 範圍

ㅇ 대상機關 : 調達廳, 遞信部 및 韓國電機通信公社

ㅇ 대상契約

- 電機通信 製品 및 서비스
- GATT 政府調達協定의 範圍에 속하는 Software 契約 (서비스 계약은 제외)

3. 調達節次

ㅇ GATT 政府調達協定의 節次 適用 : 調達廳, 遞信部, 韓國電機通信公社의 一般製品 및 附帶서비스

ㅇ 通信網 裝備 調達節次 適用 : 韓國電機通信公社 (아국이 별도 조달 절차 제시)

4. 施行時期

ㅇ 一般製品 : 92.1.1 부터

ㅇ 通信網裝備 : 93.1.1 부터

5. GATT 政府調達 協定과의 關係

ㅇ 韓國 政府는 91.1까지 先進國 水準으로 GATT 政府調達 協定加入協商을 完了토록 노력

ㅇ 韓國政府의 GATT 協定加入과 GATT 協定에 通信製品 및 서비스 契約까지 擴大 適用하기 위한 協商이 成功的으로 妥結되는 경우

- 韓・美 通信會談의 政府調達 條項 대신 확대된 GATT 協定의 條項 適用
- 施行時期는 GATT Code 協商에서 확정된 이행일자부터 이행

ㅇ 상기 協商이 91.1.1까지 完了되지 아니할 경우

- 韓國政府는 본 協定의 調達節次를 상기4항 이행시기부터 이행
- 이 경우 韓・美 兩國은 91.1-2월에 明確히 정리되지 아니한 조항에 대해 討議

- 10 -

0072

Ⅱ. UR 協商 全般

1. 協商 推進 槪要

ㅇ 90.4 貿易 協商 委員會 (TNC) 合意 事項

- 금년 7월까지 각 協商 그룹별로 조건부 協商 妥結案 (Conditional agreements)을 마련하기로 合意

ㅇ 主要 協商 動向

- 農産物, 纖維, 關稅등 市場 接近 分野는 全般的 으로 타협상 분야에 비해 부진
- 規範 制定 分野中 緊急 輸入制限, 반덤핑등 개도국 關心 分野에 대해 先進國은 消極的 대처
- 서비스, 知的所有權등 新分野는 先進國 主導로 協商이 가속화되고 있으나 開途國과 근본적인 입장 차이 露呈

ㅇ 向後 協商 展望

- TNC 會議가 開催되는 7월말에 가서야 보다 具體的 展望 가능하나 最近 美·EC 간 서비스, 농산물 분야에서의 의견 접근 노력등에 비추어 금년말 기한내 UR 妥結 展望
- 90년말 까지 UR 全分野 일괄 타결 실패시 合意된 부분만 우선 시행 하거나, 합의 상태로 留保한채 未妥結 分野 協商 계속 예상

2. 我國의 대응

ㅇ UR 協商 參與 의의

- 세계 13대 交易國으로서 我國 經濟에 상응한 국제화 추진 불가피
  - · UR 結果 최대한 活用(雙務次元에서의 市場開放 壓力을 多者次元에서 解決 摸索)
- UR의 실패는 세계교역 환경 악화 초래
  - · 雙務 壓力 加重 및 保護主義 확대 초래

ㅇ 向後 對應 方向

- 分野別로 實益 確保 次元 對應
  - · 輸出 環境 개선에 盡力(纖維, 緊急 輸入制限, 반덤핑등)
  - · 多數國 參與 유도(서비스, 知的所有權등 新分野)
  - · 輸入國 立場 反映(농산물)
- 分野別 공동이해국가와 協力 강화
- 協商 結果에 대한 効率的 對應 方案 마련
  - · 産業別 影響 分析 및 보완 대책 강구등
  - · 對國民 弘報 提高

3. 檢討 意見 (필요시 言及)

ㅇ 分野別 實益 確保 次元과 아울러 국민 경제 차원에서 分野간 trade-off 可能性 檢討

- 農産物에서의 我國 立場 反映과 新分野에서의 對先進國 讓步를 통한 trade-off 可能性등

ㅇ 我國의 취약 분야(新分野 및 農産物)에 대한 我國 立場 반영 未洽時에 대비 事前 對備策 講究도 필요

- 서비스, 知的所有權등 新分野에서 다수 開途國 불참여시 我國 立場등

0074

Ⅲ. UR/서비스 協商

1. 我國 國民 經濟에 대한 影響

○ 先進國, 我國의 시장잠재력 고려 積極的인 自由化 요구

- 서비스 産業은 국민총생산의 57% 수준
- 我國은 세계 15위 ('87)의 서비스 交易國
- 國內 産業에 대한 波及効果 多大

2. 協商의 進展 狀況 및 展望

○ 進展狀況

- 7월까지 서비스 基本 協定 및 分野別 주석서 草案을 作成키로 합의 합에 따라, 현재 同草案 作成 論議 가속화중이며 년말까지 협정 제정 可能視

○ 다만, 開途國이 주장하는 開發槪念(금융, 기술지원등) 反映 問題가 최대 장애 요인으로 同 結果여하에 따라 開途國의 協定 不參 가능성 不無

○ 반면 先進國의 경우 금년중 시장개방 措置에 대한 가시적인 約束(讓許 協商) 도 竝行, 推進 展望

- 開途國에 대해서는 市場開放 약속에 대한 약1년간의 猶豫期間 부여 방침이나,
- 我國의 경우 開途國 範疇에 포함되지 않을 가능성 큼

3. 我國의 對應 方案

ㅇ 我國 國民 經濟 現實을 감안, 대체적으로 중도적 입장 견지

- 아세안, 호주, 카나다등 穩健 先進國 및 開途國과의 공동입장

ㅇ 서비스 分野別 政策 協議會등 開催를 통한 아국의 National Schedule (讓許案) 作成

- 대내외 경쟁력 강화 方案 講究도 竝行

ㅇ 對國民 이해 提高 및 廣範圍한 여론 수렴

4. 檢討意見 (필요시 言及)

ㅇ 雙務關係에서의 我國 市場 開放 不可避에 따른 多者 側面에서의 방어 내지 緩和 側面과 아울러 今番 協商을 對先進國 市場進出 機會로 活用 必要

ㅇ 따라서 我國의 讓許水準 決定 (National Schedule 作成) 에 있어서나, 我國이 先進國에 開放을 요청할 事項 決定(Request List 作成)에 있어서나 공히 서비스 全業種을 대상으로 我國 業體의 競爭力에 대한 客觀的 分析이 중요

0076

Ⅳ. UR/ 農産物 協商

1. 槪要

ㅇ 向後 協商 日程

- 90.6 까지 非公式 協議 위주로 各國 意見 調整 및 妥協案 導出
- 90.7 이후 合意草案 最終 調整 作業
- 90.12 브랏셀 閣僚級 TNC 會議時 合意案 採擇, 確定

ㅇ 主要 協商 그룹별 基本立場

協商 그룹	基本 立場
美國, 케언즈 그룹등 農産物 輸出國	農産物 交易의 完全 自由化
이씨	現行 農業 保護體制 維持, 保護 및 보조의 상당한 減縮
韓國, 日本, 스위스, 北歐등 農産物 輸入國	適正 農業保護 維持 및 비교역적 要所(Non-Trade Concerns) 反映
이집트, 페루등 食糧 순수입 開途國	開途國 우대, 보상 및 원조의 확대

2. 我國의 基本 立場 및 協商 與件

ㅇ 我國의 基本 立場

- 食糧安保등 非交易的 要所를 갓트 규정에 반영
- 최대한의 農業 保護 根據 確保

ㅇ 協商 與件

- 農産物 輸出國 主導의 協商 進行 및 開途國과의 공동보조상 한계에 비추이 我國 協商 與件 취약

3. 主要 協商 議題別 論議 動向

ㅇ 國境措置

- 非關稅 障壁의 關稅化 措置에 EC가 부분적 수용의사를 표명함으로써 原則的으로 關稅化 方案 採擇 展望

ㅇ 國內補助

- EC, 禁止(철폐 대상) 보조금 設定에 反對 및 조건부 許容 보조금 (conditional Green) 提議 肯定的 수용

ㅇ 輸出 競爭

- 輸出補助金 撤廢 關聯 美· EC간 이견 지속

ㅇ 非交易的 要所(NTC)

- NTC 의 反映은 별도원칙의 制定보다는 상기 3대 協商議題 合意 과정에서 議題別 部分 反映 展望
  - 輸入國간에도 關心 品目등에 있어서의 立場差異로 공동 보조에 한계

4. 向後 協商 展望 및 對應 方案

ㅇ 協商 展望

- 美·이씨간 妥協이 協商成敗 左右展望
- 非交易的 要所는 최소 범위내 反映될 展望이며 갓트 規範도 現行 보다 大幅 自由貿易 體制로 轉換 豫定

ㅇ 我國 農業에 미치는 豫想 效果

- 關稅化의 경우, 國境保護根據의 喪失
- 대부분의 國內補助金 減縮 不可避
- 我國 農業基盤 存立에 결정적 영향 초래

o 對應 方案

- NTC 에 의한 保護 政策 許容 強力 推進

- 關稅化에 대비한 補完 裝置 開發

  · BOP 猶豫期間 最大 活用

  · 國營貿易의 活用 方案, 고관세율 설정등

- 向後 我國 農産物의 輸出 補助可能性에 대비, 수출보조에 消極的 立場 견지

- 關聯部處 協調強化 및 대국민 弘報提高

  · 外務部 : NTC 關聯 갓트 이해 당사국의 協調 및 지지 획득 추진

5. 檢討意見 (필요시 言及)

o 食糧安保등 非交易的 要所(NTC) 槪念에 입각 향후 최대한의 農業保護를 위한 충분한 法的根據 確保 노력이 긴요하고, 이를 위해 我國의 협상력을 최대한 발휘해야함은 물론이나,

o 輸出國이 공세적 입장에서 協商을 主導해나가고 있는 全般的 協商 與件과 農産物 交易도 궁극적으로는 自由化 해야 한다는 國際的·時代的 趨勢에 비추어 輸入自由化에 따른 農家所得 補塡 對策 및 農業의 競爭力 향상을 위한 장기적 構造調整 政策등 農政의 劃期的인 轉換과 이에 필요한 과감한 財政 지원등 보다 근본적인 對策 마련도 극히 긴요

V. EC 통합과 우리의 대응

1. 주요내용

가. 한.EC 간 경제교류현황

ㅇ 89년도 대EC 무역수지 9억불로 감소

ㅇ 수출품목의 집중, 수입규제 유발 요인

ㅇ 대EC 투자(89 누계) : 73건, 54백만불(각 전체의 8.1%, 3.7%)

나. EC 통합 주요내용 및 전망

ㅇ 90.2 현재 통합에 필요한 279개 법령중 162개 채택

ㅇ 유럽경제통화동맹 구성 추진

ㅇ 90년중 EC 통합의 방향과 성패가 가시화될 전망

다. EC 통합의 아국에 대한 영향

1) 부정적인 면

ㅇ 단위경제규모 확대에 따른 EC 기업의 경쟁력 향상

ㅇ EC 대외협상력 강화

ㅇ EC 의 보호주의적 조치 증대

2) 긍정적인 면

ㅇ 세계최대의 시장으로 부상

ㅇ 유통비용 절감, 규격표준화등 전략적으로 활용가능

ㅇ EC 의 대동구 경제강화는 아국의 대EC 우회진출 촉진기회

- 18 -

0080

라. 우리의 대응

ㅇ 대외여건 변화에 대처할 국내산업 체질강화

- 기업규모의 적정화 유도, 기술개발 투자지원, 산업구조 고도화등

ㅇ EC 의 보호주의 대비 대EC 협상력 제고

- 아.태지역 협력강화, EC 의 대아국 개방요구에 대한 탄력적 대응, 수출입품목의 다변화등

ㅇ 기업의 효과적인 대유럽 진출전략 수립

- 투자확대, 유통업 진출등 현지 판매망 확충, 금융기관 진출

ㅇ EC 통합대응을 위한 분위기 조성

- EC 통합에 대한 국민적 인식재고, EC 통합관련 정보, 활용기능의 강화

미. EC 통합에 대한 역외 주요국의 반응

ㅇ 미국 : 행정부에 17개 부처의 각료급 task-force 운영

ㅇ 일본 : 정부차원에서 EC 와의 직접대응 회피, 자국기업의 현지화 촉구

ㅇ 대만 : 정부에 task-force 운영

바. EC 통합 대책실무위원회 활성화

ㅇ 대국민, 대기업 홍보 및 정보교환의 창구로서의 기능강화

ㅇ 실무위 운영과정에서 유관 경제단체와의 협조강화

2. 검토의견 (항목별)

가 . 한.EC 경제교류 현황

ㅇ 90.1-3월 까지의 대EC 수출, 수입이 각각 17억불, 20억불로서 3억불 적자 시현

ㅇ 89년도의 흑자폭 대폭 감소와 함께 동적자원인 분석 및 대응방안 강구요

나 . EC 통합 주요내용 및 전망 (상세 자료첨부)

ㅇ 동구개혁, 통독문제로 EC 통합의 속도 및 내용(scope) 이 영향을 받을 것임

- 90.4 더블린 특별정상회담시 정치동맹(political union) 의 동시 추진문제 부상
- 경제뿐 아니라, 대외안보 및 외교에 있어서 공동보조 추진 모색

ㅇ EC 의 대외관계 추이 면밀 파악요

- 대동구권, 대EFTA 관계등

다 . EC 통합에 대한 대응 (라 . EC 통합 대응을 위한 분위기조성 p.8)
(주EC 대표부에 경제부처 관계관 파견등 조사 전문인력 보강문제)

ㅇ 아측 정부부처 관계관 파견보다는 현지 전문인력 활용이 더욱 바람직

- 예 : 무방대외 무협간 92 한.EC 연구용역사업 추진

ㅇ 정보수집 자체뿐 아니라 활용도 및 기업에 대한 직접기여도 제고를 위한 방안 강구 필요

- 20 -

0082

3. 참 고 : 대외정책 실무대책반 구성

EC/EFTA 관계 (대외경제정책연구원 김박수 박사)

EC/동구권관계(서울대 백충현 교수)

EC 와 독일통안 (방송통신대 정인섭 교수)

EC/ACP 관계 (김석호 박사)

유럽정치통합 전망, EC/GATT 관계(외교안보연구원 백진현 교수/간사)

EC 통합과 우리의 대응방향

1990. 5.

통 상 국

0084

목 차

0085

1. EC 통합 동향

가. EC 역내시장

ㅇ 현재 EC 역내시장 완성에 필요한 회원국간 법률, 제도의 조화, EC 공동규범 제정등이 순조롭게 진행

- EC 집행위의 제5차 역내시장 추진현황 보고서(90.3) 에 따르면, 90.3월 현재, 85년도 역내시장 완성 백서(White Paper) 상에 나타난 총 279개 법규중 약 60% 에 달하는 158개 법안이 EC 이사회에서 채택완료 (262개 법안에 대해 집행위의 Draft 가 이사회에 제출된 상태)

ㅇ 표준규격, 검사제도 조화등 기술장벽(Technical Barrier) 제거분야가 약 80% 의 진척율을 보여 가장 호조

- 회원국 전체의 만장일치가 요구되는 조세문제(부가세, 소비세, 법인세 등) 및 국가안보에 큰 영향을 미치는 국경통제 완전 철폐 문제와 동,식물 검역문제등의 진척이 부진

ㅇ 회원국 국내법에의 수용 지연등의 문제는 있으나, 92년말까지 대부분의 입법목표는 달성될 것으로 보이며, 일부 부진분야는 92년말 시한에 관계없이 계속 추진될 것으로 전망

나. 경제·통화동맹 (EMU)

1) 경 위

1988.6 실무검토위원회 구성 (Delors 위원회)

1989.4 Delors 보고서 (3단계 추진방안) 발표

1989.6 미드리드 정상회담시 90.7.1 부터 Delors 보고서상의 제1단계 추진 합의

1989.12 스트라스부르그 정상회담시 90.12 로마조약 개정을 위한 정부간 회담개최 합의

1990.3 EC 집행위, EMU 추진 세부계획안 발표

2) Delors 보고서

구 분	시행시기	내 용
1단계	1990.7.1	- 전회원국의 EMS 가입 (영국, 폴투갈, 희랍 미가입) - 경제통화정책 조정강화
2단계	미 정	- 유럽중앙은행 설립 - 경제·통화정책 공동추진 - 회원국 재정정책에 관한 규정제정
3단계	미 정	- 단일통화 창출 - EC 이사회에 회원국 예산통제권 부여 - 중앙은행에 통화정책 집중

3) 추진현황

ㅇ 마드리드(89.6) 및 스트라스부르그 EC 정상회담(89.12) 에서 EMU 추진을 위한 90.12월 정부간회의 개최합의

ㅇ EC 집행위 추진 세부계획안(90.3) 발표

- 독일 Bundesbank 와 미국 FBS 에 기초한 유럽중앙은행(Eurofed) 설치방안 제시
- 회원국의 재정정책에 대한 통제 및 협의방안 제시
- 단일통화제정 : ECU

ㅇ 90.12월 정부간 회의를 통해 구체적 추진방안이 결정될 것인 바, 기합의 한대로 90.7월 부터 Delors 보고서상의 1단계 추진

- 회원국간 경제.통화정책의 조정 및 점진적 조화를 위한 Multilateral Surveillance 실시
- 벨기에의 2중 환율제도 및 이태리의 외환통제 기철폐
- 영국의 EMS의 환율통제제도(ERM) 가입시 불투명

ㅇ 유럽중앙은행 설립, 단일통화 창출과 관련 국가주권에 대한 제한 불가라는 영국의 반대가 있으나, 완전한 역내시장 완성에 경제통화동맹은 필수 불가결한 요소임을 감안할 때, 계속 적극적으로 추진될 것으로 전망됨.

- 특히, 90.4. 더블린 EC 정상회담시 EMU를 위한 로마조약 개정 및 각회원국 비준작업이 92.12월말까지 완료할 것에 합의 함으로써, EMU 추진에 대한 회원국 정상들의 정치적 의지를 재확인
- EMU는 구주경제통합과 정치통합의 연결고리로서 향후 정치 통합의 초석

다. Political Union 문제

1) 구주통합운동의 배경 및 특징

o 구주 평화추구 목적

- 1870 이후 독.불 관계가 구주평화의 관건
- ECSC 도 알사스-로렌지역에서 분쟁재발 방지목적

o 기능주의적 접근방법(Functionalist Approach)

- 점진적인 경제통합을 통한 정치통합 기반조성

(관세동맹 - 공동시장 - 경제사회 정책조정 - 경제통화동맹 - 정치동맹)

o 독.불 : 구주통합의 양대지주

- 드골-아데나워 이후 불.독, 유대, EC 통합의 원동력
- EC 는 불.독의 기본적 이해와 일치
  - 관세동맹, 독일 공산품의 교역에 유리
  - 공동농업정책, 불 농업지원

o 영국 : 구주통합에 소극적

- 영국의 전통적인 대구주대륙 태도
  - 비구주 세력으로 대륙에서의 세력균형 도모
- EC 의 초국가적 공동체 발전가능성 우려

2) 현 황

o 구주정치통합에 대한 주요국의 입장

(불 란 서)

- 동구정세에 따른 회원국의 결속이완 우려
- 1992 단일시장에 이어 EMU 를 구주통합 Momentum 으로 유지

- 독일통일의 대응책으로 연방원칙 추구
  - 미테랑 대통령, 유럽연합(European Confederation) 구성 제의 (90.1)
- 통합된 EC를 중핵으로 주변국 흡수 희망

(독 일)

- 구주통합의 틀속에서 독일통일 추구 (German Unification Under the European roof)
  - Kohl 수상 동독문제의 European Dimension 재확인(89.11)
  - 통독문제 관련 독일의 EC 이탈 및 중립화 가능성 부인
- EFTA, 동구권등 주변국가에 대한 EC 문호개방 지원

(영 국)

- 초국가적인 공동체에 국가주권 양여 강력반대
  - 대처수상, European Superstate 에 대한 명백한 반대(89.9)
- 역내시장등 실현가능한 목표에 매진 촉구

o 추진전망

- EC 영향하에서 통독(German Unification Under the European roof) 추진과 독일통일 및 동구정세 변화에 따른 유럽안보문제 등에 적극 대처하고, EC 의 경제통합에 상응하는 정치적 통합이 필요하다는 점에서 Political Union 추진은 당연한 귀결
- 90.4월 미테랑 불란서 대통령 및 Kohl 독일수상은 Political Union 의 보다 적극적인 추진을 촉구하는 선언 발표
  - Kohl 수상, 독일주권의 대폭 이양 가능성 시사
- 90.4 디블린 정상회담시, Political Union 의 개념이 불명확하다는 영국 대처수상 등의 반대에 따라, 실무작업을 거쳐, 90.6 디블린 정상회담시 재협의키로 합의
  - 단, 동 Political Union 을 위한 정부간 회담이 EMU 와 같은 시기(92.12월) 에 종료한다는 것에는 합의

- 5 -

0090

- 현재 Political Union 을 통해 United States of Europe 을 지향할 것인지는 불명확하나, 구주의회의 권한강화를 통한 EC 에 대한 민주적 통제강화 및 EC 의 보조성원칙(Principle of Subsidiarity) 에 입각, 공동외교정책 실시, 안보문제에 대한 공동대처등 경제만이 아닌 정치, 군사문제에 대한 회원국간 협력강화가 이루어질 것으로 전망
  - 이를 위해 필요한 로마조약 개정등은 90.12 개최예정인 정부간 회의에서 EMU 문제와 동시 협의예상

2. 주변국과의 관계

가. 동 구 권

1) 현 황

○ EC COMECON 간 공식관련 수립 (88.6)

- 쏘련 및 동구 6국과 외교관계 수립

○ 동구개혁에 대한 경제적 지원강화

- 쏘련, 항가리, 폴랜드, 체코와 무역 및 경제협력 협정체결
- 동독, 불가리아와 무역 및 경제협력협정 가서명 (루마니아와 협정체결 추진중)
- 항가리, 폴랜드 개혁지원(G-24) 및 동구개발은행(EBRD) 설립주도
  - G-24 지원은 체코, 불가리아, 루마니아, 유고 등에게도 확대키로 결정

2) 전 망

○ EC 는 동구권 국가들의 경제개혁을 적극 지원, 이들국가의 시장경제(Market Economy) 화에 중점 노력

- Association 협정체결 추진

○ 동구국가의 경제개혁이 성공할 경우, 중장기적으로 EC 를 중심으로 EFTA, 동구를 모두 포함하는 "범유럽 연합(Delors 위원장 표현 : European Village)" 이 추진될 것으로 전망

○ 동구의 개혁지원 강화에 따른 EC 의 남부회원국(스페인, 폴투갈, 그리스) 들의 소외 우려 및 EC 역내시장 완성계획에 따라, 동구국가 EC 가입희망은 당분간 실현이 어려울 것으로 전망

- 동독의 경우, 신규가입이 아닌 서독의 확대로 해석

나. EFTA

1) 현 황

ㅇ 1992년 이래 EC-EFTA 간 공산품에 대한 자유무역협정 유지

- EC-EFTA 합동 각료회의 정기개최

ㅇ 84.4 EC-EFTA 간 "European Economic Space" 구성원칙에 합의

- 89.12 EC-EFTA 각료회담시 92년말까지 EES 완성을 위한 공식 협상을 90년 상반기중 개시키로 합의

2) 전 망

ㅇ EES 가 완성될 경우, 보다 강력한 유럽경제 블록의 등장 예상

ㅇ 그러나 EC 의 Decision Making Process 에의 EFTA 참여문제 및 EFTA 측의 농업, 어업, 근로자의 자유이동, 육로수송 자유화등의 분야에 있어, 기존 EC 법규(Accquis Communautaires) 의 면제요구 등의 문제점에 따라 EES 협상이 쉽게 이루어 지지는 않을 것으로 전망

- 특히, EFTA 는 EC 와는 달리, 모든문제를 만장일치로만 결정할 수 있고, 회원국에 대한 강제권이 없어, EC 측은 EC 의 의사결정 과정에 EFTA 가 의견을 제시할 수는 있지만, 전적인 참여는 수락할 수 없다는 입장

- EFTA 국가는 환경문제에 있어 EC 보다 규제가 강하며, 근로자의 자유이동 허용에 대해서는 특히 스위스가 반대입장 표명중

ㅇ EES 협상이 순조롭지 않을 경우, 이미 EC 가입을 공식 신청한 오지리를 비롯, 놀웨이, 아이슬랜드 등이 EC 가입을 개별적으로 추진할 가능성

다. A C P

o EC 는 특별한 관계를 갖고 있는 아프리카, 카리브 및 태평양지역 국가에 대해 Lome 협정을 통해 재정지원 및 특혜통상관계 설정

- EC-ACP Council 등 협력체제 구축

o 75년 1차협정 이후, 매 5년마다 협정을 체결

- 89.12.15 제4차 Lome 협정을 체결 (1990-99)

o 제4차 Lome 협정은 협정기간을 5년에서 10년으로 연장 (단, Financial Protocol 은 첫 5년후 수정가능)

- ACP 측 협정국 : 68개국(아프리카 45, 카리브 15, 태평양 8개국)

o 제4차 Lome 협정체결시, ACP 측은 EC 역내시장 추진과 EC 의 대동구 지원 강화에 따른 EC 의 대ACP 지원 약화 가능성에 대해 우려표명

3. EC의 대외정책 변화전망

가. 대외정책 일반

ㅇ 동구의 개혁 및 독일통일에 따라 기존의 NATO-Warsaw 조약기구의 대립 체제의 근본적 변화예상

- 유럽안보협력회의(CSCE)를 통한 새로운 구주안보체제 구축 추진

ㅇ EC의 Political Union 추진에 따라 공동정책 추진분야를 대외외교정책 및 군사정책에로의 확대가능

ㅇ EC 역내시장 및 정치통합 추진을 기반으로 국제사회에서 활동 및 영향력을 보다 확대할 것으로 전망

- 안보에 있어 대미 의존도 축소가능

나. 대외통상정책

ㅇ EC 역내시장 완성시, 각 회원국별 개별 수입규제 제도가 철폐됨에 따라, Anti-Dumping 제도의 강화예상

- 역내시장 통합에 따른 지역경제에 대한 충격 최소화를 위해, 초기에는 대외무역 장벽강화 가능성

ㅇ 또한 EC 외의 특혜무역협정 국가들로 부터의 수입이 확대될 것에 대비, 원산지 규정의 대폭 강화 예상

- 특히, 외국인 투자의 우회수출화 방지를 위해 첨단기술에 대한 부가가치 기준율을 높일 것으로 예상

ㅇ 써비스분야의 경우, 상호주의에 의거한 개방을 계속 추진할 것으로 전망

- 89.12 채택된 제2차 은행법(Second Banking Directive)에서도 상호조치를 취하지 않는 국가에 대해서는 제한조치 가능성 명시

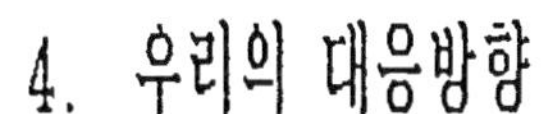

4. 우리의 대응방향

가. 대EC 관계증진 필요성

- EC 시장의 잠재력
  - EC 는 세계 제1의 시장
  - 한국의 EC 시장 점유율 미미 (1.8%)
- 미.일 편중현상 시정
- 1992년 대비
  - 역내시장 완성시 EC 시장의 성격 크게 변모하고, 대외무역장벽 강화 예상
- 국제사회에서의 EC 역할 및 비중증대

나. 문제점

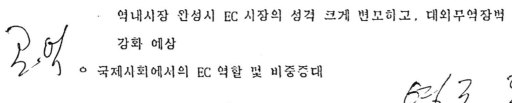

1) 한국에 대한 EC 의 기본시각

- 한국을 새로운 수출시장 또는 경제협력 파트너로서 인식하면서도, 경쟁대상국으로 경계
- 시장개방 정책의지 및 대EC 협력정신에 대한 신뢰미약

2) EC 측 요구사항

- 한국의 국력신장에 상응하는 국제적 책임 수임
- 일부 품목의 소나기식 집중수출(Laser Beam Export) 자제
- 한국시장의 진정한 개방조치
- 대미 편중 시정

0096

다. 대EC 관계증진 방향

1) EC 및 유럽에 대한 관심 및 연구노력 제고

o EC 및 유럽 전문인력의 양성

o 한국업계의 대구주 관심제고

- 민간업계간 협력강화

2) 이미지 개선문제

o 저임금, 덤핑 수출국으로서의 인상 개선

o 대미 편중 인상 지양

3) 안정적 시장관리

o 수개품목에 의한 집중적 수출패턴 지양

o 수입선 전환정책 지속 추진

4) 상호 투자, 합작증대

o 합작에 의한 기술도입 촉진

o 1992년 대비 EC 내 조기투자 필요 (EC 시장의 안정적 확보)

5) 1992년 대비

o EC 종합 동향 면밀 파악

- 정부, EC 종합대책반 운영

- 정부, 업계, 은행, 학술기관의 유기적 협조

- EC 전문가 초청 설명회, 세미나 개최

o EC 공동연구 개발계획 참여 및 과학기술분야 학계, 업계간 공동 연구등 협력추진

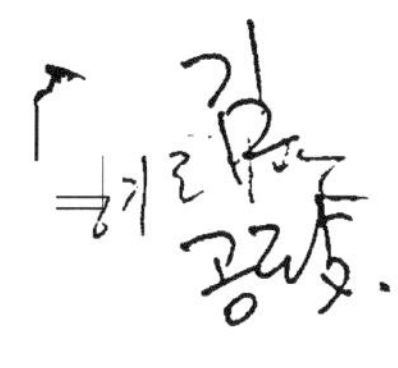

경 제 기 획 원

대총 10500-318　　503-9130　　1990. 6. 4.

수신 수신처 참조

제목 제5차 대외협력위원회 회의결과 통보

공람	담당	과장	국장	차관보	차관	장관

1. 대총 10500-300('90.5.26) 관련입니다.

2. 제5차 대외협력위원회 회의 결과를 아래와 같이 통보합니다.

- 다　　음 -

가. 일 시 : '90. 5.30(수)　　15:00-17:00

나. 장 소 : 경제기획원 대회의실

다. 참석자 : 부총리(주재), 농림수산부장관, 상공부장관, 동력자원부장관, 건설부장관, 노동부장관, 교통부장관, 체신부장관, 과학기술처장관, 안기부 제2차장, 재무부차관, 보건사회부차관, 외무부 제2차관보, 대통령비서실 비서관, 조달청장(옵서버)

접수	1990. 6. 5
처리	14356

라. 회의결과

- 의결사항

의안번호	제출기관	의 안 명	회의결과
1	상공부	GATT 정부조달협정 가입(안)	원안의결

- 보고사항

의안번호	제출기관	의 안 명	회의결과
2	경제기획원	우루과이라운드(UR) 동향과 대응방향	원안접수
3	"	EC 통합과 우리의 대응	"
4	농림수산부	GATT/우루과이라운드 농산물협상전망과대응	"

0098

대총 10500-　　　　　　　　　　　　　　　1990. 6. 4.

첨부 제5차 대외협력위원회 회의록 1부　　끝

경　제　기　획　원　장　관

수신처 : 국가안전기획부장, 외무부장관, 재무부장관, 농림수산부장관,
상공부장관, 동력자원부장관, 건설부장관, 보건사회부장관,
노동부장관, 교통부장관, 체신부장관, 과학기술처장관,
대통령 비서실장 (경제수석비서관, 외교안보보좌관),
국무총리행정조정실장, 조달청장

0099

第5次 對外協力委員會 會議錄

1. 會議 槪要

- 日時 및 場所 : '90. 5. 30(수) 15:00-17:00, 經濟企劃院 大會議室

- 參 席 者 : 副總理, 農林水産部長官, 商工部長官, 動力資源部長官, 建設部長官, 勞動部長官, 交通部長官, 遞信部長官, 科學技術處長官, 安企部 第2次長, 財務部次官, 保健社會部次官, 外務部 第2次官補, 大統領秘書室 秘書官, 調達廳長(옵서버)

2. 會議 結果

- GATT政府調達協定 加入(案) : 原案 議決
- 우루과이라운드(UR) 動向과 對應方向 : 原案 接受
- EC 統合과 우리의 對應 : 原案 接受
- GATT/우루과이라운드 農産物協商 展望과 對應 : 原案 接受

3. 會議內容 (말씀要旨)

<副總理>

- 지난 2.26일 第4次 對外協力委員會를 開催한데 이어 오늘 第5次 對外協力委員會를 開催하게 되었음

- 사실 最近들어 여러가지 國內經濟의 어려움 때문에 對外經濟問題에 대해 충분히 神經을 써오지 못한 면도 없지 않으나 國際政治, 經濟秩序가 급격히 變貌하고 있는 實情을 勘案할 때 이에 적절히 對備하지 않으면 안될 狀況임

0100

- 이와같은 점에서 오늘會議에서는 今年 下半期부터 本格的인 協商에 들어갈 豫定인 「GATT 政府調達協定 加入(案)」, 「UR協商動向 및 對應」, 「UR農産物協商 展望과 對應」과 최근 統合作業이 加速化되고 있는 EC統合과 관련하여 「EC統合과 우리의 對應」에 대해 報告.審議토록 하였음.

- 우선 「政府調達協定 加入(案)」에 대해 商工部長官께서 提案說明을해 주시기 바람

<商工部長官>

- 위 案件(議案番號 제1호)의 提案理由 및 主要骨子 說明

- 本 案件은 지난 1.17일 關係長官會議에서 決定된 방침에 따라 商工部 第1次官補를 班長으로 하여 關係部處와 긴밀히 協議하여 마련한 것인 바 原案대로 審議.議決해 주시기 바람

<副總理>

- 同 案件에 대해 意見이 있으시면 말씀해 주시기 바람

<外務部 第2次官補>

- 長官께서 青瓦臺會議에 參席하게 되어 대신 參席하게됨

- 本 協定加入(案)은 하나의 交涉(案)이기 때문에 앞으로 交涉過程에서 내용이 달라질 수 있음

  따라서 여러가지 實務的인 代案이 준비되어야 할 것이나 이 자리에서 論議하기 보다는 別途의 實務的 協議를 거쳐 마련하기로 하고 오늘 會議에서는 原案대로 議決해 주시는 것이 좋겠음

0101

<副總理>

- 이의 없으면 可決된 것으로 하겠음

- 다음은 報告案件으로 "우루과이라운드 動向과 우리의 對應"에 대해 經濟企劃院 第2協力官 張 丞玗 局長으로 부터 說明을 듣겠음

<經濟企劃院 第2協力官: 의안 번호 제2호 報告事項 說明>

<副總理>

- UR協商의 動向과 對應方向에 대한 說明이 있었음

- 우선 80년대에 들어 國際貿易環境이 크게 악화되고 있는 점을 強調하고 싶음. 美國의 國際收支赤字가 계속 늘어남에 따라 保護主義的 措置를 強化하고 있으며 EC統合이 점차 可視化되면서 世界經濟의 블록화, 地域主義 傾向이 增大되는등 通商環境은 계속 불투명해지고 있음

- 이와같이 惡化되고 있는 國際貿易 環境을 어떻게 하면 GATT를 중심으로 自由經濟 秩序를 回復시키느냐 하는 점에서 出發한 것이 UR協商이며 이번 協商의 成功與否는 우리經濟에 중대한 意味를 갖고 있음

  만약 이번 協商이 失敗하면 世界貿易環境은 더욱 惡化되어 美國등으로 부터의 通商壓力이 더욱 加重될 것이며 成功할 경우에는 새로운 貿易規範에 따라 貿易制度나 國內産業이 적응해 나가야 하는 課題를 제기할 것임

- 따라서 최근 막바지 段階에 있는 UR協商이 우리經濟에 미치는 影響이 무엇인지 철저히 分析하고 이에 效率的으로 對處하기 위한 노력이 절실히 요망됨.

  UR協商의 결과 豫想되는 關稅의 引下, 非關稅 障壁의 緩化, 反덤핑制度의 改善등은 우리의 輸出環境에 有利하게 作用할 것으로 보이나 우리에게 脆弱한 農産物 分野나 서비스分野의 경우 開放壓力이 加重될 展望이고 國際社會에서의 責任分擔 壓力도 더욱 커질 것임

0102

- 우리經濟에 큰 의미를 가진 UR協商이 今年內 妥結을 目標로 현재 막바지 協商이 進行中임. 7月까지 各 議題別로 조건부 協商妥結案이 마련될 豫定이므로 이를 기초로한 下半期 協商對策을 마련하는데 關係部處의 철저한 준비가 필요함

- 사실 지금까지 政府나 國民들의 關心이 지나치게 國內經濟問題에 集中된 감이 없지 않음. 그러나 최근의 國際經濟環境은 그야말로 急變하고 있고 이에 적절히 對處하지 못하면 우리經濟에 決定的으로 不利한 要素로 作用할 가능성을 排除할 수 없음 따라서 UR등 國際經濟秩序 改編에 各 部處가 적극적으로 對處해야 할 것이며 國民들에게도 充分히 알려야 할 것임

- UR協商 對策등과 관련 意見 있으시면 말씀해 주시기 바람

<遞信部長官>

- 今年 봄 이자리에서 對外協力委員會가 열려서 여러가지 意見을 交換한 적이 있음

- 遞信部에서도 通信協商등과 관련 UR서비스協商의 動向에 대해서는 隨時로 점검하고 있으나 걱정되는 것은 UR協商의 내용에 대해 대부분의 開途國이 反對하고 있는 것임 숫자는 開途國이 많고 실제 協商의 主導는 先進國이 하고 있기 때문에 一括妥結 與否가 불부명한 실정임.

- 우리는 開途國도 아니고 先進國도 아닌 어정쩡한 立場에 있으나 우리가 先進國에 分類되어 妥結되는 경우 매우 不利할 것으로 豫想됨.

  따라서 遞信部 생각으로서는 가능한 한 많은 나라가 參與하여 協商하는 것이 有利하다고 보며 이점에서 開途國을 참여시키기 위한 積極的인 努力이 필요하다고 봄

- 그간 遞信部는 通信開發硏究院을 잘 活用하여 通信協商등에 對處해 왔으나 사실 유럽地域에 대해서는 專門家가 派遣되어 있지 않아 情報蒐集등의 面에서 많은 隘路를 겪고 있음. 이와 관련하여 遞信部의 專門家가 현지에 派遣될 수 있도록 關係部處의 協調를 바람

0103

<副總理>

- 다음은 報告案件으로 "EC統合과 우리의 對應"에 대해 經濟企劃院 制1協力官 李 康斗 局長으로 부터 說明을 듣겠음

<經濟企劃院 第1協力官: 議案 番號 제3호 報告事項 說明>

<副總理>

- EC統合의 問題는 이제 會員國이나 어느 한 國家만의 問題가 아니라 全 世界的인 關心事로 登場하고 있으며 사실 世界經濟에 엄청난 影響을 줄 것으로 예상됨. 현재 世界 各國은 EC統合이 自國에 주는 영향에 대해 深層있는 硏究를 하고 있으며 美.日등 主要國家는 政府次元에서의 Task-Force를 運營하면서 오래전부터 現地에 投資를 擴大하는등 교두보 마련에 진력하고 있음

- 특히 今年은 EC統合의 向背가 決定되는 重要한 해임

EC統合에 直.間接的인 影響을 줄 東.西獨의 실질적 統合이 이루어질 展望이며 금년중으로 UR協商이 사실상 마무리 될 展望이기 때문에 EC統合을 더욱 촉진할 것으로 보임. 또한 EC統合의 主要爭点 사항이었던 유럽中央銀行의 設立, 間接稅의 統一問題등이 今年내에 意見接近을 통해 보다 具體化될 것으로 보여 금년에는 EC統合의 展望과 主要骨格이 크게 可視化될 것으로 예상됨

- 政府는 지난해 大統領의 歐洲巡訪이후 部處別로 부분적으로 對處해오던 것을 汎部處次元에서 體系的으로 對應하기 위하여 對外協力委員會 傘下에 「EC統合對策實務委員會」를 設置, 運營하고 있으며 오늘 報告(案)도 同 實務委員會에서 準備한 것임

- EC統合에 效率的으로 對處하기 위해서는 우선 分野別 實務對策班을 중심으로 具體的인 對策을 마련하고 進出雰圍氣를 造成해야 할 것이며 이를 위해 對策班 運營를 활성화하는 것이 重要하다고 봄.
이 点에 관해 意見이 있으면 말씀해 주시기 바람

0104

<科學技術處 長官>

- 먼저 總論的인 얘기를 하겠음

  이번 韓.日 頂上會談에 遂行하면서 느낀 것인데 日本도 우리나라와 國際分野에서의 協力必要性을 갖고 있다는 점임. 즉 世界經濟가 블록화 한다든가 貿易秩序가 根本的으로 改編되고 있기 때문에 이러한 問題에 대해 韓.日兩國이 같이 고민하고 利害가 一致되는 分野를 중심으로 協力을 增大시키는 것이 바람직하다는 생각인 것 같음

- 우리도 이제는 國家別로 個別的으로 對應하기 보다는 全 世界를 상대로 Global Strategy를 設定하고 이러한 全體的 脈絡하에서 對EC關係나 對亞.太關係등을 추진해 나가야 하겠다는 점임.

  이점에서 美國이나 日本이 接近하는 方向을 分析하고 어느分野가 우리와 가까운지 면밀히 검토 對應해 나가야 할 것임

- EC統合과 관련해 企業의 호응도가 낮은 것이 問題임
  우리企業도 이제는 Global Strategy를 갖고 全世界를 대상으로 企業經營을 해나가야 할 것이며 政府가 對企業政策을 樹立하는 데 있어서도 이러한 점이 考慮되어야 하겠음.

  우리는 작년에 韓國重工業을 民營化할 것이냐 公企業狀態로 둘 것이냐 하는 問題를 놓고 많은 論議가 있었지만 주로 國內的 要因만 갖고 論議가 進行되었지 國際經濟環境의 變化를 고려하고 全世界를 대상으로 競爭해 나가야 한다는 側面에 대한 考慮는 미흡했던 것 같음

<動力資源部 長官>

- EC統合과 관련 우리企業의 進出은 이미 너무 늦었음
  작년, 재작년에 상당수준 進出했어야 했음. EC統合은 '87년의 유럽單一法(SEA, Single European Act) 發效를 계기로 本格化 되었으나 우리政府는 물론 企業들도 이에 대해 關心이 미흡했고 進出하려는 적극적인 努力도 기울이지 못했음

0105

- 한편 EC統合對策과 관련해서 國內經濟政策과의 모순도 상당히 있는 것 같음

현재 EC地域에서는 EC域內市場의 擴大와 域外國家와의 競爭에 대비하여 域內國家 企業들간에 하루에 한건이상이 吸收.合併을 통해 企業의 大型化가 이루어지고 있음. 우리企業들도 하루빨리 大型化를 통해 이들企業들과 競爭해 나가야 하나 國內政策은 단순히 分配의 改善, 企業의 集中問題등의 次元에서 抑制하는데 力点을 두고 있음

한발짝 눈을 바깥으로 돌려 좀 넓은 次元에서 發想의 轉換을 통해 對企業政策 方向이 設定되어야 하겠음

- 또한 지금도 늦었지만 EC統合前에 우리企業이 大大的으로 進出할 수 있도록 노력해야 할 것임. 현재 EC地域에 나가있는 우리나라의 大企業들이나 銀行들은 統合이나 市場單一化의 내용을 比較的 잘 아는 편이나 中小企業은 內容을 모를 뿐만 아니라 나가고 싶어도 能力이 없어 못 나가는 실정임

따라서 統合以後에 나가는 것은 굉장히 어렵다는 것을 認識하고 企業들이 統合前에 可及的 많이 나갈 수 있도록 政府가 적극 誘導하고 支援해 주어야 함

- 이점에서 EC地域에 대한 進出 필요성을 企業과 國民들에게 빨리 認識시켜야 하며 能力이 없는 中小企業들을 위해 進出方向이라든가 政府가 支援해 줄 수 있는 방법을 빨리 講究해 나가야 함

<商工部長官>

- 科技處 長官과 動力資源部 長官께서 좋은 말씀을 해 주셨고 報告書 內容의 基本的인 方向은 잘되어 있으나 실제로 實踐가능한 것을 推進하는 것이 重要

中小企業의 경우 나갈 수 있게끔 政府가 諸般 유인을 提供하지 않는 한 實際 進出한다는 것은 不可能. 따라서 稅制上의 支援이나 投資資金의 融資등 실질적으로 나갔을 때 도움이 되도록 뒷받침하는 政策의 開發이 이루어져야 함

0106

<具 本英 秘書官>

- 최근들어 大統領께서 2번이나 統合問題에 대해 철저히 對備하라는 말씀이 있었음. 제가 보기에는 政府나 業界등 國內에서 統合에 대한 對備가 不足하다는 생각임 大企業은 統合에 대해 그런대로 把握되고 있으나 中小企業의 경우 막연하게 생각하고 있고 實際 나갈려면 어떻게 準備해야 될 지를 모르고 있음

- 특히 EC統合은 製造業뿐만 아니라 모든 産業과 關聯되고 政府의 거의 全 部處가 해당됨. 따라서 長官님들께서도 가끔씩 신경을 써주셔서 機會가 되는대로 傘下機關이나 業界人事들에게 차질없이 對備하도록 부탁해 주셨으면 좋겠음

<外務部 第2次官補>

- 對應策으로 단순히 書類나 文書를 만든다고 해서 되는 것이 아님

  工業規格은 어떻게 바뀌고 稅制는 國家에 따라 어떻게 달라지는지 피부에 닿게 說明할 수 있도록 해야 함. 예를들면 「들로아」 EC執行委員長은 파리에서 브랏셀에 갈 때 2대의 카폰을 갖고 감. 그 理由는 現在는 나라에 따라 카폰의 規格이 다르기 때문인데 이러한 것이 統合이 되면 하나로 통일됨.
  이와같은 구체적인 內容에 대한 情報입수가 긴요함

- 報告書 內容에는 現地情報를 經濟團體등 有關機關에 提供하는 것으로 되어 있는데 個別機關이나 企業들이 個別的으로 廣範圍하게 接近할 수 있어야 할 것임

- 한편 最近 韓國政府의 과소비 抑制方針과 관련 百貨店들이 輸入코너를 없애는 등의 措置를 취하고 있어 EC의 對韓 輸出이 큰 타격을 받고 있다고 서울에 있는 12개 EC大使들을 대표해 아일랜드 大使가 本人에게 항의하고 있는 실정임

  이와관련 2-3일내에 EC大使들과 集團的인 面談計劃이 있어 당혹스런 立場이나 앞으로 EC와는 通商摩擦이나 經濟摩擦이 더욱 늘어날 것이라는 점을 인식하고 지혜롭게 대처해 나가야 할 것임

0107

<副總理>

- 좋은 말씀들임

國內的으로 여러 어려운 점이 많으나 우리의 認識이나 準備不足으로 對外問題에 적절히 對處하지 못하는 면도 있음

國內產業政策에 대한 지적이 있었는데 衡平이나 公正配分같은 문제는 國內政治, 社會的으로 중요한 問題이며 정력을 쏟지 않을 수 없는 실정임. 企業의 規模와 集中度와 관련해서 對外的인 競爭을 강화하기 위해 規制를 緩化해야 한다는 當爲性도 있으나 國內的 狀況때문에 與信管理등을 안할 수도 없고 따라서 國際化 側面에서 보아 問題点이 없는 것은 아님

- 國際經濟問題에 對處하는데 있어서 有用한 情報의 獲得과 이를 필요한 사람들에게 적절히 提供해 주는 것이 核心임. 이를 위해서는 言論媒體가 중요한 役割을 해야 하나 國內에 新聞은 많으나 특징이 없어 深層的인 報道를 못하는 점이 있음

또한 政府로서도 言論을 잘 利用하지 못한 점이 많음
앞으로 國際經濟環境의 變化에 대해 國民들에게 알릴 것은 적극적으로 알려서 世界가 어떻게 돌아가는지를 國民들이나 企業이 소상히 알수 있도록 해야 함

- 사실 최근들어 世界에는 우리韓國만이 있는양 國內問題만 갖고 고민해 온 점이 없지 않으나 國際化 問題에 대해 企業家나 國民들이 興味를 유발할 수 있도록 적절한 對策이 마련되어야 할 것임

<科學技術處 長官>

- EC統合과 관련 科學技術의 研究開發에 대해 말씀드리겠음

현재 科技處는 科學技術의 研究,開發에 있어 體系化를 推進하고 있으며 이를 위해 政府의 出捐研究所와 國內 民間研究所間의 연계하에 우리나라가 國際化의 거점을 될 수 있도록 努力하고 있음

0108

- 各 部處에서 科學技術分野가 國際化되어 우리나라가 重要한 거점이 될 수 있도록 적극적인 支援을 부탁드림

<副總理>

- 다음은 報告案件으로 "GATT/우루과이라운드 農產物協商 展望과 對應"에 대해 農林水產部로부터 설명을 듣겠음

<農林水產部 農業協力通商官 : 議案 番號 제4호 報告事項 說明>

<副總理>

- '86년 9월 UR協商 開始以來 關稅, 서비스, 農產物등 15개 議題別로 協商이 進行되고 있으나 農產物 分野는 各國의 立場이 가장 첨예하게 對立되고 있는 分野임

  특히 農產物分野는 美國이 가장 큰 關心을 갖고 있는 分野로 최근 美.EC間에 補助金減縮등에 있어서 意見接近을 봄에 따라 년내 妥結 可能性이 커지고 있음

- 따라서 적지않은 農業問題를 갖고 있는 우리로서는 우리經濟에 큰 영향을 미칠 農產物協商에 대해 積極的으로 대응해 나가야 함.
  農產物協商이 妥結됐을 때 미칠 수 있는 諸般政治.經濟的 影響, 農民들의 반발들을 勘案하여 部處間의 긴밀히 協調하여 대처해 나가야 하겠음

<農林水產部長官>

- 美國, EC등 主要國家들은 최근 UR農產物協商의 妥結에 적극적으로 對應하고 있음 農產物協商도 基本的으로 交易自由化란 立場에서 추진되고 있으나 우리로서는 相當水準을 내줄 수 밖에 없는 狀況임

- 이와같이 어려움속에서 國際經濟 環境에 對應해 나가야 하는 우리로서는 이미 지난해 243개 品目의 農產物을 自由化 豫示했고 남은 品目에 대해서는 8년간의 유예기간 내에 自由化 해야 하는 日程을 갖고 있음

0109

따라서 自由化에 따른 제반 補完對策이 차질없이 추진되어야 하며 農業發展을 위한 體系的 對策이 政府次元에서 하루빨리 講究되어야 하겠음

- UR農産物協商은 앞으로 農産物에 대한 모든 輸入制限을 撤廢하고 關稅化하는 방향으로 進行될 展望이며 이 경우 政治的, 經濟的 영향은 대단할 것임

  따라서 我國의 필수 農水産物에 대한 保護는 당연하나 이를 持續시키는 것은 相當한 어려움이 豫想되므로 면밀한 對策을 세워 農民의 生存과 直決되는 사항에 대해서는 우리 立場을 끝까지 관철시켜야 할 것임

- 이러한 심각한 상황을 고려하여 향후 農産物協商 對策의 樹立과 農業의 生産性 向上 投資등 諸般 補完對策을 마련하는데 關係部處의 적극적인 支援을 바람

<副總理>

- UR協商이나 EC統合, 農産物交易 自由化問題등은 우리經濟에 대단히 중요한 課題이며 따라서 言論機關이나 國民들에게 實狀을 정확히 알려주어야 함

  사실 言論이나 國民들이 너무 國內問題에 관심을 두고 있으나 國際經濟環境變化에 대한 重要性을 充分히 理解시켜야 하고 이들 問題를 소홀하지 다루지 않도록 積極 努力해 나가야 함

- 이 問題에 대해서는 關係部處에서 적극적인 協助가 있어야 할 것이며 앞으로 「對外經濟政策硏究院」 主管으로 국내 關聯硏究所들과 合同으로 國際化問題에 대한 對策 마련과 對國民 弘報問題를 추진하도록 하겠음

- 이상으로 第5次 對外協力委員會를 마치겠음

0110

第5次 대외협력위원회 회의록

90. 5. 31.
통상기구과

1. 일 시 : 1990.5.30 15:00-17:40

2. 장 소 : 경제기획원 대회의실

3. 참 석 : 경제기획원장관, 농림수산부장관, 상공부장관, 동력자원부장관, 건설부장관, 노동부장관, 교통부장관, 체신부장관, 과학기술처장관, 재무부차관, 보사부차관, 외무부 제2차관보등 (청와대: 구본영경제비서관)

4. 토의안건 :

가. 심의안건

o 갓트 정부조달 협정 가입안

나. 보고안건

o UR 협상 동향 및 대응 방향

o EC 통합대책과 우리의 대응

o UR 농산물 협상 전망과 대응

5. 토의내용

가. 정부조달 협정 가입(안)

o 상공부 : 제안설명

o 외무부 :

- 본건은 가입안이라기 보다 교섭안의 성격임

- 일부 기술적 문제점이 있으나, 실무차원에서 협의, 수정이 가능한 사항이므로 이를 전제로 채택에 동의함

공 람	통상기구과	90년 5월 31일	담 당	과 장	국 장	차관보	차 관	장 관
			송봉헌					

0111

나. UR 협상 전반 및 UR 서비스 협상에 관한 보고

ㅇ 경제기획원 : 실무자 보고

ㅇ 체 신 부 : UR 서비스 통신분야 협상에 대한 효과적 대처 위해 제네바등 주요공관에 체신 주재관 파견 필요

다. EC 통합대책 보고

ㅇ 경제기획원 : 실무자 보고

ㅇ 과 기 처 : EC 통합에 대한 사안별 개별적 대응에는 한계가 있으므로, global strategy 하에 종합대책요

ㅇ 동 자 부 : 정부내 대책논의도 중요하나 업계에 대한 인식 제고와 지원이 더욱 시급

ㅇ 상 공 부 : EC 진출에 대한 incentive 부여등 실천가능한 구체적 대응방안 수립이 긴요

ㅇ 외 무 부 :

- 통합의 각분야별 구체적 변화 내용에 대한 정확한 사전정보 입수 및 업계 전달 노력이 긴요하며,
- 통합 EC 와의 통상마찰 증가, EC의 협상력 증대가 예상되므로 아국의 협상력 강화 노력도 시급

ㅇ 청 와 대 :

- 대통령각하의 지시가 있었음에도 불구하고 동 추진이 미흡하다는 대통령의 지적이 있었음.
- EC 통합 및 UR 협상에 대해 업계가 전혀 무지한 상태와 다름 없으므로 업계 관심 촉구가 시급

라. UR 농산물 협상에 관한 보고

ㅇ 농림수산부 : 실무자의 보고 및 농림수산부장관의 농정에 관한 범부처 차원의 지원 요청 발언. 끝.

김
221 236
7.5

경 제 기 획 원

통조삼 10502- 458　　　503-9149　　　1990.8.1.

수신 수신처참조(외무부)

제목 우루과이라운드 협상그룹별 의장보고서에 대한 아국의 입장정립과 서면제안 가능성 검토

1. 우루과이라운드 15개 협상그룹별 의장보고서가 금번 TNC회의(7.23-26)에 정식으로 접수되어 8월하순경부터 협상그룹별로 최종협상이 가속화될 예정임.

2. 아국입장를 협상최종단계에서 관철하고 협상력을 제고하기 위해 분야별로 필요시 서면제안 제출이 요청되는바,

3. 각부처는 소관의제에 대해

가) 의장보고서의 세부항목별 검토 및 대응방안 수립과

나) 아국입장 관철을 위해 서면제안 제출 필요성이 요청되는 분야에 대해서는 분야별전문가 및 법률전문가의 자문을 얻어 서면제안을 제출토록 함.

4. 의장보고서 세부항목 검토 및 대응방안, 서면제안 주요골자와 서면제안 제출 불필요시 그 근거와 사유에 대해 별첨 양식에 의거 8.14(화)까지 당원에 통보하여 주시기 바라며

발송 1990. 8. 1 경제기획원

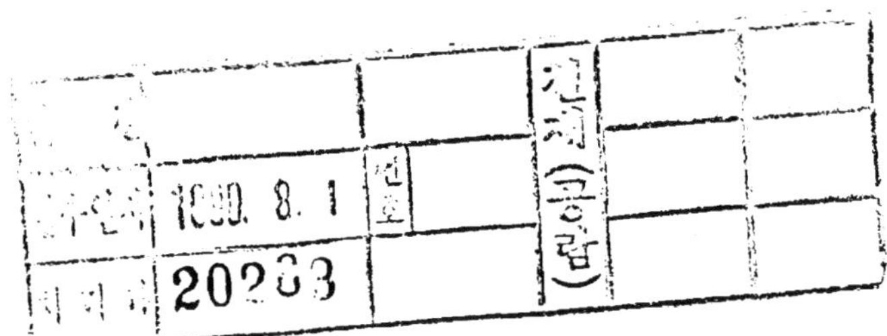

0113

5. 서면제안 작성방향 및 제출시기등에 대한 세부협의를 위해 UR대책 실무위원회를 개최할 계획이며 회의일자는 추후 통보할 계획임.

첨부: 1. 협상그룹별 의장보고서 검토 및 서면제안 검토 1부.

2. 의제별 담당부처 1부. 끝.

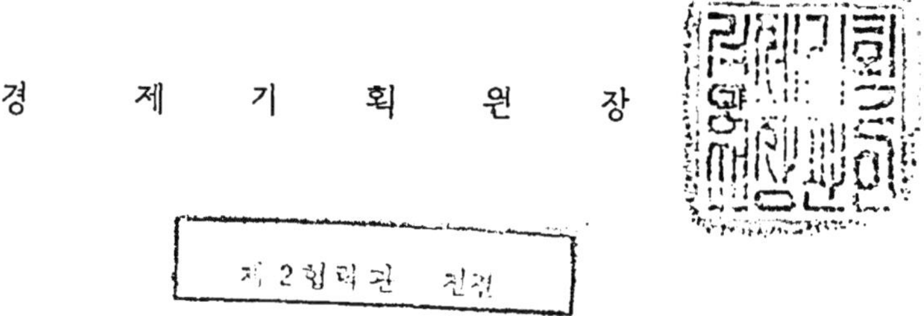

공람	통상기구과	90년 8월 3일	담 당	과 장	국 장	차관보	차 관	장 관
			김명주					

경 제 기 획 원 장

제2협력관 전결

수신처: 외무부장관(통상국장), 재무부장관(관세국장, 경제협력국장), 농림수산부장관(농업협력통상관), 상공부장관(국제협력관), 문화부장관(어문출판국장), 특허청장(기획관리관), 대외경제정책연구원장.

0114

< 별 첨 1 >

협상그룹별 의장보고서 검토 및 서면제안 검토

가. 의장보고서 검토의견

항목별	의장보고서 내용	검토의견	향후대응방안 (아국입장등)

나. 아국 서면제안 주요골자

다. 아국 서면제안 불필요시 그 근거와 사유

0115

< 별 첨 2 >

의 제 별 담 당 부 처

의 제 명	담 당 부 처
0 관 세	재 무 부
0 보조금 및 상계관세	"
0 부 자	"
0 비 관 세	상 공 부
0 천연자원	"
0 섬 유	"
0 Safeguards	"
0 농 산 물	농림수산부
0 열대산품	"
✓0 GATT 조문	외 무 부
0 MTN 협정	" (상 공 부)
✓0 분쟁해결	외 무 부
✓0 GATT 기능	"
✓0 SS/RB	"
0 지적소유권	경제기획원 (문화부, 특허청)
0 서 비 스	경제기획원

0116

40545

기 안 용 지

분류기호 문서번호	통기 20644-	(전화 :)	시 행 상 특별취급	
보존기간	영구·준영구. 10. 5. 3. 1.	장 관		
수 신 처 보존기간				
시행일자	1990.8.22.			

보조기관		협조기관		문 서 통 제
국 장			제2차관보	검열 1990.8.23 통제관
과 장				
기안책임자	김 봉 주			발 송 인

경 유 수 신 참 조	경제기획원장관	발신명의		발송 1990.8.23 외무부
제 목	우루과이라운드 협상 그룹별 의장보고서 검토			

대 : 통조삼 10502-458

대호, 당부 소관 협상그룹에 대한 의장보고서 및 서면 제안 가능성을 검토하여 별첨과 같이 송부합니다.

첨부 : 상기 협상그룹별 검토서 1부. 끝.

1505-25(2-1) 일(1)갑 85. 9. 9. 승인 "내가아낀 종이 한장 늘어나는 나라살림" 190㎜×268㎜ 인쇄용지 2급 60g/㎡ 가 40-41 1990. 3. 30

0117

분쟁 해결

1. 의장 보고서 검토 의견

항 목 별	의장보고서 내용	검 토 의 견	향후 대응 방안
상소제도 도입 및 패널 보고서 채택 방식	ㅇ 3가지 방안 제기 (i) 상소기구의 판정에 최종적인 효력을 부여함으로써 패널 보고서 자동 채택 (ii) 패널보고서를 이사회의 Full Consensus에 회부 (iii) 보고서를 이사회의 변경된(Modulated) Consensus 에 회부	ㅇ 미, EC, 카나다등이 상소절차를 도입한 목적은 기존의 consensus 관행에 의하여 패널보고서 채택이 저지되는 것을 막기위함임. ㅇ 협상주도국들의 이해가 상기와 같이 일치하고 있고 대다수 국가가 원칙적으로 이에 동조하고 있으므로 상소제도 도입 및 이에 따른 consensus 관행의 변경은 불가피할 것으로 전망	ㅇ 아국은 갓트분쟁 해결 절차의 사법화, 패널 및 체약국단의 권위실추 가능성등 이유로 상소제도 도입 반대 및 이와 연계된 consensus 관행 변경에 반대하여 왔으나, ㅇ consensus 관행 변경이 다수국의 지지를 받는 경우, 일방조치 발동억제 및 관련국내법의 갓트 합치등과 연계시켜, consensus 관행 변경 수락검토
패널권고 사항이행	ㅇ 합리적인 이행기간 설정에 관한 다양한 의견제시 - 당사국간 미합의시 구속력 있는 중재 절차 회부안 - 2년기간 부여후, 미 이행시 승소국에 양허철회권 부여안 - 이행시한 미준수 혹은 일정 시한내 이행시한에 대한 합의실패시 자동 보복권 부여안	ㅇ 협상 타분야와의 연계로 인하여 상금 구체적인 방안이 제시되지 않고 있는바, Consensus 방식 변경등에 관한 구체적인 방안 도출시, 협상 진전 기대	ㅇ 이행기간은 패소국이 결정하고, 이사회에서 Take note 하는 방안이 합리적
보상 및 보복	ㅇ 광범위한 사항 논의 - 보상을 의무화 할 것인지 또는 당사국 협의에 맡길것인지 여부	ㅇ Consensus관행, 패널 권고 사항 이행등 협상 타분야와의 연계로 인하여 그간의 광범위한 논의에도 불구 상금 구체적인 기준에는 미합의	ㅇ 아국 기본입장으로 대처 - 보상·보복의 의무화에 반대

0118

항 목 별	의장보고서 내용	검 토 의 견	향후 대응 방안
	- 자동보복권 부여 또는 이사회가 보복을 승인 할것 인지 여부 및 동 승인 결정시 불 이행국의 저지가능 여부 - 보상 또는 보복액 문제에 대해 견해 대립		- 보상과 보복은 극히 예외적인 경우로 한정 o 향후 대아국 제소 증가에 대비, 보복이 용이화되지 않도록 함이 바람직
갓트분쟁 해결 절차 준수 약속 강화 및 일방조치 억제 약속	o 다자체제 강화와 관련, 아래 4가지, 사항 논의 (i) GATT 분쟁해결 절차 준수 약속 강화안 (ii) 체약국단의 권고, 재정 및 결정 준수 (iii) GATT 위반 일방 조치 발동 자제 및 발동위협 자제안 (iv) 국내법을 GATT 분쟁해결 절차 에 일치 약속	o EC, 일본, 아국등 대다수국가가 미국의 301조를 표적으로 갓트 위배 일방조치 발동 억제 주장 o 미국은 갓트 분쟁 해결 제도와 다자 무역체제가 불완전한 경우 자국 이익 방어를 위하여 301조등 일방조치 필요 주장 o 미국은 consensus 관행 변경과 만족 스러운 UR 협상결과 도출시 301조등 갓트 위배 일방조치 억제 및 관련 국내무역법 개정을 검토한다는 수준의 양보수락 가능 전망	o 일방조치는 어떠한 상황하에서도 억제 되어야 한다는 입장 견지 - 일본, EC등 대다수 국가들과 협조 o 패널보고서 채택 방식과 일방조치 발동억제 문제를 연계, 아국이 consensus 관행 변경을 수락할 경우, 일방조치 발동억제를 보장받도록 최대한 노력

2. 아국 서면 제안

o 서면제안 불필요

o 사유

- 주요쟁점들에 대한 아국입장이 지금까지의 협상을 통하여 충분히 개진되었음.
- 특히 패널보고서 채택방식과 관련한 아국의 기존 full consensus 방식 고수 입장은 소수입장이 되었음.
- 또한 주요쟁점들이 체약국들의 정치적 결단이 요구되는 사항들이기 때문에 서면제안은 실익을 기대하기 곤란

0119

갓트 기능

1. 의장 보고서 검토 의견

항 목 별	의장보고서 내용	검 토 의 견	향후 대응 방안
국별무역 정책 검토 제도(TPRM)	ㅇ TPRM의 개선 필요 ㅇ TPRM 관련 3가지 제안 (스위스) - 갓트 사무국의 기능 강화 - 보고서 준비시 타국제기구의 협조와 지원 요청 - TPRM의 적용범위를 신분야까지 확장	ㅇ TPRM 개선에 대하여 선진·개도국간 의견대립이 예상되며, 스위스의 TPRM 과 관련한 3가지 제안에 대하여 개도국들이 반대	ㅇ TPRM의 적용범위 확대는 UR 협상 결과에 따라 결정 ㅇ 갓트 사무국 기능 강화에는 원칙적 찬성이나 예산상의 제한 요소를 감안, 지나친 기구 및 기능 확장에는 반대
소규모 각료회의	ㅇ 소규모 각료회의 설치 필요 및 참가 대상국에 대한 의견 대립	ㅇ 주요 선진국들은 갓트의 정책 결정 원활화를 위하여 소규모 각료회의의 설치를 주장하나 설치시 제외될 국가들은 반대 - 구체적 토의 난망시	ㅇ 소규모 각료회의 설치가 구체화 될 경우 아국 참여 확보 필요 ㅇ 개도국 입장 고려, 적극적 지지 표명 자제
	ㅇ 각료급 정책 자문 그룹 설치에 대한 의견 대립(스위스 제안)	ㅇ 스위스가 체약국단의 각료급 총회를 준비하고 IMF 의 잠정 위원회 및 IBRD의 개발위원회와 협력할 자문 그룹 설치 제안	ㅇ 동제안의 참가국 개방등 실현 가능성 및 잔여 협상 일정 감안 타결 가능성 의문시 ㅇ 논의시 소극적으로 대처
다자간 무역기구 (MTO)설치	ㅇ 아래요소를 포함하는 협정 체결을 통한 다자간 무역기구 설치 제안 - 회원국 및 조직 - UR 협상결과 이행을 위한 법적근거 - 분쟁해결절차채택 - 사무국 설립 - 예산 규정등	ㅇ EC는 최종각료회의시 MTO 설치에 대한 원칙적인 결정이 가능하도록 희망 ㅇ 다수국가가 UR 협상 이후 협의 희망 - 특히 미국은 협상 mandate등을 이유로 강한 반대 입장	ㅇ 현재는 UR 협상의 실질적인 문제에 협상의 중점을 두어야 할 것이며, MTO 설치에 대한 협상은 UR 협상 종료이후가 바람직

0120

항 목 별	의장보고서 내용	검 토 의 견	향후 대응 방안
국제통화 금융기구와의 관계 강화(IMF, IBRD)	o 통화, 금융 무역 정책간 일관성 확보를 위한 다양한 의견 제시 - 각료급 합동 선언문 채택 - 무역자유화 조치에 협상 Credit 부여 - 기구간 공식협력 협정 체결 - 일관성에 관한 합동 보고서 발행 - 정책의 상호 연관성에 관한 합동 분석 - 사무국간 협력등	o 정치적 차원의 협력을 강조하는 EC와 실용적 협상을 선호하는 여타 선진국의 주장이 대립 - EC는 국제기구간 공동 각료선언 채택 및 기구간 제도적 협력강화를 위한 기구간 공식 협정 체결 제의 - 여타 선진국은 사무국간 실용적인 측면의 협력 방안 제시	o 기구간 mandate 의 차이 및 각기구의 독자적인 의결 절차에 비추어 실질적 협력 방안 마련은 당초부터 어려운 작업 o 더우기 미·일본등 협상 주도국들이 기구간 협력 추구에 소극적이기 때문에 실질적인 성과 거양은 기대 곤란

2. 아국 서면 제안

o 서면 제안 불필요

o 사유

- 국별 무역정책 검토제도 및 소규모 각료회의 설치는 선진·개도국간의 대립을 감안, 적극적인 입장 표명 자제
- 국제 통화 금융기구와의 관계 강화는 구체적 성과 거양 기대 난망
- 다자간 무역기구 설치 문제에 대하여 아국은 당초부터 소극적 입장

0121

갓트 조문

1. 의장 보고서 검토 의견

항 목 별	의장보고서 내용	검 토 의 견	향후 대응 방안
18조 B	ㅇ BOP조항에 대한 장기간 논의에도 불구, 동 조치들이 협상의 대상인지에 대한 합의에 미도달 ㅇ 동조항 개정을 협상대상으로 할것인지에 대한 지체없는 결정촉구	ㅇ 선진·개도국간의 첨예한 대립으로 인한 조기 타결 기대 난망 ㅇ 미, EC등의 강한 요구와 타협상과의 연계로 인해 동 조항의 협상대상 결정 여부는 협상 막바지에 가서야 타결 전망	ㅇ 아국의BOP 졸업사실에 비추어 동조항의 개선이 바람직하나 개도국들과의 기존 협조관계를 고려, 적극적인 입장표명 자제
24조	ㅇ 특정조문 명료화, 지역협정에 대한 감시, 역외국에 대한 영향등과 관련, 협상 계속 필요	ㅇ 9월 협상시 집중 협의될 것으로 전망되나 EC 및 북구가 동조항의 개선에 소극적이고 미·카나다가 여기에 동조 입장을 보이고 있어서 일본등 협정 미가입국 입장이 대폭수락되기는 기대하기 곤란	ㅇ 일본등 지역협정 미가입국들과 협조하여 역외국에 대한 피해구제 절차도입, 양허 재협상시 보상증대, 갓트의 통제 및 감시강화등 개선방안 도입 노력
28조	ㅇ 동조항에 대한 결정문 초안 작성에도 불구, 주요공급국(PSI) 권리 부여 기준에 대한 이견 존재	ㅇ 알젠틴, 멕시코등 중남미 국가들을 제외한 대다수 국가가 아국제안을 지지하고 있어서 최종단계에 가서 아국 제안대로 채택될 전망	ㅇ 평화 그룹등과 협조하여 아국제안 내용이 채택되도록 노력
35조	ㅇ 가입신청국과 관세양허협상을 갖는 경우에도 동협상 결과에 불만족인 경우에는 협정 부적용 가능	ㅇ 아직 협상의제로 상정되지 않았으며 9월 협상시 집중 논의 전망	ㅇ 중국등의 갓트가입과 관련, 협정 부적용 가능성을 확대하는 것은 아국에 불리

0122

항 목 별	의장보고서 내용	검 토 의 견	향후 대응 방안
조부조항	o 잠정가입 의정서 및 가입의정서 상의 조부조항의 일정 시한내 철폐에 관한 결정문 초안 작성	o 타협상 그룹(특히 농산물)의 협상 결과와 연계되어 있으므로 협상 최종 단계에서 결정 예정	o 일정시한내 철폐 원칙에 대한 합의 결정문안이 작성 되었고 실제 동 조항 원용이 불 가능한 상황임을 고려, 현 결정 문안에 반대치 않음.

2. 아국서면 제안

o 서면제안 불필요 .

o 사유

- 28조에서는 아국의 입장이 충분히 반영되어 아국 제안대로 채택될 전망
- 24조에서는 일본, 호주, 뉴질랜드등 협정 미가입국들과의 협조를 통하여 아국 입장이 충분히 개진되었고, EC등의 강한 반대로 아국 입장의 일방적 관철에 일정 한계가 있음.
- 여타 18조 B항에 대하여는 적극적인 입장 표명이 불필요
- 35조 대하여는 구체적 협상이 상금 진행되지 않고 있음에 비추어 당분간 협상추이 관망 필요

0123

SS/RB 감시기구

1. 의장보고서 검토의견

항목별	의장 보고서 내용	검토 의견	향후 대응방안
SS/RB 공약이행	ㅇ 각국의 계속적인 SS/RB 공약 이행 촉구 ㅇ 갓트 규정합치 여부에 관계 없이 각국의 UR 개시이후의 RB 실적 및 UR 종료시까지의 계획을 90.10.12 까지 제출	ㅇ 그동안 부진했던 각국 SS/RB 공약 이행의 촉진을 위한 계기로 평가 ㅇ 아국도 UR 협상 에의 기여를위해 UR 기간중 RB 성격의 조치 이행실적을 통보 함이 바람직	ㅇ 10.12 시한 까지 각종 자발적 자유화조치 및 쇠고기 패널 이행 실적등의 GATT 통보 추진
SS/RB 공약시한	ㅇ SS 공약은 Punta 선언에 시한이 명시되어있지 않아 UR 협상이후에도 계속 유효 하나, ㅇ UR 협상 종료시로 시한이 명시된 RB 공약이행 문제는 실질적으로 GATT규정 불일치 여부의 근거가 될 새로운 규범들이 UR 협상 종료시 확정 될 것이므로 UR 종료후 에도 RB 공약이 계속 유효 토록 해야함을 지적	ㅇ 전반적인 무역 환경개선의 측면 에서 SS/RB 공약 의 UR 협상이후 계속 적용은 바람직할 것임. - 농산물등 아국 민간 분야에 대한 고려 필요성은 인정 되나 동공약이 선언적 성격이 강하므로 원칙 적 의미에서 지지	ㅇ 10.30 감시 기구회의 에서 거론시 지지 입장 표명

2. 아국 서면제안 주요골자

ㅇ UR 기간중의 일부 농산물 자유화, 관세인하, 기타RB 성격의 자발적 자유화 조치 및 쇠고기 패널권고사항 이행실적등을 포함, 아국의 이행실적 통보

0124

경 제 기 획 원

봉조삼 10502- 698 503-9149 1990. 10. 26.

수신 수신처참조

제목 UR협상 전략수립

1. 우루과이라운드에서는 11월에 들어 개별협상그룹 논의를 마치고 TNC회의에서 각 협상그룹 논의를 종합조정할 계획으로 있읍니다.

2. UR 막바지 협상에 효과적으로 대처키 위해서는 각의제내 주요협상요소에 대한 아국입장 관철 필요성간 우선순위 정립이 긴요하며

3. 또한 TNC회의에서는 의제간 절충작업도 이루어질 전망이므로 의제 전반을 감안한 개별의제내 아국입장의 중요성에 대한 파악도 긴요하다 하겠읍니다.

4. 당원은 상기 필요를 감안한 분석표를 예시로 작성하였으니 참조하시고 소관의제에 대한 분석표시안을 11월 1일한 작성.송부하여 주시기 바랍니다.

5. 당원은 동 시안을 토대로 관계부처간 협의를 거쳐 아국의 입장을 계속 보완.발전해 나갈 계획이니 현 단계에서 검토가능한 범위에서 1차 시안을 작성하여 주시기 바랍니다.

첨부: 작성양식 1부. 끝.

경 제 기 획 원 장 관

수신처: 외무부장관(통상국장), 재무부장관(관세국장, 경제협력국장), 상공부장관(국제협력관), 농림수산부장관(농업협력통상관).

1990 10 27

30114

0125

UR協商 分析表 (例示)

11. 知的所有權

1. 협상요소	2. 아국입장	3. 주요국 입장	4. 아국입장 관철시 이익 (억원)	5. 관철가능성 (%)	6. 주 대상국
가. MFN(最惠國待遇) 適用例外	- 兩國間 協定에 의해 特定國에 부여한 特許權,著作權 소급보호를 他國에게 自動適用하는 것 排除 * 經過規定에서 我國立場 관철	- EC, 스위스, 일본: 反對 - 미국: 觀望	500 (Royalty 절감)	60%	- 目標國家: EC, 스위스, 일본
나. 強制實施權 範圍	- 불실시에 대한 強制實施權 認定	- 미국: 不認定 - 대다수국: 認定	200 (관철 불가능시 기술획득곤란으로 기술료 증가)	80%	- 目標國家: 미국 - 共同步調國: 개도국, 일본, EC
다. 施行節次중 國境措置 包括範圍	- 商標權, 著作權 侵害商品만 포함	- 미국, EC, 스위스: 모든 知的所有權 侵害商品 - 개도국: 商標權, 著作權 侵害商品에만 적용	150 (수출증대효과 x 부가가치율)	50%	- 目標國家: 미국, EC

0126

< 사항별 기재요령 >

1. 각 협상그룹별로 5-10개 주요사항 추출

   0 아국의 입장에서 중요한 순서대로 협상요소 기재

2. 현재 주장안, 제2안, 마지막 협상안 기재

3. 입장을 2-3으로 대별 (의장안 또는 주요국입장)

4. 있을수 있는 여러 代案中 最惡의 代案과 比較時의 利益 기재

   0 純利益分 기재 (不可時는 수출증가분등을 기재하고 내용설명)

   0 구체적인 금액추정이 불가능할 경우 의제전체의 중요성 추정자료 (예: 90년 7월말 현재 對外로열티 지급총액 6억불)를 제시하고 議題內의 중요도에 따라 10부터 1까지 사이의 상대적 비중부여 (예: MFN예외 10, 강제실시권 4, 국경조치 3)

   0 계량화 자료가 없을 경우 아국에 중요한 이유를 구체적으로 서술

5. 현재의 各國立場을 감안한 確率

6. 목표국가: 우리입장 관철을 위해 양보를 얻어내야할 국가

   양보국가: 우리가 양보할 경우 어떤 국가가 수혜국가가 되어 그국가와 타분야에서의 협상시 이 협상요소를 협상카드로 제시할 수 있는 국가

   공동보조국: 우리와 同一立場國家

0127

길
과장도 협조 전보된 대표부 통상국 1부

주 제 네 바 대 표 부

제네(경) 20644-1228　　　　　　　　　　　　　　1990. 11.16

수 신 : 장 관

참 조 : 통상국장

제 목 : 자료송부

발송 90 11 16 주제네바대표부

김인호 경제기획원 대조실장의 당지 방문시 11.13 및 11.14 당관 UR협상 관계관과 가진 UR협상 대책 협의 내용을 별첨 송부하니 업무에 참고 바랍니다.

첨 부 : UR협상 대책 협의 회의록 1부. 끝.

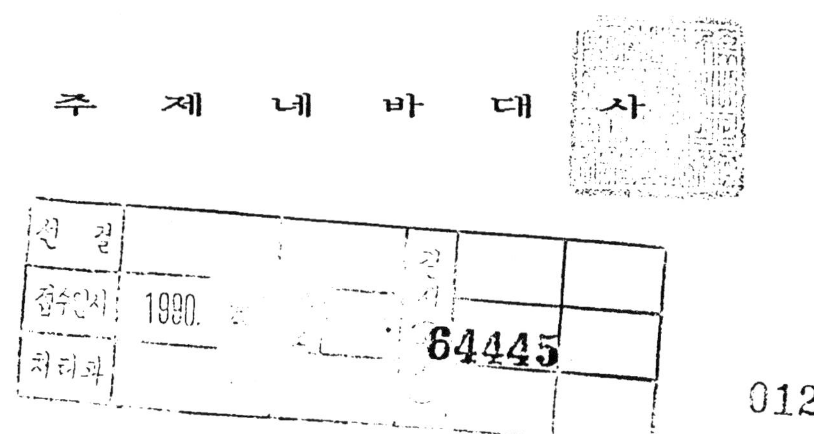

주 제 네 바 대 사

선 결		결재		
접수일시	1990.		64445	
처리과				

0128

UR협상 대책 협의

1. 일 시 : 1990. 11. 13(화) 15:30 - 19:30 및 11.14(수) 10:00-13:00

2. 장 소 : 주 제 네 바 대 표 부 회 의 실

3. 참석자 :

- 김인호 경제기획원 대조실장 및 경제기획원 관계관

- 박영우 공사 및 주제네바대표부 관계관

4. 협의내용

가. 관세

1) 쟁점

- 미국의 조건부 offer
- 미국의 zero-for-zero 무세화 제의

2) 전망

- 미국이 농산물 협상에서 이익이 가시화 될때까지 강경입장 계속 전망
- 브랏셀 회의시까지 종결 불가능

3) 대책

- 기존 입장으로 계속 대응
- 무세화 수용에 대하여는 국회 동의를 득해야 한다는 점을 강조, 대응
- 섬유, 신발등 아국 관심사항에 대한 수입국의 관세 인하 노력 강화

나. 비관세

1) 쟁점

- 비관세 장벽 binding 문제
- 원산지 증명의 coverage

2) 전망

- 관세 협상과 결부되어 각국의 이익 평가가 곤란하므로 조기 종결 난망
- 비관세 장벽 binding은 더 기술적 검토를 요하나 전반적으로 binding으로 가게될 전망

다. 섬유

1) 쟁점

- 과도기간의 길이
- MFA 철폐 방식
- 단계별 갓트 복귀
- 미복귀 품목에 대한 특별 세이프 가드 조치
- 갓트 규정, 규율 강화
- 과도기간중 최소한 증가율 확보문제

2) 전망

- 이씨가 농산물 협상과 관련하여 과도기간등 주요 쟁점에 합의치 않을 전망이며, 대부분이 쟁점이 브랏셀 회의로 넘겨질 전망

라. 농산물

1) 쟁점

가) 전반적 사항

- 기본시각 : 국내 농업정책의 전면적 수정 여부
- 삭감방식 : 미국은 시장접근, 국내보조, 수출보조등 분야별, 이씨는 각국의 정책 수단 원용에 융통성을 부여하는 global 방식 주장

나) 시장접근

- rebalancing
- corrective factor
- fixed component

다) 국내보조

- 보조총액 bind 문제 (total ceiling)

2) 전망

가) 쟁점별 전망

- 삭감방식 : 미국의 주장대로 분야별 삭감으로 합의 전망
- 시장접근 : 전반적인 관세화가 이루어지는 과정에서,

이씨의 rebalancing, corrective factor, faxed component등이 어느정도 반영될지는 미지수이며, 품목예외는 어려울 전망

- 국내보조 : green box 조정과정에서 criteria가 완화되어 NTC 품목에 대한 예외는 어느정도 인정될 전망

나) 브랏셀 회의 전망

- 브랏셀 회의에서는 큰 원칙만 결정되고 실질 협상은 내년중 이루어질 전망
- 기본 framework의 합의는 어려우나, 협상의 계속 진행이 가능하도록 일단 협상 지침은 합의될 수 있을 전망

3) 대책 (농수산부 의견)

가) 일반 사항

- 미,이씨,캐언즈등 주요국의 협상 주도가운데 NTC, green box등 아국 관심사항 반영위해 노력
- 국내보조보다는 국경조치에 중점 협상 (국내보조는 대체로 5% 미만)

나) 세부사항

- 15개 NTC 품목에 대한 내부적인 우선순위는 있으나, 일단 97년까지는 관세화를 할 수 있으며, 그중 몇개 기초 품목은 예외로 인정되어야 한다고 주장 필요
- BOP 협의결과에 의한 자유화 대상 품목은 97. 7. 이후 관세화 또는 여타 규정과 합치시킴 (다수 반대의견)
- 국내보조관련, 구조조정 지원이 green box로 인정받도록

하는 것이 관건이며 total ceiling은 green box에는 적용되지 않도록 노력 필요

다) 행정사항

- 국내 부처간 협조 강화가 요청되며, 외부에 부처간 이견이 있다는 인상을 줄 필요는 없음
- 특히, 관세 협상과 관련한 부처간 협조가 요망됨
- 외국과의 농산물 교역 통계, 특히 ASEAN등 과거 관심이 없던 주요 국가들과의 세부적인 교역통계가 필요함

마. 열대산품

가) 쟁점

- 브랏셀 회의에서 열대산품협상을 별개 협상으로 취급할지 여부
- 자유화의 조기 이행 여부

나) 대책

- 기존 수입자유화 조치에 열대산품도 많이 포함되어 있으므로 아국에 대한 큰 압력은 없음.

바. 갓트조문

가) 쟁점

- 24조와 관련한 지방정부의 의무, 관세동맹 설립시 요건 강화 문제등
- BOP 조항의 협상 여부
- 중국가입과 관련한 35조 처리 문제

나) 대책

- 농산물 수출국이 모두 24조 12항 (지방정부의 의무)에 수세적임을 감안, 이에 대한 아국의 공세 강화 필요성 검토 (다수는 이미 협상이 종결단계이므로 이견 제시가 어렵다는 의견)

- 24조 관련, 역외국이 불이익을 당할 경우 분쟁해결 절차를 원용한다는 입장 유지 (?)

- BOP 조항에 대하여 융통성 있는 아국 입장을 브랏셀 회의시 협상카드로 활용하는 방안 검토 (다수는 협상 카드가 될 수 없다는 의견)

사. 반덤핑

가) 쟁점

- new issue 포함여부 및 덤핑행위와 관련한 규율 (discipline issue)와 new issue간의 균형문제

나) 전망

- new issue 포함 다수의 쟁점이 브랏셀 회의로 넘겨질 전망
- medium package 합의전망 우세

다) 대책

- 여타 분야와 trade-off가 어려운 중요한 분야
- new issue중 순수 우회 덤핑, country hopping등은 수락 가능시

아. 세이프가드

가) 쟁점

- 선별성
- 회색조치
- 보상.보복면제

나) 전망

- 선별성 미합의 및 여타 쟁점의 선별성과의 연계로 인해 다수 쟁점이 브랏셀 회의로 넘겨질 전망

다) 대책

- 최근 수입국 입장, 특히 농산물 수입과 관련한 수세적 입장으로 전환
- 기구적 원칙 측면에서 원칙적으로 MFN 고수
- 농산물 협상에서의 특별 세이프가드와의 관계 계속 주시 필요

자. TRIPs

가) 쟁점

1) 보호기준

- moral rights 인정여부
- computer program 보호 여부
- 특허관련, 선출원 또는 발명주의
- 불특허사항
- 반도체 칩 보호
- 영업비밀
- 물질특허 소급 보호 문제

2) 시행절차

- 국경조치의 범위
- 분쟁해결

3) 경과 규정, 제도적 규정

나) 전망

- 단일 문서 형태가 될 것이나, 대부분의쟁점이 브랏셀 회의로 넘겨질 전망
- MFN 문제, I.C. layout design 문제, 영업비밀등이 최대 쟁점이 될 것으로 예상

다) 대책

- 아국으로서는 여타 분야와의 연계설정 필요성이 작음
- 보호기준 강화는 국내 산업의 경쟁력 강화에 도움

차. 보조금·상계관세

가) 쟁점

- 농산물 관련, 협정의 coverage 문제
- 보조관련 규율, 상계관세 관련 규율간의 균형 문제
- 개도국 분류 문제

나) 대책

- 개도국 분류 문제에 대한 융통성 발휘 가능성 검토 (다수는 여타 분야에 대한 여파를 고려 현 입장을 고수해야 함을 주장)

카. 써비스

가) 전망

- 브랏셀 회의에서는 framework에 대한 합의만 가능시

나) 대책

- 아국의 개방 실적에 비추어 큰 문제 없으며, 장기적으로 산업 정책 측면에서 경쟁력 확보가 가능시 되는 분야
- MFN 원칙에서 일탈하는 부속서를 최소한으로 하도록 노력 필요
- 아국도 offer 제시 가능. 끝.

김
(공란)

전 언 통 신 문

통조3 10502-124

수신 외무부장관

발신 경제기획원 장관

제목 우루과이라운드 최종 각료회의 대책회의

1. 우루과이라운드 최종 각료회의에의 효과적 대처를 위한 관계부처회의 (11.8)에서 논의한바 있는 최종 각료회의 종합대책 자료 확정을 위한 회의를 아래와 같이 개최코자 하니 참석하여 주시기 바랍니다.

- 아 래 -

가. 일 시 : 90.11.~~20~~ 22 (화) 14:00-17:00

나. 장 소 : 경제기획원 소회의실 (1동 721호)

다. 참석범위 : 경제기획원 대외경제조정실장(회의 주제)
경제기획원 제2협력관
외 무 부 통상국장
재 무 부 관세국장, 경제협력국장
상 공 부 국제협력관
농림수산부 농업협력통상관
문 화 부 어문출판국장
특 허 청 기획관리관

라. 회의 내용 : 대책 자료 확정. 끝.

공람	통상기구과	년 월 일	담 당	과 장	국 장	차관보	차 관	장 관
					(서명)			

통화일시 : 90.11.19.

송 화 자 : 강병제

수 화 자 : 김길순

0138

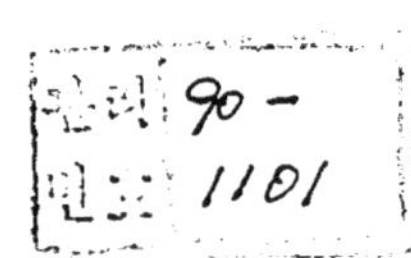

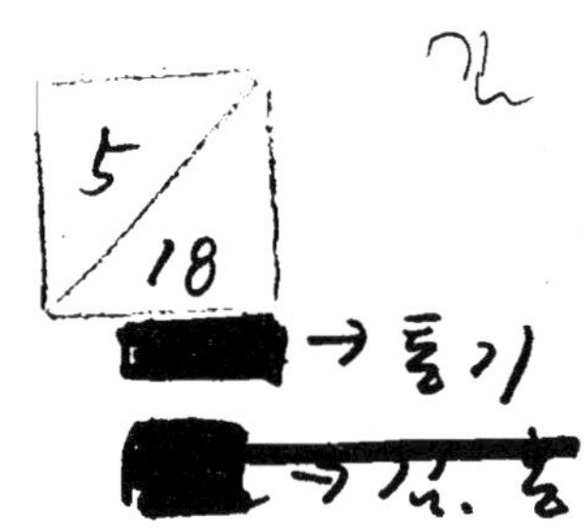

경　　제　　기　　획　　원

대총 10500-61　　503-9130　　1990. 11. 30.

수신 수신처참조

제목 제8차 대외협력위원회 회의결과 통보

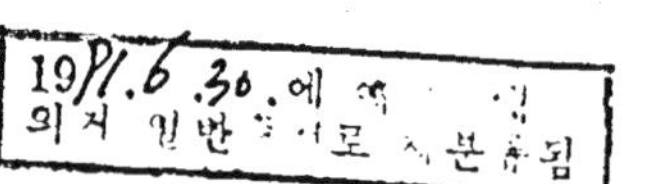

제8차 대외협력위원회 회의결과를 다음과 같이 통보합니다.

- 다　음 -

1. 일　시 : '90. 11. 28(수) 08:00-09:00

2. 장　소 : 서울 상의클럽 12층 S룸

3. 참 석 자 : 부총리(주재), 재무부장관, 농림수산부장관, 상공부장관, 동력자원부장관, 건설부장관, 교통부장관, 노동부장관, 체신부장관, 과학기술처장관, 국가안전기획부 제2차장, 외무부차관(대리), 대통령비서실 외교안보보좌관, 대통령비서실 경제비서관(대리), 국무총리실 제2조정관(대리)

4. 회의결과

(보고사항)

- 우루과이라운드협상 브랏셀 각료회의 참가대책 보고안접수

첨부 : 제8차 대외협력위원회 회의록 1부. 끝.

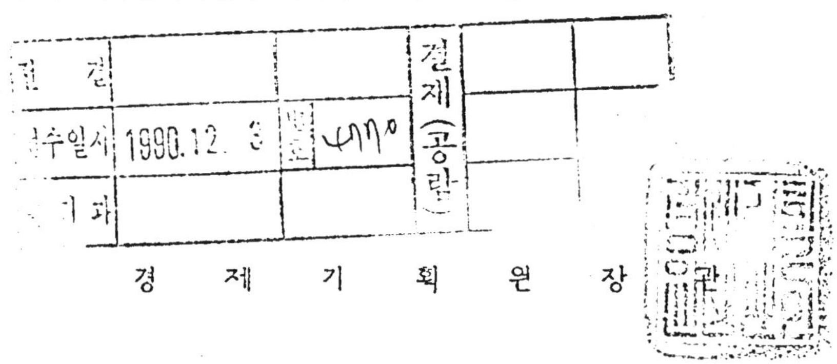

접 견			결재(공람)		
접수일시	1990.12. 3	4470			
처리과					

경　제　기　획　원　장

0139

대총 10500-　　　　　　　　　　　　　　　　　　　　　1990. 11. 30.

수신처 : 국가안전기획부장, 외무부장관, 재무부장관, 농림수산부장관, 상공부장관 동력자원부장관, 건설부장관, 보건사회부장관, 노동부장관, 교통부장관, 체신부장관, 과학기술처장관, 대통령비서실장(경제수석비서관, 외교안보 보좌관), 국무총리행정 조정실장

첨부물에서 분리되면 일반문서로 재분류

0140

관리 번호	90-1101

5/18

제8차 대외협력위원회 회의록

1990. 11.

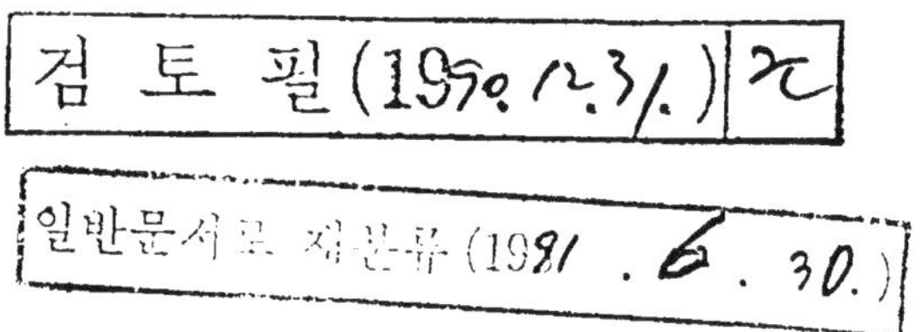
검 토 필(1990.12.31.) 2C

일반문서로 재분류(1991.6.30.)

경 제 기 획 원
대 외 경 제 조 정 실

0141

1. 회의 개요

가. 일시 및 장소 : '90.11.28(수), 08:00-09:00, 서울상의클럽 12층 S룸

나. 참 석 자 : 부총리, 재무부장관, 농림수산부장관, 상공부장관, 동력자원부장관, 건설부장관, 노동부장관, 교통부장관, 체신부장관, 과학기술처장관, 안기부 제2차장, 외무부차관(대리), 대통령비서실 외교안보보좌관, 대통령비서실 경제비서관(대리), 총리실 제2조정관(대리) (보건사회부장관 불참)

2. 회의결과

〈보고사항〉

- 우루과이라운드협상 브랏셀 각료회의 참가대책 : 원안접수

3. 회의록

(부총리)

- 국정감사준비등으로 바쁘신 가운데 오늘 회의에 참석해 주셔서 감사함. 오늘 대외협력위원회를 소집한 것은 UR브랏셀 각료회의에 임하는 정부의 최종입장을 확정하기 위함임

- 지난 4년동안 계속되어온 UR협상은 이번 브랏셀 각료회의 협상이 큰 계기가 될 것으로 예상됨

- 이번 회의에 대하여 여러 전망이 있음. 미국과 EC가 농산물협상에서의 정치적 타협여부가 큰 변수가 될 것이나, 그간 모든나라가 기울인 노력에 비추어 볼 때 협상이 결렬 될 수는 없을 것이라는 것이 대세인 것 같음

- 그럼 먼저 경제기획원, 대외경제조정실로부터 그간 실무적으로 협의해온 「브랏셀 각료회의 참가대책」 보고를 듣고 좋은 의견을 말씀해 주시기 바람

0142

<경제기획원 제2협력관 : 보고안건 설명>

(부총리)

- 금번 대외협력위원회에 상정한 브랏셀 각료회의대책은 그동안 관계부처 실무자들이 상호 긴밀히 협력하여 우루과이 라운드협상에 임하는 우리정부 최종대책을 정리한 것임

- 안건 설명에도 있었지만 그간 국내에서 우루과이 라운드 농산물협상에 대한 부담만 지나치게 강조되어 왔으나 전체적으로 볼때 우루과이라운드 협상의 성공적인 타결은 우리경제에 커다란 도움을 줄 것이 분명함

- 따라서 우루과이 라운드 최종 마무리를 위한 금번 회의에서는 보다 전향적이고 신축적인 대안을 가지고 협상에 임함으로써 우리의 실리를 지키면서 협상타결에 기여하여야 할 것임

- 특히 UR협상 결렬로 인한 세계경제의 위기를 막기위해 세계 각국 지도자들이 금번 브랏셀 각료회의에서는 정치력을 발휘하여 주요 쟁점사항에 대한 합의를 도출해내야 한다는 분위기가 지배적일 것으로 예상되므로 우리나라도 협상에 기여하는 측면에서의 노력이 필요하다고 봄

- 실제협상과정에서는 현장상황에 따라 신축적으로 대응할 필요가 있을 것으로 보이는 바 수석대표 주관으로 현지에서 이번 대외협력위원회에서 협의한 기본적인 방향과 원칙에 따라 구체적인 대책을 강구하여야 할 것으로 봄

- 따라서 협상대표단은 실제협상대응과정에서 현지의 대세를 잘 판단하여 대처하되 농산물분야에서 우리의 입장을 최대한 반영시키는데 협상력을 집중하여 줄 것을 특별히 당부드림

- 마지막으로 UR협상과 관련한 국내보완대책에 대하여 말씀드리겠음
이번 브랏셀 회의에서 대체적으로 협상의 윤곽이 드러나게 될 것으로 전망되므로 이를 잘 분석해서 본격적인 보완작업이 이루어져야 할 것임. 관계부처에서는 소관분야에 대하여 금번 협상결과를 토대로 착실하게 실천계획을 마련하여 시책을 추진해 주시기 바람

(상공부 장관)

- 먼저 상공부장관이 어떻게 브랏셀 각료회의의 수석대표가 되느냐 하는데 대해 의문을 갖게 될지 모르겠읍니다만, 이는 UR의 모든 의제가 통상문제와 직결되어 있기 때문임. 즉, 통상문제란 과거의 단순한 상품교역 뿐 아니라 농산물, 서비스, 지적소유권등 New Issue가 새롭게 추가되고, 이것이 종래의 상품교역과 같은 차원에서 다루어져야 할 것이기 때문에 상공부장관이 수석대표가 되는것임.

- 이번 브랏셀 각료회의는 세계 105개국이 참석하여 각국에서 대개 2-3명의 장관급이 참가하게됨. 우리는 저와 농림수산부장관이 참가하고, 관계부처.연구기관등 약100명 정도가 참가하게됨. 정부훈령대로 현지에서 잘 대응하도록 노력하겠음. 이번 협상은 정부 각부처와 관련되어 있는 바, 본 보고서대로 장기적인 경제운용 방향에 맞을 경우 전향적으로 대응하겠음. 다만, 마지막 순간에 정부훈령과 현지 실정이 다른 경우 어려움이 있을 것으로 예상됨. 따라서 이 경우 현지에서 각종 대책회의등을 통하여 적절히 대처해 나가겠음

- 이 자리에서 꼭 말씀드리고자 하는 것은 이번 각료회의는 다자간 협상이지만 쌍무협상이 상당히 이루어질 것으로 보임. 제일 큰 문제는 한미간의 현안사항인 바, 현재 한미관계에서 해결되지 않은 것이 상당수 있음. 예를들어 Marriott 문제도 이미 해 준것으로 알고 있지만 사실상 아직도 해결되지 않은 실정임. 이 문제는 서울시 도시계획, 건설부 개발계획, 건축허가, 식품허가등과 관련되어 있으며 미측은 안해 준 것으로 알고 있음.

- Pecan, 쇠고기문제도 연내 해결하도록 하였으나 아직도 미해결된 상태임. 12월초 개최되는 한미 무역실무소위에서 얘기한다고 설명하고 있으나 미측이 믿지않고 있음. 얼마전 미국 주정부 대표와 무역협회간 협의한 적이 있음. 이때 국무성 USTR과의 면담과정에서 초코렛 통관시 전수조사를 한 결과 여름철에 녹아서 문제가 되고 있다는 사실에 대해 항의하였음. 이번에도 쌍무적인 얘기가 나올 것이므로 부총리하고 나중에 상의하겠지만, 해줄 것은 날짜를 박아서 해결하겠다고 약속하고, 안되는 것은 안된다고 하는 것이 중요함. UR은 주어진 Mandate 대로 처리하겠음

(농림수산부장관)

- UR농산물 협상은 사실상 중단된 상태임. 미국, EC간 정상회의에서도 실패했음 제네바 TNC 회의결과 던켈이 내놓은 안을 보면 우리나라등 농산물수입국이 주장하는 NTC에의 품목을 불인정하고 있음. 예외문제는 브랏셀 각료회의에서 결정하도록 미루고 있음

- 브랏셀 각료회의는 대체로 다음과 같은 3가지 가능성을 전망할 수 있음. 그 첫번째는 Small Package를 예상할 수 있고, 두번째는 협상완료 시한을 내년 2월 또는 그 이후로 연장할 가능성이 있다는 것이며, 아니면 협상의 완전한 결렬을 예상할 수 있음. 그러나 미국과 EC가 어떤 형태로든 합의할 것으로 예상됨. 미국과 EC간 정치적 절충을 할 경우 우리에게 불리할 것으로 보임. 아무튼 우리는 쟁점사항들을 정리하여 수용가능한 대안을 마련해야 하겠음.

- 미국과 EC가 정치적 타결을 시도할 경우 GATT다자간 무역원칙을 강조할 것이므로 우리가 타결결과를 수용할 수 없는 분야에 대해서는 강력히 저항해야 하겠음. 이와관련 농산물 수입국의 개도국과 공동대처해 나가야할 것임.

- 아무튼 우리의 이익이 반영 될 수 있도록 노력해야 할 것이고, 특히 NTC 품목의 반영될 수 있도록 해야 할 것이며, GATT 11조의 예외인정과 유예기간이 확보될 수 있도록 최대한 노력해야 할 것임. 또한 구조조정을 위한 국내보조가 유지될 수 있도록 최대한 노력해 나가야할 것임. 이러한 우리의 노력이 반영 안 될 경우 협상결과를 거부할 수도 있을 것임. 어쨋든 협상의 막바지 단계에서는 분야간의 Trade Off이 이루어 질 것으로 예상되므로 이에 대한 대책이 필요함.

(부총리)

- 쌍무협상이 이루어질 것에 대비하여 구체적인 대책을 마련할 필요가 있음 상공부장관 출발전 관계부처 회의를 개최하여 대책안을 강구해야 할 것임. 대외경제조정실에서 책임지고 처리할 것

(농림수산부장관)

- Pecan 검역과정에서 문제가 있다고 거부해 온 것에 대해서는 우리측 주장에 불합리한 측면이 있으므로 관련규정을 고쳐서라도 해결해 주겠다고 약속한 바 있음. 조만간 한미 검역관 회의가 개최될 것이므로 이때 해결하도록 하겠음. 따라서 이 문제에 관한한 걱정안해도 될 것임

(부총리)

- 우리정부는 횡적인 연락이 미흡하여 상호 정보교류가 잘 안되고 있음. 앞으로는 대외문제에 관한 조치사항을 관계부처에 즉시 통보하도록 바람

(체신부장관)

- 통신분야는 종전부터 쌍무협상에서 거론된 사항으로서 Trade-Off 대상임. 나름대로 3가지 정도의 대안을 마련해 놓았음

(교통부장관)

- 교통부소관 서비스중 해운, 항공, 육운분야에 대해서는 현재까지 큰 문제가 없음 그러나 여행업 개방문제는 내년 1월1일부터 미국에만 개방하게 되어 있음. 이번에는 다자간 개방문제인 바, 다자간 개방의 경우 호혜평등의 원칙이 적용되어야 하지만 우리의 여행업은 영세하기 때문에 '97년까지 유예되도록 해 놓고 있음

(과기처장관)

- 엔지니어링 분야중 기본설계 분야가 취약하므로 대내조치가 더욱 중요하며 협상측면은 문제없음

(건설부장관)

- 건설분야는 강세입장에 있으므로 문제없음. 다만 설계, 감리분야는 국제적 수준에 미치지 못하므로 이 분야에 대해서만 관심을 기울일 필요가 있음 지금까지 추진해온 방향대로만 진행한다면 우리가 오히려 유리함

- 7-5 -

0146

(노동부장관)

- 서비스분야중 국제간 노동력 이동이 관건됨. 필수적인 인력에 대한 제한적인 인력이동만 허용하도록 하는 것이 지금까지 견지해온 우리의 입장임. 다만 출입국 관리차원에서 전업종에 일률적으로 적용되는 인력이동을 허용하는 것은 곤란함. 미국, EC, 온건개도국이 우리와 같은 입장임.

(외무부차관)

- 본 대책안을 보고 느낀점을 몇가지 말씀 드리고자 함. UR문제를 요약하면 대외 협상과 국민 인식문제로 나누어 볼 수 있는 바, 후자도 매우 중요함 이번에 기자들도 많이 참여하므로 국내 News에 많이 날 것임. 무역에 의존하고 있는 우리나라에게는 UR이 기본적으로 유리하다는 측면을 강조해야 할 것임. 현지에서 기자인터뷰를 주선하는등 조직적인 대응이 필요하다고 봄. 회의에 있어서의 노력도 중요하지만 기자단에 대해 적극적으로 보도자료를 작성하여 제공할 필요가 있음. 이에 관해서는 외무부에서도 적극 협조할 용의가 있음. 결론적으로 이번 협상을 국민인식 전환의 계기로 삼는 것이 좋겠음

(과기처장관)

- 재야단체의 김지하씨 및 이경해씨가 귀국하여 발언한 내용등도 최근 UR은 국제적 대세이고 이에 적극적으로 대응해야 한다는 방향으로 인식이 바뀌어 가고 있으므로 이런 차원에 대처해야 할 것임

(부총리)

- 기자들이 약 35명 수행하고 있으므로 기자홍보 문제에 대해 많은 준비가 필요할 것인 바, 상공부 제1차관보가 책임지고 잘 할 것

(청와대 경제비서관)

- 수석대표에게 권한을 주어서 협상에 신축적으로 대응토록 해야 할 것임

(상공부장관)

- 농산물 분야가 제일 걱정임. 농림수산부장관의 출장 일정조정이 필요하다고 생각됨.

(농림수산부장관)

- 추곡수매, 국정감사등으로 곤란함

(부총리)

- 국회 농수산위원회와 협의하여 일부위원도 동행하는 방안을 적극 검토할 필요가 있다고 생각됨

(대외경제조정실장)

- 행정사항에 대해 말씀드리고자 함. 12.1(토), 부총리, 외무, 재무, 상공장관이 대통령께 보고하고, 오후 석간에 나올 수 있도록 언론에 Release 할 계획임. 따라서 그때까지 본 자료에 대해서는 보안을 유지해 주시기 바람(구체적인 협상대책 제외) 또한 동 자료는 별도 실무진을 통해 송부할 계획이므로 자료는 놓고 가시기 바람.
  * 한미 현안사항에 대한 설명

(부총리)

- 근검절약 운동이 외국인에 대한 수입규제로 인식되지 않도록 각 부처에서 적절한 조치를 취하시기 바람

- 이상으로 제8차 대외협력위원회를 마치겠음

- 7-7 -

0148

경 제 기 획 원

통조삼 10502- 828   503-9149

수신 수신처참조

제목 UR대책 실무위원회 소회의 개최

우루과이 라운드 협상은 금년 12월 브랏셀 각료회의에서 협상을 종료시키지 못하였고 내년초에 집중적인 협상이 재개될 것으로 예측됩니다. '91년도 협상전망 및 협상에 대한 아국입장 재정립을 위해 UR협상의제를 직접 담당하고 있는 주요부처 국장급 회의를 다음과 같이 개최코자 하니 참석하여 주시기 바랍니다.

다 음

가. 일 시: '90.12.27(목) 14:00-16:00

나. 장 소: 경제기획원 소회의실 (1동 721호)

다. 참석범위: 경제기획원 대외경제조정실장 (회의주재)

" 제2협력관

외 무 부 통상국장

재 무 부 관세국장, 경제협력국장

상 공 부 국제협력관

농림수산부 농업협력통상관

라. 논의내용: 0 91년도 협상전망

0 주요의제에 대한 아국입장 재정립

0 서비스 Offer List 제출

0 아국의 협상대책 및 국내대책 작업방향. 끝.

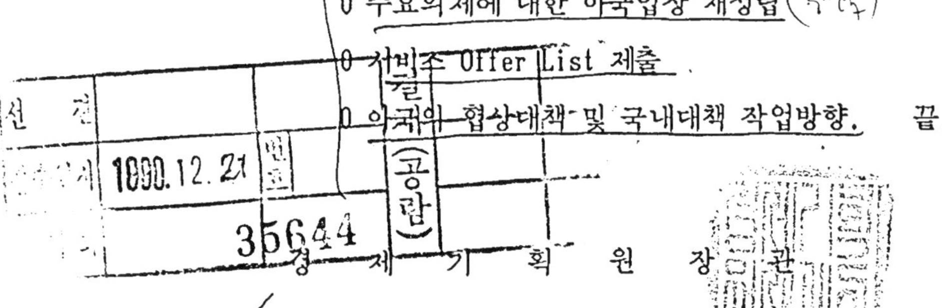

경 제 기 획 원 장 관

수신처: 외무부장관(통상국장), 재무부장관(관세국장, 경제협력국장), 상공부장관(국제협력관), 농림수산부장관(농업협력통상관).

0149

UR/농산물 협상 아국 Offer 개선 방향 검토

1990. 12. 20.

통 상 기 구 과

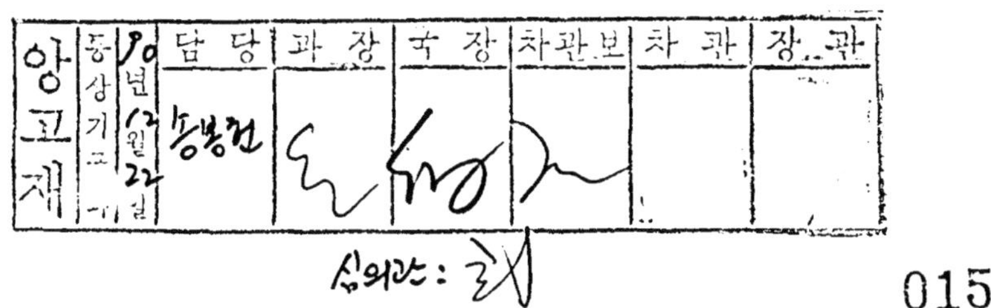

0150

목 차

0151

1. 농산물 협상 목표

o 급속한 시장개방 및 보조감축으로 인한 충격완화 및 구조조정 지원

- 급격한 시장 개방 및 국내보조 감축으로 인해 국내 농업기반에 충격이 오지 않고, 국내 구조조정 계획이 무리없이 추진될 수 있도록 시장개방과 국내 보조 감축 계획을 교섭

2. 아국 Offer에 대한 주요국 반응

(11.20-27. 제네바 현지 아국 협상대표단, 주요국 협상대표단과의 협의 결과)

미 국

o 아국 Offer 내용이 전혀 적절치 못하며 (totally inadequate) 실질적 자유화 내용 부재하므로 수용 불가

o 개선된 Offer 조속 제출 요청

o 아국 Offer 내용 설명에 대해서는 구조조정에는 반대치 않으나 무역왜곡 효과는 없어야 함.

카나다

o 구조조정 내용이 불투명하며 막연히 구조조정을 이유로한 국내보조 계속은 곤란

o 국별로 예외를 부여할 경우 원칙이 허물어지므로 수용 곤란

o 개도국에 대한 유예기간 허용은 기본적으로 이행기간 확대 또는 감축폭 축소를 통해 가능

0152

호 주

- 1개 품목이라도 예외를 인정할 경우 다른 나라에도 적용되어 결국 모든 품목으로 확대될 것이므로 인정 곤란
- 유예기간 보다는 이행기간 연장이 바람직하며, 전면적인 관세화를 수용하되 TE, TQ, 이행기간등에서 관심사항 반영이 바람직
- 쇠고기 시장 개방등 BOP 협의 결과에 따른 97년까지의 수입 자유화 의무는 UR 협상과는 별도로 이행되어야 함.

뉴질랜드

- BOP 협의 결과에 따른 수입 자유화 의무는 UR 협상과는 별도로 이행되어야 함.
  - 불이행시 갓트 제소 사태 우려

브라질

- 관세화 예외 및 유예기간은 이행기간 연장, 삭감폭 조정등 협상의 기본 틀내에서 반영하는 것이 바람직

알젠틴

- 관세화 예외 인정을 할 경우 EC, 북구, 일본등에도 적용가능하므로 수용 곤란

인도네시아

- 케언즈그룹내에서 일본, 한국 Offer 가 문제가 있는 것으로 거론

0153

태 국

o 케언즈 그룹내에서는 한국을 더 이상 개도국으로 보지 않는 것이 현실이며, EC, 일본 Offer와 함께 한국 Offer가 가장 transparency가 없는 Offer로 지적

말 련

o 관세화 예외 품목에 대해서도 기한을 명시하여 시장개방을 검토할 수 있다는 입장을 취하는 것이 상대방 설득에 유리

3. 최근 협상 동향 및 전망

o 미국등 농산물 수출국, 브랏셀 각료회의 결렬 책임이 아국, EC, 일본에 있음을 비난, 정치적 결단 촉구

- 12.7. 부시대통령 성명등

o EC의 입장 재조정 움직임

- 12.14. Yeutter 농무장관, MacSharry EC 농업 분야 집행위원 면담후 농산물 협상 타결에 관한 조심스런 낙관론 표명
- 12.17. Pirzio-Biroli 주미 EC대표부 부대표, 보조금의 20%를 소농가에게 지급하는 방안강구등 현 CAP의 운영재고 검토 시사
  . 동일 내용이 각종 언론 보도등을 통해서 계속 보도되고 있음.

※ EC, 브랏셀 각료회의 기간중 수출보조, 시장접근 (rebalancing, 최초 쿼타등) 분야에서 양보 가능성 표명

. 수출보조 물량 규제
. 콩 및 사료곡물 수입 제한 계획 철회 (rebalancing 대상품목 감축)
. 3%의 최소시장 접근 보장등

0154

o 일본의 입장 재조정 가능성

- 현 협상 여건상 농산물 협상 타결 여부는 결국 미. EC 타협에 달려 있으므로 미. EC 타협의 경우 동 타협 결과를 수용할 수 밖에 없고, 국내적 설득 명분에도 유리하다는 것이 일반적 관측
  . 일본이 아국등 여타 수입국과 연대, 미. EC 타협 결과를 거부할 수 있는 가능성은 거의 희박

- 쌀을 제외한 수입금지 품목에 대해서는 최소시장접근 3%를 보장하고 여타 민감품목은 11조 2항(c) 적용을 통한 수량 제한 시사 (12.14. 농수부 관계관, 일. 농림수산성 관계관 면담시)

- 일 농림수산성, 쌀의 경우 3%, 여타 수입실적이 미미한 품목의 경우 6% 최소시장 접근 보장 검토 (12.19자 Financial Times)

  ※ 브랏셀 회의 이전부터 일 자민당 일각 및 재계에서는 쌀 부분 개방론이 꾸준히 대두대는등 미. EC 타협에 대비한 자체적 대응 복안을 이미 마련해 두고 있는 것으로 관측됨.

o 결 론

- 브랏셀 각료회의 결렬 이후 협상 자체를 깨지 않고 협상을 계속, 타결 하려는 노력이 미. EC간에 계속되고 있고 특히 EC, 일본등이 Offer 개선 가능성을 시사하고 있으나 타결 전망은 불투명
  . 12.21. De Zeeuw 농산물 협상 그룹의장, 타결 가능성을 반반으로 예측 (헤이그발 Reuter)

0155

4. 아국 Offer 재검토 필요성

가. Offer 내용 자체의 문제점

o NTC 품목 예외 주장의 무리

- 미국, 케언즈그룹, 갓트 사무국은 아국이 주장하고 있는 NTC를 근거로 보조 및 시장개방 감축에 예외를 인정할 경우 여타국도 예외 인정을 주장할 것이므로 원칙 문제로서도 받아 들일 수 없다는 강한 반응
  . 단, 감축폭, 감축기간에서의 특별우대는 고려 가능

- 품목 선정의 과다
  . HS 10단위 분류시 총 118개 품목
  . 현행 수입제한 품목의 35%
  . 생산액 기준으로 총 농산물 생산액의 75%
  . 이들 품목에 대해 보조금 감축 및 관세화 예외를 요구하는 것은 사실상 협상을 안하겠다는 입장

- 대부분의 품목이 설득력 결여
  . 국내수요의 상당부분을 수입에 이미 의존하고 있는 품목 (예 : 옥수수, 콩)
  . 국내. 외 가격차가 지나치게 커 방어 실익이 없는 품목(예 : 참깨)
  . 갓트 패널 결과와 이에 따른 양자합의에 따라 97년까지 개방이 불가피한 품목(예 : 쇠고기)
  . BOP 협의 결과에 따라 시한 도래시 수입개방이 불가피한 품목 (예 : 쇠고기, 돼지고기, 닭고기, 고추, 마늘, 참깨, 감귤, 양파, 우유 및 유제품)
  . NTC라고 주장하기에는 설득력이 약한 품목(예 : 참깨, 양파)

0156

- NTC 15개 중에는 BOP 협의 결과, 쇠고기 패널 결과 및 당사국간 합의 사항에 따른 기존의 대외공약과 상치되는 품목이 9개 포함, 아국 Offer 성실성 자체에 대한 협상 참가국의 의구심 자초
  . 쇠고기, 돼지고기, 닭고기, 고추, 마늘, 참깨, 감귤, 양파, 우유 및 유제품

o 자유화 유예기간 경과후 관세화 주장의 문제점
- BOP 협의 결과에 따라 97.7까지 2회에 걸친 3개년 자유화 계획에 의거 자유화 하기로 공약한 품목에 대해 동 자유화 시점에가서 단계적 관세화를 추진 하겠다는 주장은 UR협상의 기본 정신과 BOP협의 결과 이행 의무와 상치

- BOP 협의 결과에 따라 정상 관세하에서 년차적으로 자유화 하거나, UR 협상 결과 이행 초기부터 일시에 관세화 조치를 취하거나 양자 택일 필요
  . 미국. 호주등 농산물 수출국으로서는 UR 협상 결과 이행초기 부터의 관세화도 받아들일 수 없고, 오직 BOP 협의 결과에 따라 97년까지 년차적으로 자유화 해야 한다는 입장 (11.21. 한. 호 양자협의 (제네바), 12.17-18 한. 미 무역실무위, 12.18 한. 호 정책 협의회등에서 미국, 호주등 BOP협의 공약과 아국 Offer간의 상치 문제 거론)

o 국내보조 감축 대상 거의 전무
- NTC 목적, 농가소득의 안정적 확보, 농촌발전 목적 및 시장개방에 따른 구조정책등을 모두 허용보조로 분류할 경우 아국으로서는 국내보조 감축대상이 거의 전무

- 더우기 상기와 같이 감축대상 보조가 거의 전무한 상태에서 6년 유예기간까지 주장하는 것은 아국 Offer에 대한 신임도에 문제

0157

나. 아국 Offer에 대한 주요국의 부정적 시각

o 한국의 신의. 성실성 의심, Offer 개선치 않는한 협의 자체가 불필요하다는 입장 (미국)

- 전반적 한. 미 통상관계 악화 및 미 통상법 301조에 의한 보복 가능성

  . 미국으로 보아 대EC 관계에서는 타협을 모색코자 할 것이나 한. 일 양국에 대해서는 미국 입장에 동조치 않을 경우 보복 대상국으로 선정하기가 용이 (12.13 KEI 보고서)

  . UR 협상 결렬 또는 타결 전망 불투명시 보복조치 발동 가능성 고조 (의회 입법 또는 301조 발동 유력)

o 특히, 브랏셀 각료회의 이후 미국, 호주등 주요국으로 부터의 Offer 개선 요청 점증

- 12.7. 부시대통령 성명에서 아국을 구체적 거명

  . "브랏셀회의 결렬은 충분한 경제력을 갖고 있는 한국, 일본, EC와 같은 국가들의 농산물 교역 개혁을 위한 협상 의사 부재에 기인"

- 12.13. C. Hills USTR, 조순특사 면담시 새로운 입장 제시 및 정치적 결단 촉구

  . "앞으로 UR 타결 전망은 전적으로 브랏셀에서 협상 진전을 거부한 국가의 행동에 달려 있으므로 이들 국가의 정치적 결단이 매우 중요"

- 12.17-18 한. 미 무역실무위시 미측, UR 협상 재개를 위해서는 수주내에 한국측이 농산물 협상에서 initiative 를 취하는 것이 매우 중요하다고 경고

- 12.18. 한. 호주 정책 협의회시 호측, 농산물 Offer 개선 촉구

0158

다. 미, EC간 타협 가능성에 대비, 전향적 자세 필요

o 미. EC간 타협 도달시, 동 타협 결과 수용 불가피

- 아국, 일본, 여타 수입국이 연대, 협상대세를 결정지을 수 있는 가능성은 희박

. 미. EC 타협 이후에 가서야 기존 입장 선회 및 동 타협 결과 수용시 대국민 설명에도 커다란 어려움이 있고 양자협상 과정에서 더 많은 양보 초래 우려

. 아국에 대한 집중적 비난 방지를 위해서도 빠른 시일내 기여 노력 가시화 필요 (Brussels 각료회의 후의 농산물 수출국의 시각)

라. 농산물 협상 여건에 대한 국내적 인식 개선

o NTC 품목을 과다 선정했고 협상에서 반영도 거의 불가능하다는 데에 대한 인식 확산

- 90.11.26. 이경해 전국 농어민 후계자 협의회 회장의 귀국 소감

. 국제 현실의 냉엄함을 인식

. 결사반대만 하고 있을 때가 아니라 국내 대책을 서둘러야함.

- 90.11.29. 국회 외무 통일위원회의 외무부 감사시 황병태의원 발언

. NTC 반영 불가능하다는 것이 현실

- 브랏셀 각료회의 전후 국내 언론 논조등

. 브랏셀 회의 이전에도 15개 품목 NTC 예외 요구의 비현실성 인식

0159

5. 재검토 방안

가. 개선 방향

기본 방향

o 예외를 가급적 없애거나 최소화하고 합의 예상되는 Framework안에서 아국의 핵심 입장 반영

국내보조

o 합의될 Framework 내 허용보조 범위 확대 및 동조건의 완화
  - 허용 보조 범위 확대
  - 선진국에 적용되는 허용보조 범위보다 개도국에는 동 범위가 융통성 있도록 적용
  - AMS base가 아닌 실질 정부 지출 예산기준(예 : 선진국 5%, 개도국10%) 허용 보조 확대등
    ※ 상기 기술적 문제는 연구, 보강

o 합의된 Framework내에서 감축폭, 감축기간에서의 특별우대 확보
  - 예 : 선진국 5년, 30%
    개도국 10년, 15%

0160

시장접근

o 예외 품목 최소화

- 완전 예외 품목은 쌀 1개 품목으로 축소 (MTR에서 인정된 NTC에 대한 특별 고려 근거 활용)
- BOP 품목 9개는 이행초년도 부터 모두 관세화
- 콩, 옥수수는 관세화 하되 현 생산 수준 확보등 여타 국내적 대응 방안 강구
- 보리, 감자, 고구마는 국내소비의 1% 를 최소시장 접근으로 보장하되 갓트 11조 2항(C) (i)에 합치하여 수입제한

o 관세상당치의 감축폭, 감축기간에서의 개도국 특별우대 확보

o 갓트 제11조 2항(C)조문상 수량 제한 근거 확보

o 이행기간중 관세인상과 함께 수량제한도 인정하는 특별세이프가드 제도운영

0161

나. 기존 Offer 와의 대비표

협 상 요 소	De Zeeuw 의장안(90.7)	Hellstrom 의장안 (90.12.6)	기존 Offer	재검토 방안
국내보조	o 일정조건하 허용되는 보조금을 제외한 모든 보조금을 91/92 부터 합의될 기간 동안 원칙적으로 AMS 사용, 합의될 수준으로 감축 o 개도국 우대 - 합의 될 조건하 이행범위, 이행 기간등에서 융통성 부여 - 특히 개발목적 보조금의 경우 일정조건하 감축 대상에서 제외	o '91부터 5년간 품목별 30% 감축 - 기준년도 : 90년 또는 최근 회계, 유통년도 - 감축방법 : 매년 균분 감축 - 감축대상보조 : 원칙적으로 교역에 가장 왜곡 효과가 큰 보조 o 개도국 우대 - 감축폭 : 15% -30% - 감축기간 : 5년-10년	o 6년 유예기간 후인 '97부터 10년동안 30% 감축 - 단, 농가소득 안정적 확보, 구조조정 정책, NTC 등 관련 보조금은 허용	o 합의 될 Frawework 내 허용 보조 범위확대 및 동 조건의 완화 - 허용보조 범위 확대 - 선진국에 적용되는 허용 보조금 범위보다 개도국에는 동범위가 융통성 있도록 적용 - AMS base가 아닌 실질 정부 예산지출 기준 허용 보조확대등 o 합의된 framawork내에서 감축폭, 감축기간에서의 특별우대 확보 - 6년 유예기간은 ~~철회~~ 재검토

0162

협 상 요 소	De Zeeuw 의장안(90.7)	Hellstrom 의장안 (90.12.6)	기존 Offer	재검토 방안
o 국경조치	o 모든 비관세 조치를 관세화, 91/92부터 TE를 합의될 기간 동안 합의될 수준으로 감축 - 최소한 기존의 시장접근 수준유지 - 수입실적이 미미한 경우 91/92부터 총소비의 X%를 최소시장 접근으로 보장 o 개도국 우대 - 개도국 관심품목에 대한 시장접근 기회 제고 o NTC - 특정품목에 특별 상황이 있을 경우 협상에 의해 TE 감축율, 시장접근 증가율 별도 결정 o 특별세이프가드 제도 - 관세인상 가능한 안전장치를 협상에 의해 도출 o 모든 기존관세의 양허 및 관세인하	o '91부터 5년간 모든 품목에 대해 '90기준 국경보호 30% 감축 (매년 균분 감축) - 90년 현재 시장 접근수준은 관세화를 포함한 향후 합의될 Modality에 따라 유지 - 수입실적이 미미한 품목의 경우 91/92부터 현재 국내 소비의 최소 5%를 최소시장 접근수준으로 보장 o 개도국 우대 - 개도국 관심품목에 대한 시장접근 기회 제고	o 15개 NTC 품목은 관세화 대상에서 제외 - 쌀, 보리, 콩, 옥수수, 감자, 고구마, 고추, 마늘, 참깨, 양파, 감귤, 쇠고기, 돼지고기, 닭고기, 우유 및 유제품 o 여타 품목은 '91-'97간 단계적으로 관세화 - TE는 관세화 싯점부터 10년동안 30%감축 - '86-'88평균 수입량을 TQ로 보장 - 수입실적이 미미한 경우 소비량의 1% TQ 보장 o 특별세이프가드 제도 - 관세인상 및 수량 제한 가능 - 관세화 이행기간 이후에도 적용 o 관세인하 및 양허 확대 용의 - 단, 부적절하게 낮은 양허관세율은 재조정 필요	o 예외 품목 최소화 - 완전 예외 품목은 쌀 1개 품목으로 축소 (MTR에서 인정된 NTC에 대한 특별고려 근거 활용) - BOP 품목 9개는 이행 초년도 부터 모두 관세화 - 콩, 옥수수는 관세화 하되 현생산수준 확보등 여타 국내적 대응방안 강구 - 보리, 감자, 고구마는 국내소비의 1%를 최소 시장접근으로 보장하되 갓트11조 2항 (C) (i)에 합치하여 수입제한 o TE 감축폭, 감축기간에서의 개도국 특별우대 확보 o 갓트 11조 2항(c) 조문상 수량제한 근거 확보 o 이행기간중 관세인상과 함께 수량제한도 인정하는 특별세이프가드 제도 운영

0163

6. 아측 Offer 재검토 입장 표명 제시 시기

1.15. TNC 회의시 UR 성공을 위해 아국 Offer를 전진적으로 재검토 하겠다는 의사를 공식 표명하고 1.18경 정부대표단이 제네바에서 주요국을 접촉, 내부검토중인 Offer 개정 방향을 설명하면서 쌀에 대한 유예기간 필요성과 장기 이행기간 필요성등 아국에 대한 대개도국 우대 적용을 교섭토록 함.

0164

첨부 1. 아국 Offer 요지

o 국경조치

- 비관세 조치를 '90-'97간 연차적으로 관세화
  . 단, 15개 품목(※)은 관세화 대상에서 제외
    ※ 쌀, 보리, 콩, 옥수수, 고추, 마늘, 양파, 참깨, 감자,
    고구마, 감귤, 쇠고기, 돼지고기, 닭고기, 우유 및 유제품

- 관세화 대상품목에 대하여는 관세화 싯점부터 10년 동안 TE를 최대 30% 감축
  . '86-'88 평균수입량을 최소시장 접근으로 보장하되 수입실적이 없거나 극히 미미할 경우에는 '86-'88 국내평균 소비량의 1%보장

- 관세화 대상에서 제외되는 품목의 경우에도 기초식량을 제외하고는 국내수입상황을 감안, 최소시장 접근 허용

o 국내보조

- 감축할 정책은 시장가격 지지 및 품목 특정적인 요소비용 보조에 국한
- 구조조정에 필요한 6년 유예기간 경과후 97년 부터 10년 동안 최대 30% 감축
- 하기 정책은 감축대상에서 제외
  . 개도국의 농업 및 농촌발전과 관련된 정책
  . 농가소득의 안정적 확보를 위한 관련 정책
  . 농산물 시장개방 과정에서 불가피하게 수반되는 구조조정 정책
  . 식량안보, 환경보전, 지역간의 균형발전등과 같은 NTC 목적 달성에 필요한 적정수준의 농업유지 목적의 정책등

0165

첨부 2. 15개 NTC 품목의 TE, 생산액등 주요 통계

품 목 명	T E	생산액('87-'89 평균, 단위 : 억원)	농산물 총 생산액(※)에 대한 비율	비 고
쌀	505 %	56,600	39 %	
보 리	258 %	3,050	2.1 %	
쇠 고 기	213 %	8,650	6 %	- 총소비의 50% 수입 - BOP 품목
돼지고기	25.8 %	9,830	6.8 %	- BOP 품목
닭 고 기	41.4 %	3,550	2.5 %	- BOP 품목
고 추	208 %	4,900	3.4 %	- BOP 품목
마 늘	97.5 %	4,300	3 %	- BOP 품목
참 깨	1,203 %	2,800	1.9 %	- BOP 품목
우유 및 유제품	- 탈지분유 : 433% - 치즈 : 529%	5,300 (우유)	3.7 % (우유)	- BOP 품목
대 두	456 %	2,200	1.5 %	- 총소비의 85% 수입
옥 수 수	338 %	340	0.2 %	- 총소비의 97% 수입
고 구 마	301 %	1,700	1.2 %	
감 자	115 %	1,600	1.1 %	
양 파	91 %	750	0.5 %	- BOP 품목
감 귤	105.1 %	2,900	2 %	- BOP 품목
계		108,470	74.9 %	

※ '87-89 평균 농산물 총생산액 : 14조 5천 160억원

0166

UR/농산물 협상 아국 Offer 개선 방향 검토

1990. 12. 22.

통 상 기 구 과

0167

목 차

0168

1. 농산물 협상 목표

o 급속한 시장개방 및 보조감축으로 인한 충격완화 및 구조조정 지원

- 급격한 시장 개방 및 국내보조 감축으로 인해 국내 농업기반에 충격이 오지 않고, 국내 구조조정 계획이 무리없이 추진될 수 있도록 시장개방과 국내 보조 감축 계획을 교섭

2. 아국 Offer에 대한 주요국 반응

(11.20-27. 제네바 현지 아국 협상대표단, 주요국 협상대표단과의 협의 결과)

미 국

o 아국 Offer 내용이 전혀 적절치 못하며 (totally inadequate) 실질적 자유화 내용 부재하므로 수용 불가

o 개선된 Offer 조속 제출 요청

o 아국 Offer 내용 설명에 대해서는 구조조정에는 반대치 않으나 무역왜곡 효과는 없어야 함.

카나다

o 구조조정 내용이 불투명하며 막연히 구조조정을 이유로한 국내보조 계속은 곤란

o 국별로 예외를 부여할 경우 원칙이 허물어지므로 수용 곤란

o 개도국에 대한 유예기간 허용은 기본적으로 이행기간 확대 또는 감축폭 축소를 통해 가능

0169

호 주

o 1개 품목이라도 예외를 인정할 경우 다른 나라에도 적용되어 결국 모든 품목으로 확대될 것이므로 인정 곤란

o 유예기간 보다는 이행기간 연장이 바람직하며, 전면적인 관세화를 수용하되 TE, TQ, 이행기간등에서 관심사항 반영이 바람직

o 쇠고기 시장 개방등 BOP 협의 결과에 따른 97년까지의 수입 자유화 의무는 UR 협상과는 별도로 이행되어야 함.

뉴질랜드

o BOP 협의 결과에 따른 수입 자유화 의무는 UR 협상과는 별도로 이행되어야 함.
  - 불이행시 갓트 제소 사태 우려

브 라 질

o 관세화 예외 및 유예기간은 이행기간 연장, 삭감폭 조정등 협상의 기본틀내에서 반영하는 것이 바람직

알 젠 틴

o 관세화 예외 인정을 할 경우 EC, 북구, 일본등에도 적용가능하므로 수용 곤란

인도네시아

o 케언즈그룹내에서 일본, 한국 Offer 가 문제가 있는 것으로 거론

0170

태 국

o 케언즈 그룹내에서는 한국을 더 이상 개도국으로 보지 않는 것이 현실이며, EC, 일본 Offer와 함께 한국 Offer가 가장 transparency가 없는 Offer로 지적

말 련

o 관세화 예외 품목에 대해서도 기한을 명시하여 시장개방을 검토할 수 있다는 입장을 취하는 것이 상대방 설득에 유리

3. 최근 협상 동향 및 전망

o 미국등 농산물 수출국, 브랏셀 각료회의 결렬 책임이 아국, EC, 일본에 있음을 비난, 정치적 결단 촉구

- 12.7. 부시대통령 성명등

o EC의 입장 재조정 움직임

- 12.14. Yeutter 농무장관, MacSharry EC 농업 분야 집행위원 면담후 농산물 협상 타결에 관한 조심스런 낙관론 표명
- 12.17. Pirzio-Biroli 주미 EC대표부 부대표, 보조금의 20%를 소농가에게 지급하는 방안강구등 현 CAP의 운영재고 검토 시사
  . 동일 내용이 각종 언론 보도등을 통해서 계속 보도되고 있음.

※ EC, 브랏셀 각료회의 기간중 수출보조, 시장접근 (rebalancing, 최초 쿼타등) 분야에서 양보 가능성 표명

. 수출보조 물량 규제
. 콩 및 사료곡물 수입 제한 계획 철회 (rebalancing 대상품목 감축)
. 3%의 최소시장 접근 보장등

0171

o 일본의 입장 재조정 가능성

- 현 협상 여건상 농산물 협상 타결 여부는 결국 미. EC 타협에 달려 있으므로 미. EC 타협의 경우 동 타협 결과를 수용할 수 밖에 없고, 국내적 설득 명분에도 유리하다는 것이 일반적 관측
  . 일본이 아국등 여타 수입국과 연대, 미. EC 타협 결과를 거부할 수 있는 가능성은 거의 희박

- 쌀을 제외한 수입금지 품목에 대해서는 최소시장접근 3%를 보장하고 여타 민감품목은 11조 2항(c) 적용을 통한 수량 제한 시사 (12.14. 농수부 관계관, 일. 농림수산성 관계관 면담시)

- 일 농림수산성, 쌀의 경우 3%, 여타 수입실적이 미미한 품목의 경우 6% 최소시장 접근 보장 검토 (12.19자 Financial Times)

  ※ 브랏셀 회의 이전부터 일 자민당 일각 및 재계에서는 쌀 부분 개방론이 꾸준히 대두대는등 미. EC 타협에 대비한 자체적 대응 복안을 이미 마련해 두고 있는 것으로 관측됨.

o 결 론

- 브랏셀 각료회의 결렬 이후 협상 자체를 깨지 않고 협상을 계속, 타결 하려는 노력이 미. EC간에 계속되고 있고 특히 EC, 일본등이 Offer 개선 가능성을 시사하고 있으나 타결 전망은 불투명
  . 12.21. De Zeeuw 농산물 협상 그룹의장, 타결 가능성을 반반으로 예측 (헤이그발 Reuter)

0172

4. 아국 Offer 재검토 필요성

가. Offer 내용 자체의 문제점

o NTC 품목 예외 주장의 무리

- 미국, 케언즈그룹, 갓트 사무국은 아국이 주장하고 있는 NTC를 근거로 보조 및 시장개방 감축에 예외를 인정할 경우 여타국도 예외 인정을 주장할 것이므로 원칙 문제로서도 받아 들일 수 없다는 강한 반응
  . 단, 감축폭, 감축기간에서의 특별우대는 고려 가능

- 품목 선정의 과다
  . HS 10단위 분류시 총 118개 품목
  . 현행 수입제한 품목의 35%
  . 생산액 기준으로 총 농산물 생산액의 75%
  . 이들 품목에 대해 보조금 감축 및 관세화 예외를 요구하는 것은 사실상 협상을 안하겠다는 입장

- 대부분의 품목이 설득력 결여
  . 국내수요의 상당부분을 수입에 이미 의존하고 있는 품목 (예 : 옥수수, 콩)
  . 국내. 외 가격차가 지나치게 커 방어 실익이 없는 품목(예 : 참깨)
  . 갓트 패널 결과와 이에 따른 양자합의에 따라 97년까지 개방이 불가피한 품목(예 : 쇠고기)
  . BOP 협의 결과에 따라 시한 도래시 수입개방이 불가피한 품목 (예 : 쇠고기, 돼지고기, 닭고기, 고추, 마늘, 참깨, 감귤, 양파, 우유 및 유제품)
  . NTC라고 주장하기에는 설득력이 약한 품목(예 : 참깨, 양파)

0173

- NTC 15개 중에는 BOP 협의 결과, 쇠고기 패널 결과 및 당사국간 합의 사항에 따른 기존의 대외공약과 상치되는 품목이 9개 포함, 아국 Offer 성실성 자체에 대한 협상 참가국의 의구심 자초
  . 쇠고기, 돼지고기, 닭고기, 고추, 마늘, 참깨, 감귤, 양파, 우유 및 유제품

o 자유화 유예기간 경과후 관세화 주장의 문제점
- BOP 협의 결과에 따라 97.7까지 2회에 걸친 3개년 자유화 계획에 의거 자유화 하기로 공약한 품목에 대해 동 자유화 시점에가서 단계적 관세화를 추진 하겠다는 주장은 UR협상의 기본 정신과 BOP협의 결과 이행 의무와 상치

- BOP 협의 결과에 따라 정상 관세하에서 년차적으로 자유화 하거나, UR 협상 결과 이행 초기부터 일시에 관세화 조치를 취하거나 양자 택일 필요
  . 미국. 호주등 농산물 수출국으로서는 UR 협상 결과 이행초기 부터의 관세화도 받아들일 수 없고, 오직 BOP 협의 결과에 따라 97년까지 년차적으로 자유화 해야 한다는 입장 (11.21. 한. 호 양자협의 (재내바), 12.17-18 한. 미 무역실무위, 12.18 한. 호 정책 협의회등에서 미국, 호주등 BOP협의 공약과 아국 Offer간의 상치 문제 거론)

o 국내보조 감축 대상 거의 전무
- NTC 목적, 농가소득의 안정적 확보, 농촌발전 목적 및 시장개방에 따른 구조정책등을 모두 허용보조로 분류할 경우 아국으로서는 국내보조 감축대상이 거의 전무

- 더우기 상기와 같이 감축대상 보조가 거의 전무한 상태에서 6년 유예기간까지 주장하는 것은 아국 Offer에 대한 신인도에 문제

0174

나. 아국 Offer에 대한 주요국의 부정적 시각

o 한국의 신의. 성실성 의심, Offer 개선치 않는한 협의 자체가 불필요하다는 입장 (미국)

- 전반적 한. 미 통상관계 악화 및 미 통상법 301조에 의한 보복 가능성

. 미국으로 보아 대EC 관계에서는 타협을 모색코자 할 것이나 한. 일 양국에 대해서는 미국 입장에 동조치 않을 경우 보복 대상국으로 선정하기가 용이 (12.13 KEI 보고서)

. UR 협상 결렬 또는 타결 전망 불투명시 보복조치 발동 가능성 고조 (의회 입법 또는 301조 발동 유력)

o 특히, 브랏셀 각료회의 이후 미국, 호주등 주요국으로 부터의 Offer 개선 요청 점증

- 12.7. 부시대통령 성명에서 아국을 구체적 거명

. "브랏셀회의 결렬은 충분한 경제력을 갖고 있는 한국, 일본, EC와 같은 국가들의 농산물 교역 개혁을 위한 협상 의사 부재에 기인"

- 12.13. C. Hills USTR, 조순특사 면담시 새로운 입장 제시 및 정치적 결단 촉구

. "앞으로 UR 타결 전망은 전적으로 브랏셀에서 협상 진전을 거부한 국가의 행동에 달려 있으므로 이들 국가의 정치적 결단이 매우 중요"

- 12.17-18 한. 미 무역실무위시 미측, UR 협상 재개를 위해서는 수주내에 한국측이 농산물 협상에서 initiative 를 취하는 것이 매우 중요하다고 경고

- 12.18. 한. 호주 정책 협의회시 호측, 농산물 Offer 개선 촉구

0175

다. 미.EC간 타협 가능성에 대비, 전향적 자세 필요

o 미. EC간 타협 도달시, 동 타협 결과 수용 불가피

- 아국, 일본, 여타 수입국이 연대, 협상대세를 결정지을 수 있는 가능성은 희박

. 미. EC 타협 이후에 가서야 기존 입장 선회 및 동 타협 결과 수용시 대국민 설명에도 커다란 어려움이 있고 양자협상 과정에서 더 많은 양보 초래 우려

. 아국에 대한 집중적 비난 방지를 위해서도 빠른 시일내 기여 노력 가시화 필요 (Brussels 각료회의 후의 농산물 수출국의 시각)

라. 농산물 협상 여건에 대한 국내적 인식 개선

o NTC 품목을 과다 선정했고 협상에서 반영도 거의 불가능하다는 데에 대한 인식 확산 (단, 국민설득을 위해서는 시장개방 및 보조 감축에 따른 국내 보완대책 제시 바람직)

- 90.11.26. 이경해 전국 농어민 후계자 협의회 회장의 귀국 소감

. 국제 현실의 냉엄함을 인식

. 결사반대만 하고 있을 때가 아니라 국내 대책을 서둘러야함.

- 90.11.29. 국회 외무 통일위원회의 외무부 감사시 황병태의원 발언

. NTC 반영 불가능하다는 것이 현실

- 브랏셀 각료회의 전후 국내 언론 논조등

. 브랏셀 회의 이전에도 15개 품목 NTC 예외 요구의 비현실성 인식

0176

5. 재검토 방안

가. 개선 방향

기본 방향

o 예외를 가급적 최소화하고 합의 예상되는 Framework안에서 아국의 핵심 입장 반영

국내보조

o 합의될 Framework 내 허용보조 범위 확대 및 동조건의 완화 교섭

- 허용 보조 범위 확대
- 선진국에 적용되는 허용보조 범위보다 개도국에는 동 범위가 융통성 있도록 적용
- AMS base가 아닌 실질 정부 지출 예산기준(예 : 선진국 5%, 개도국10%) 허용 보조 확대등

※ 상기 기술적 문제는 연구, 보강

o 합의된 Framework내에서 감축폭, 감축기간에서의 특별우대 확보 교섭

- 예 : 선진국 5년, 30%

개도국 5년, 15%

0177

시장접근

o 예외 품목 최소화

- 완전 예외 품목은 쌀 1개 품목으로 축소 (MTR에서 인정된 NTC에 대한 특별 고려 근거 활용)
- BOP 품목 9개는 UR 협상 결과 이행초년도에 모두 관세화
- 콩, 옥수수는 관세화 하되 현 생산 수준 확보등 여타 국내적 대응 방안 강구
- 보리, 감자, 고구마는 국내소비의 1% 이상을 최소시장 접근으로 보장
- 국내 생산 및 판매물량 감축 조치를 시행할 경우, 해당 품목에 대해서는 갓트 11조 2항(C)(i)에 근거한 수입제한 검토(단, 동 수입 제한 요건이 매우 엄격함에 유의)

o 관세상당치의 감축폭, 감축기간에서의 개도국 특별우대 확보

o 갓트 제11조 2항(C)조문상 수량 제한 근거 유지 교섭

o 이행기간중 관세인상과 함께 수량제한도 인정하는 특별세이프가드 제도 도입 교섭

0178

나. 기존 Offer 와의 대비표

협 상 요 소	De Zeeuw 의장안(90.7)	Hellstrom 의장안 (90.12.6)	기존 Offer	재검토 방안
국내보조	o 일정조건하 허용되는 보조금을 제외한 모든 보조금을 91/92 부터 합의될 기간 동안 원칙적으로 AMS 사용, 합의될 수준으로 감축 o 개도국 우대 - 합의 될 조건하 이행범위, 이행 기간등에서 융통성 부여 - 특히 개발목적 보조금의 경우 일정조건하 감축 대상에서 제외	o '91부터 5년간 품목별 30% 감축 - 기준년도 : 90년 또는 최근 회계, 유통년도 - 감축방법 : 매년 균분 감축 - 감축대상보조 : 원칙적으로 교역에 가장 왜곡 효과가 큰 보조 o 개도국 우대 - 감축폭 : 15% -30% - 감축기간 : 5년-10년	o 6년 유예기간 후인 '97부터 10년동안 30% 감축 - 단, 농가소득 안정적 확보, 구조조정 정책, NTC 등 관련 보조금은 허용	o 합의 될 Frawework 내 허용 보조 범위확대 및 동 조건의 완화 교섭 - 허용보조 범위 확대 - 선진국에 적용되는 허용 보조금 범위보다 개도국에는 동범위가 융통성 있도록 적용 - AMS base가 아닌 실질 정부 예산지출 기준 허용 보조확대등 o 합의된 framawork내에서 감축폭, 감축기간에서의 특별우대 확보 교섭 - 6년 유예기간은 철회

0179

협 상 요 소	De Zeeuw 의장안(90.7)	Hellstrom 의장안 (90.12.6)	기존 Offer	재검토 방안
o 국경조치	o 모든 비관세 조치를 관세화, 91/92부터 TE를 합의될 기간 동안 합의될 수준으로 감축 - 최소한 기존의 시장접근 수준유지 - 수입실적이 미미한 경우 91/92부터 총소비의 X%를 최소시장 접근으로 보장 o 개도국 우대 - 개도국 관심품목에 대한 시장접근 기회 제고 o NTC - 특정품목에 특별 상황이 있을 경우 협상에 의해 TE 감축율, 시장접근 증가율 별도 결정 o 특별세이프가드 제도 - 관세인상 가능한 안전장치를 협상에 의해 도출 o 모든 기존관세의 양허 및 관세인하	o '91부터 5년간 모든 품목에 대해 '90기준 국경보호 30% 감축 (매년 균분 감축) - 90년 현재 시장 접근수준은 관세화를 포함한 향후 합의될 Modality에 따라 유지 - 수입실적이 미미한 품목의 경우 91/92부터 현재 국내 소비의 최소 5%를 최소시장 접근수준으로 보장 o 개도국 우대 - 개도국 관심품목에 대한 시장접근 기회 제고	o 15개 NTC 품목은 관세화 대상에서 제외 - 쌀, 보리, 콩, 옥수수, 감자, 고구마, 고추, 마늘, 참깨, 양파, 감귤, 쇠고기, 돼지고기, 닭고기, 우유 및 유제품 o 여타 품목은 '91-'97간 단계적으로 관세화 - TE는 관세화 싯점부터 10년동안 30%감축 - '86-'88평균 수입량을 TQ로 보장 - 수입실적이 미미한 경우 소비량의 1% TQ 보장 o 특별세이프가드 제도 - 관세인상 및 수량제한 가능 - 관세화 이행기간 이후에도 적용 o 관세인하 및 양허 확대 용의 - 단, 부적절하게 낮은 양허관세율은 재조정 필요	o 예외 품목 최소화 - 완전 예외 품목은 쌀 1개 품목으로 축소 (MTR에서 인정된 NTC에 대한 특별고려 근거 활용) - BOP 품목 9개는 UR협상 결과 이행 초년도 부터 모두 관세화 - 콩, 옥수수는 관세화 하되 현생산수준 확보등 여타 국내적 대응방안 강구 - 보리, 감자, 고구마는 국내소비의 1% 이상 (X%)을 최소 시장접근으로 보장 - 국내 생산 및 판매물량 감축조치를 시행할 경우 해당 품목에 대해서는 갓트 11조2항(C)(i)에 근거한 수입제한 검토 o TE감축폭, 감축기간에서의 개도국 특별우대 확보교섭 o 갓트 11조2항(C)조문상 수량제한 근거 유지 교섭 o 이행기간중 관세인상과 함께 수량제한도 인정하는 특별세이프가드 제도 도입 교섭

0180

6. 아측 Offer 재검토 입장 표명 제시 시기

1.15. TNC 회의시 UR 성공을 위해 아국 Offer를 전진적으로 재검토 하겠다는 의사를 공식 표명하고 1.10경 정부대표단이 제네바에서 주요국을 접촉, 내부검토중인 Offer 개정 방향을 설명하면서 쌀에 대한 유예기간 필요성과 장기 이행기간 필요성등 아국에 대한 개도국 우대 적용을 교섭토록 함.

0181

첨부 1. 아국 기존 Offer 요지

o 국경조치

- 비관세 조치를 '90-'97간 연차적으로 관세화

  . 단, 15개 품목(※)은 관세화 대상에서 제외

    ※ 쌀, 보리, 콩, 옥수수, 고추, 마늘, 양파, 참깨, 감자,

    고구마, 감귤, 쇠고기, 돼지고기, 닭고기, 우유 및 유제품

- 관세화 대상품목에 대하여는 관세화 시점부터 10년 동안 TE를 최대 30% 감축

  . '86-'88 평균수입량을 최소시장 접근으로 보장하되 수입실적이 없거나 극히 미미할 경우에는 '86-'88 국내평균 소비량의 1%보장

- 관세화 대상에서 제외되는 품목의 경우에도 기초식량을 제외하고는 국내수입상황을 감안, 최소시장 접근 허용

o 국내보조

- 감축할 정책은 시장가격 지지 및 품목 특정적인 요소비용 보조에 국한

- 구조조정에 필요한 6년 유예기간 경과후 97년 부터 10년 동안 최대 30% 감축

- 하기 정책은 감축대상에서 제외

  . 개도국의 농업 및 농촌발전과 관련된 정책

  . 농가소득의 안정적 확보를 위한 관련 정책

  . 농산물 시장개방 과정에서 불가피하게 수반되는 구조조정 정책

  . 식량안보, 환경보전, 지역간의 균형발전등과 같은 NTC 목적 달성에 필요한 적정수준의 농업유지 목적의 정책등

0182

첨부 2. 15개 NTC 품목의 TE, 생산액등 주요 통계

품 목 명	T E	생산액('87-'89 평균, 단위 : 억원)	농산물 총 생산액(※)에 대한 비율	비 고
쌀	505 %	56,600	39 %	
보 리	258 %	3,050	2.1 %	
쇠 고 기	213 %	8,650	6 %	- 총소비의 50% 수입 - BOP 품목
돼지고기	25.8 %	9,830	6.8 %	- BOP 품목
닭 고 기	41.4 %	3,550	2.5 %	- BOP 품목
고 추	208 %	4,900	3.4 %	- BOP 품목
마 늘	97.5 %	4,300	3 %	- BOP 품목
참 깨	1,203 %	2,800	1.9 %	- BOP 품목
우유 및 유제품	- 탈지분유 : 433% - 치즈 : 529%	5,300 (우유)	3.7 % (우유)	- BOP 품목
대 두	456 %	2,200	1.5 %	- 총소비의 85% 수입
옥 수 수	338 %	340	0.2 %	- 총소비의 97% 수입
고 구 마	301 %	1,700	1.2 %	
감 자	115 %	1,600	1.1 %	
양 파	91 %	750	0.5 %	- BOP 품목
감 귤	105.1 %	2,900	2 %	- BOP 품목
계		108,470	74.9 %	

※ '87-89 평균 농산물 총생산액 : 14조 5천 160억원

0183

UR對策 實務委員會 小會議 資料

1990. 12. 27.

通 商 機 構 課

0184

1. 91년도 協商 展望

가. 現 時點에서 想定可能한 세가지 協商 進行 展望

① 美國의 Fast Track Procedure 시한 (2월말)까지 集中的인 協商을 통해 妥結 導出

- 美行政府의 協商 結果 對議會 提出 準備 期間 감안시 제네바에서의 協商 時限은 事實上 2.15까지 일 것임.

- 農産物 分野에서의 妥協案 및 서비스 分野에서의 開途國들도 최초 讓許를 통하여 어느 정도 寄與를 內容으로하는 Mini-Package 妥結 想定 可能

. 브랏셀 閣僚會議時 美, EC, 갓트 事務總長間에 일종의 共感帶 形成

② 上記 時限까지 妥結되지 못하여 中長期的으로 延期되는 狀況

③ 協商이 사실상 全面 決裂되는 狀況

- 協商進展 失敗 및 美議會의 Fast-Track Procedure의 時限 延長 불승인

나. 政治的 妥結 先行 必要性

o 基本的으로 모든 協商 參加國들이 UR 協商이 꼭 성공하여야 하며 이를 위하여 努力하여야 한다는 데는 共同認識을 가지고 있으나, 現實的으로 아래와 같은 사유로 協商 展望은 不透明하며, 協商의 進陟을 위해서는 政治的 타결이 先行되어야 함.

0185

- 協商 進展의 최대 걸림돌인 農産物 問題는 基本的으로 政治的 妥結을 요하는 事項이며, 閣僚會議에서도 妥結하지 못한 問題를 제네바 實務協商에서 短時日內 解決하게될 可能性은 不透明

- 美國, EC중 一方의 立場 變化가 없는한 妥結 不可하나, 양측 모두 國內 사정상 短時日內 立場 調整은 어려운 형편
  . EC의 自體 統合問題 및 農業의 政治, 社會的 重要性
    * EC는 共同農業政策(CAP)에 관한 閣僚會議를 91.1월 첫주 開催 豫定이나 同 事案의 重要性 및 EC 의 느린 議事 決定 體制에 비추어 會員國 內部 合意 導出 可能性 不透明
    * 同 內容이 美國의 期待 水準 充足 與否도 未知數
  . 美國도 議會의 立場 및 國內經濟 여건상 對 EC 要求 水準을 낮추기 어려운 사정
    * 農産物分野의 一定水準 妥結 없이는 美議會 承認 獲得에 어려움 豫想

o 따라서 各國 頂上 레벨의 直接的인 關與를 통해 政治的 妥結이 先決 되지 않는한 對立局面이 長期化할 可能性이 상존함.
- 어느정도 政治的 合意가 사전에 이루어지지 않는한 제네바 實務協商 開催시에도 그 실효성 의문

0186

다. 外的 要因도 중요한 變數로 作用

o 中東事態의 進展 推移, 美國의 Fast Track Procedure등 外部 要因도 政治的 妥結 導出 可能 與否 및 그 時期을 左右할 것임.

- 최근 Danforth 議員등, 美行政府의 對議會 Fast Track Procedure 時限 延長 要請 豫見

2. 我國 對策

가. 아래 事由에서 UR 協商은 반드시 妥結되어야 한다는 것이 我國의 基本立場이며 이를 위하여 我國의 보다 積極的이며, 前向的인 姿勢 必要

o 協商失敗時 我國에 대한 兩者的 開放 壓力이 가중되고 世界 經濟가 沈滯 되는 狀況 豫防

o 農産物 分野 協商 決裂이 我國의 責任이라는 協商國들의 非難 防止

o 自由貿易에 대한 我國의 意志 表明

나. 向後 協商의 對立局面이 長期化될 경우, 我國이 이에 대한 協商 參加國들의 비난의 對象이 되는 事態를 막기위해서도 상기 立場을 對外에 積極 表明하는 것이 중요

0187

3. 主要 議題에 대한 我國立場 再定立

가. 農産物

o 別途 資料

나. 餘他 議題

o 農産物을 제외한 餘他 議題에서는 브랏셀 閣僚會議時 我國 立場으로 對處

- 단, 브랏셀 會議時 立場 表明한 바에 따라 無稅化등 추가 關稅 讓許 可能性 檢討 必要

4. 서비스 Offer List 提出

o 農産物 分野에서의 協商 決裂에 대한 非難이 我國에 集中되고 있음을 감안, UR/서비스 分野 Offer List 提出을 前向的으로 檢討 必要

- 90.12.17-18. 開催 韓.美 貿易實務會議時 美國은 我國의 Offer List 早速 提出 希望

o 我國 Offer List 作成에 愼重 要望

- 각 分野 我國의 經濟 能力에 대한 면밀한 事前分析에 立脚, 부담 곤란한 事項에 대한 市場 開放 言質을 自制함으로써 향후 施行時點에가서 불필요한 通商摩擦을 야기치 않도록 최대한 신중

- 또한 UR 協商이 失敗로 끝날 경우 이에 따른 兩者的 開放 要請을 충분히 대비한 Offer List 作成 必要. 끝.

0188

제2차관보 주최 오찬 간담회시 말씀자료

90.12.28.
통상기구과

1. UR/농산물 협상 관련 아국입장 재정립

가. 재정립 필요성

o Offer 내용 자체의 문제점

- NTC 품목 예외주장의 무리
  . 미국, 캐언즈그룹, 갓트 사무국은 원칙 문제로서 받아 들일 수 없다는 강한 반응
- NTC 품목의 과다 선정 및 품목별 설득력 결여
  . BOP 협의 결과 및 양자합의 사항에 따라 97년까지 수입자유화가 불가피한 쇠고기등 9개 품목 포함
- 국내보조 감축 대상이 거의 전무한 상태에서 6년 유예기간까지 주장하는 것은 아국 Offer에 대한 신인도에 문제

o 브랏셀 각료회의 결렬 이후 아국에 대한 비난 점증

- 12.7. 부시 대통령 성명에서 아국, 일본, EC를 구체적 거명, 브랏셀 각료회의 결렬 책임이 있음을 비난
- 12.13. C. Hills USTR, 조순특사 면담시 새로운 입장 제시 및 정치적 결단 촉구
- 12.17-18. 한. 미 무역실무위시 미측, UR 협상 재개를 위해서는 수주내에 한국측이 농산물 협상에서 initiative를 취하는 것이 매우 중요하다고 경고

0189

o 미, EC간 타협 가능성에 대비, 전향적 자세 필요

- 미, EC간 타협결과 수용 불가피

o 농산물 협상 여건에 대한 국내적 인식 개선

- NTC 품목 예외 주장 반영이 거의 불가능하다는 데에 대한 인식 확산

o 아국 대외 경제 기조상 갓트 체제의 강화, 발전이 국익에 도움

- 농산물 협상 결렬로 UR협상 실패시 쌍무주의, 보호주의로 인한 피해 다대

나. 아국 Offer 개선 방안

기 본 방 향

o 예외를 가급적 없애거나 최소화하고 합의 예상되는 Framework안에서 아국의 핵심 입장 반영

시 장 접 근

o 예외 품목 최소화

- 기존의 15개 NTC 품목(※)중 완전 예외 품목은 쌀 1개 품목으로 축소

※ 쌀, 보리, 콩, 옥수수, 감자, 고구마, 고추, 마늘, 참깨, 양파, 감귤, 쇠고기, 돼지고기, 닭고기, 우유 및 유제품

0190

- BOP 품목 9개 (※)는 기존 대외공약 준수를 위해 이행초년도 부터 모두 관세화

  ※ 고추, 마늘, 참깨, 양파, 감귤, 쇠고기, 돼지고기, 닭고기, 우유 및 유제품

- 콩, 옥수수는 관세화 하되 현 생산 수준 확보등 여타 국내적 대응 방안 강구

- 보리, 감자, 고구마는 국내소비의 1%를 최소시장 접근으로 보장하되 갓트 11조 2항(C) (i)에 합치하여 수입 제한

o 관세상당치(Tariff Equivalent)의 감축폭, 감축기간에서의 개도국 특별우대 확보

o 이행기간중 관세인상과 함께 수량제한도 인정하는 특별세이프가드 제도 운영

국내보조

o 합의될 Framework 내 허용보조 범위 확대 및 동조건의 완화

- 허용 보조 범위 확대
- 선진국에 적용되는 허용보조 범위보다 개도국에는 동 범위가 융통성 있도록 적용등

o 합의된 Framework내에서 감축폭, 감축기간에서의 특별우대 확보

- 유예기간 6년주장 철회

0191

다. 추진 일정

o 1.15. TNC 회의 이전 (가급적 1.10 이전) 정부방침 확정

o 1.10경 정부대표단을 제네바에 파견, 주요국에 새로이 개선된 Offer 개요를 설명하면서 쌀에 대한 예외와 여타 품목에 대한 장기 이행 기간등 우대 적용을 교섭

o 1.15. TNC 회의에 맞추어 새로운 Offer를 GATT에 공식 제출

o 미국에 대해서는 가급적 조속히 사전 통보, 브랏셀 각료회의 이후 악화된 분위기를 개선

2. 국회 농림수산위원회 시찰단의 주요국 방문 문제점

가. 방문 개요

o 방문 목적

- 갓트 및 케언즈그룹 주요국을 방문, 아국의 농업현실 설명 및 협조요청

o 시찰단 명단 (부부동반 예정)

- 제1반 : 허재홍(단장, 민자당)의원등 의원 4명
- 제2반 : 이형배(단장, 평민당)의원등 의원 3명

0192

나. 방문국 및 방문기간

o 제1반

- 91.1.7-19 간 제네바(갓트사무총장, 농산물 협상그룹의장 면담), 스페인(어업협력), 이태리(경유), 프랑스(경유)

o 제2반

- 91.1.7-21간 아르헨티나 (농수산부장관 면담), 카나다 (농수산부장관 면담), 미국(경유), 브라질(경유), 멕시코(경유)

다. 문제점

o 농산물 협상의 교착상태는 기본적으로 미국, 케언즈그룹과 EC간의 입장 대립에 기인

- 미국, 케언즈그룹등 농산물 수출국은 한국농업의 어려운 현실을 이해 못하고 있는 것이 아니라, 동국들의 1차적 target가 EC 임에도 불구하고 한국이 강한 입장을 견지하여 EC를 고립시키고자 하는 전략에 차질을 주고 있음에 강한 불만

o 미국, 케언즈그룹, 브랏셀 각료회의시 한국이 취한 태도에 강한 불만 표명

0193

o 현재 미. EC간 입장 재조정을 위한 막후 절충이 계속되고 있고, 일본도 적극적 입장 개진을 자제하면서 미. EC간 절충 추이를 주시하고 있는 상태

o 상기 상황에서 국회 농림수산위원회 시찰단이 주요국 및 갓트를 방문하여 아국의 기존입장을 되풀이 할 경우 협상에 아무런 도움이 되지 않으며 오히려 역효과 초래 가능

- 보다 전향적으로 Offer 내용을 재검토하여 협상 타결에 기여하며 협상 교착의 책임이 아국에 있지 않다고 하는 점을 천명코자 하는 정부의 입장을 잘못 전할 경우, 중대한 차질 초래 우려

라. 대 책

o 가능하면 방문계획을 재검토토록 국회측을 설득하되, 불연이면 최근의 협상동향 및 입장 재조정에 관한 정부입장을 사전 의원단에게 상세히 설명하여 NTC 예외 주장등 기존의 아국입장을 반복치 않도록하고, 협상 타결을 위한 아국의 보다 전향적인 자세를 방문국 또는 면담 인사에 설명할 수 있도록 유도

0194

관계부처와의 업무협의

1990. 12. 28
제 2 차관보실

1. 일 시 : 90.12.29(土) 12:30

2. 형 식 : 외무부 제2차관보 주최 오찬간담회

3. 참석자 : 기 획 원 대조실장

   재 무 부 제2차관보

   농수산부 제2차관보

   상 공 부 제1차관보

4. 협조요청사항 : 상기 오찬간담회 부의사항

0195

UR대책 관계부처국장 회의 토의 내용 요지

90.12.29.
통상기구과

1. 회의 일시 및 장소 : 90.12.28(금) 15:30-18:30, 경기원 대조실장실

2. 참석자

   o 경기원 대조실장, 제2협력관

   o 외무부 통상국장, 통상국 심의관

   o 농림수산부 농업협력통상관, 농촌경제연구원 부원장

   o 상공부 통상진흥국장, 국제협력관

   o 재무부 국제관세과장등

3. 토의 내용

   가. 농산물 협상 아국 입장 재조정

      o 경기원 대조실장

         - 기존 입장이 너무 강하여 반영 가능성이 없다는 것은 확실하며, 기존 입장을 고수하면 반영 가능한 것조차도 상대방과 논의 한번 제대로 못해 보고 끝날 가능성도 있음.

         - 1.10 경 청와대 보고를 하여야 하므로 그이전에는 정부 방침이 정해져야 하는 바, 입장 재정립에 대한 농수부 자체 의견 조정이 어려울 경우 관련부처 장관회의를 먼저 개최하여 지침을 받아 실무작업을 계속하는 방안도 고려할 수 있음.

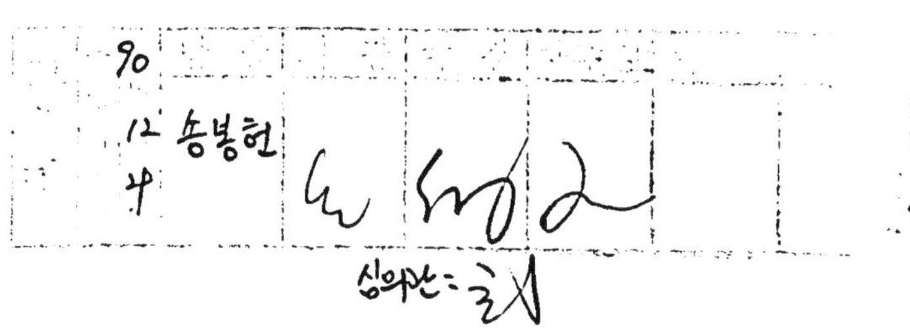

0196

o 농림수산부 농업협력통상관

- 기존입장이 강하다는 것은 알고 있으나 선진국의 경우 갓트 11조 2항 C(i)를 통한 수입제한이 가능하며 개도국의 경우 갓트 18조를 통한 수입제한이 가능하므로 어느 정도 기댈 곳이 있으나 아국의 경우 11조 2항(C)적용은 국내 여건이 안되어 있고 18조는 졸업 했으므로 난처한 상황에 있음.

- NTC 개념 자체가 교역 확대를 목표로 하고 있는 UR 협상에 맞지 않으므로 NTC 15개 품목중 쌀등 몇개 품목에 대하여는 food security를 주장하고 여타 품목은 생산통제, 최소 시장접근 보장 등을 통해 갓트 rule 내에서 수입제한을 하고 감축기간 또는 감축폭에서 우대를 확보하는 방안을 검토할 수 있음.

- 또한, BOP 합의 사항은 이행할 계획이며 내년 3월 수입자유화 계획을 예정대로 갓트에 통보하되 UR 타결 싯점에서 조정가능하다는 전제를 부기할 예정이며, UR 협상결과 이행 초년도부터 모든 BOP 품목을 관세화할 용의도 있음.

- 다만, 어려운 과정을 통해 농민 불안을 어느 정도 진정시켜 놓았는데 이제 와서 갓트 11조 2항(C) 등을 설명하면 과연 농민들이 이해할 수 있을까 하는 우려가 있고 특히 내년 3월 지자제 선거를 앞두고 파급될 문제가 우려되며, 미국의 압력 때문에 입장 재조정을 했다는 인상을 국민에게 주면 정부 입장이 곤란해지니 어떤 식으로 입장재조정 불가피성을 국민에게 설명한 것인지도 문제임.

o 외무부 통상국장

- 한.미 관계등 국제현실을 직시할 필요가 있으며, 예외인정이 안된다는 것이 협상 대세이므로 합의 예상되는 framework내에서 입장 반영을 하는 것이 긴요함.

- 향후 협상의 소지를 생각하고 또 다시 framework 와는 거리가 먼 Offer 를 내게 되면 전혀 도움이 되지 않으므로 framework와의 gap이 최소화된 Offer를 제출할 필요가 있음.

- 예컨데 쌀 1개 품목만 예외를 주장하고 여타 품목에 대하여는 framework를 받아들이되 이행기간에서의 우대를 요구하고 BOP 품목은 BOP 합의대로 자유화하며 유예기간 주장은 철회한다는 등의 정부 기본 방침을 1.10까지는 결정하고, 동방침에 대해 1.15. TNC 회의 이전 미국, 호주, 카나다, 제네바등 주요국 주재 아국 공관을 통해 관련국 및 갓트 사무총장등에 설명할 필요가 있음.

- 1.15. TNC 회의 이전 미국등 주요국에 아국입장의 융통성에 대해 통보 절차를 밟지 않으면 미국이 목표로 하고 있는 EC 고립에 도움이 되지 않을 뿐만아니라 특히 한.미 관계 분위기 개선에 전혀 도움이 되지 못함.

- 브랏셀 각료회의시 아국이 EC와 solidarity를 보였다는 오해를 미국이 갖고 있으므로 한.미 관계의 특수성등 국제현실을 직시하여 정치적 결단을 내려야할 때이지 단순히 경제적 측면에서만 논의할 단계는 이미 지났음.

o 상공부 통상진흥국장

- 아국 기존입장으로는 상대국이 대화 조차 안하겠다는 것이 현실이므로 관계부처 장관회의를 통해 기본 방침을 빨리 정해야 함.

o 농촌 경제 연구원 부원장

- 미국 입장을 들어 주는 대신 우리입장을 미국이 어느 정도 들어줄 것인지도 중요함.

- 일단, Hellstrom non-paper에 대한 comment 형식을 통해 우리입장의 flexibility에 대한 운을 떼어 보되 bottom line을 먼저 제시할 필요는 없고, 미. EC 타결 여부도 염두에 두어야 함.

o 농림수산부 국제협력담당관

- 융통성 있는 Offer 마련에는 이의가 없으나 사전에 우리 Offer를 제시하는 것은 미. EC 타협 향배가 불확실한 상황을 감안할 때 위험함.

- 따라서, 우리 Offer는 준비하되 미. EC 협상 진척이 빠를 경우에는 사전에 깊숙한 부분까지 주요국에 전달하되, 협상 진척이 빠르지 않을 경우 융통성이 있다는 입장만 표명하고 구체안은 협상 table 에서 제출하는 것이 바람직함.

o 외무부 통상국장, 상공부 통상진흥국장, 외무부 통상국 심의관

- 미. EC 타협 여부를 보아가며 새로운 아국 Offer를 제출하는 방안은 시기적으로 이미 늦었으며 미. EC 타협이 안되는 경우에 대비해서 flexibility를 먼저 보일 필요가 있음 (통상국장)

- flexibility를 먼저 보여야 대화 자체가 가능한 상황임 (통상진흥국장)

- 정치적 결단에 입각한 새로운 Offer 작성이 긴요하며, BOP 품목등에 대한 입장등 기본 원칙에 대한 입장을 재정립, flexibility를 가시화하여야 하며 시기를 놓칠 경우 전혀 도움이 안되므로 1.15. TNC 회의 때는 물론 그이전에 구체적 message를 미국등 주요국에 전달해야 함. (통상국 심의관)

o 경기원 대조실장 (결론)

- 합의 예상되는 framework내에서 우리 입장을 재조정하여야 하며, Hellstrom non-paper를 중심으로 우리 Offer를 재정립해야 함.

- 우선 총론적으로 ① food security 논리에 입각, NTC 품목을 최소화, ② 현재 수입하고 있는 품목은 market access 보장은 물론 향후 증량도 고려, ③ 수입이 없거나 미미한 품목의 경우 1%보다 더 융통성 고려, ④ 개도국 우대 관련 이행기간 또는 감축폭중에서 이행기간 우대를 선택하는 방향으로 검토, ⑤ BOP 합의 사항은 이행하는 것을 commit하되 UR타결후의 이행여부는 UR 결과에 따라 별도 검토, ⑥ 국내보조 분야에서의 유예기간 주장은 철회하는 것을 기본 방향으로 하여야 할 것임.

- 또한, 품목별 대책, 국내보조 관련 기술적 사항등 세부 각론적 입장도 1.5까지 수립을 목표로 추진함.

- 농산물 입장 재조정 관련 실무회의는 계속하되 필요시 1.5 이전 관계장관회의를 개최하고 동 결과를 바탕으로 1.10경 전체 UR에 대한 입장을 청와대에 건의하기 위한 장관회의 개최를 추진함.

나. 국회 농림수산위원회 시찰단 주요국 방문

o 외무부 통상국장

- 국회 농림수산위원회 시찰단이 2개반으로 제네바, 카나다, 알젠틴등 주요국 방문을 하는 것은 현 싯점에서 문제가 있음.

- 방문이 불가피하다면 상대국 정부 인사 면담시 아국입장 재조정 예정임을 설명할 필요가 있음.

- 부총리등 고위급에서 전반적 한. 미 관계, UR 관계등을 사전 설명할 필요가 있음.

o 농촌경제 연구원 부원장

- 시찰단에게 농산물 협상에 대해 briefing 한 바 있으며, 개도국 우대만 강조해 달라고 부탁한바 있음.

o 경기원 대조실장

- 민자당 UR 대책 특위등을 활용, 시찰단에게 농산물 협상의 상황을 설명하는 방안을 검토하겠음.

다. 협상 전망

o 외무부 통상국장

- 현재 상황으로는 타결 가능성이 반반인바, 결국 농산물 협상 관련 미. EC의 정치적 결단 여부에 좌우될 것임.

- 특히, 협상 결렬에 대비해 결렬 책임국의 확실한 입장 변화가 필요하며 한국이 EC, 일본과 같이 분류되어 비난 받는 것은 막아야 하므로 협상 성패와 상관없이 성실한 자세를 보여야 함.

- 미국은 협상 타결, 결렬시에 모두 대비하고 있는 것 같으므로 한. 미간 양자 합의사항도 성실히 이행해야 함.

o 상공부 통상진흥국장

- 1.15. TNC 회의시 Dunkel 사무총장이 협상 deadline을 설정하고 지금보다 더 소규모의 green room협의를 운영할 가능성도 있음.

- 결국 결정적 국면이 올 것에 대비해 농산물, 서비스에 대한 입장 재정립이 시급함.

o 농림수산부 농업협력통상관

- EC가 종전보다 개선된 입장을 보일 소지는 있으나 개선시기는 불투명함.

라. 서비스

o 경기원 통상조정 3과장

- 12.26. 관계부처 실무회의 결과 보고

- Cover Note 주요골자 검토 사항
  . Offer 수정, 철회 권리 명시
  . 서비스 전분야에 적용되는 공통적 제한 내용
  . 기준 년도

o 경기원 대조실장

- 농산물 협상 상황을 감안, 서비스분야의 initial offer를 빨리 내는 것이 중요함.

- 법무, 변리, 세무, 회계등 일부분야는 나중에 제출하더라도 유통, 금융등 미국 관심분야는 필수적으로 제출해야 함.

o 경기원 제2협력관

- 1.15. TNC 회의시 initial offer는 준비해 가되 여타 개도국 제출 상황을 보아가며 제출 여부 결정이 필요함.

o 외무부 통상국장

- 한. 미 무역실무위시 1월중 내는 것으로 약속한 바 있음.

o 상공부 통상진흥국장

- 모든 업종을 포괄하는 것이며 Audio/Visual, 종합상사 관련 일본에 대한 입장은 ?

7

0202

o 경기원 제2협력과

- Positive 접근 방식상 회계, 세무, 법무, 교육, 의료, Audio/Visual등 일부 분야는 안내도 무방하나, 안낸다고 개방이 안되는 것은 아님.

- 특히, 대일관계에 비추어 Audio/Visual 대하여는 Framework상의 문화 조항을 원용하면 되나, 종합상사는 문제가 있음.

마. 무세화

o 상공부 통상진흥국장

- 재무부(안)을 토대로 각부처에서 검토중이나 분야내 이해득실 분석이 어렵고 분야대 분야 bargain 관련 이해득실 판단도 어려움

o 재무부 국제관세과장

- 한.미 무역실무위시 철강분야는 무세화 하겠다고 약속한 바 있음.

o 경기원 대조실장

- 검토를 위해 구체적 몇개 대안 수립이 시급함.

o 재무부 국제관세과장

- 결국 EC입장이 결정적인 영향을 미칠 전망임.

o 외무부 통상국장

- 탈냉전시대를 맞아 미.EC 힘겨루기에서 아국입장을 분명히 하는 것이 필요함.

o 외무부 통상국 심의관

- 제출일정이 필요하며, EC입장 살필 때가 아님. 끝.

정 리 보 존 문 서 목 록

기록물종류	일반공문서철	등록번호	2019080079	등록일자	2019-08-13
분류번호	764.51	국가코드		보존기간	영구
명 칭	UR(우루과이라운드) 협상 대책 관계부처회의, 1989-91. 전4권				
생 산 과	통상기구과	생산년도	1989~1991	담당그룹	다자통상
권 차 명	V.2 1991.1월				
내용목차	* 대외협력위원회, UR 대책 실무위원회 등 * 1991.1.9. 대외협력위원회에서 농산물 협상 관련 입장 재조정 - 1.15 TNC 회의 수석대표 연설을 통해 한국의 전향적 자세 표명 결정				

0001

UR/農産物 協商 現況 및 我國의 對處 方案

1991. 1 . 5 .

外　　務　　部

0002

目　次

0003

1. UR/農産物 協商 動向 및 展望

가. UR 協商 초기부터 農産物 輸出國과 輸入國間 尖銳한 意見對立 狀況 持續

美國, Cairns Group등 輸出國

- 國內補助金을 10년간 75% 減縮
  - 일부 許容되는 補助金 除外
- 輸出補助金은 10년간 90% 減縮
- 모든 非關稅措置 (輸入障壁)는 關稅化한 후 同關稅率을 10년간 75%減縮
  - 例外 認定 困難

E C

- 國內補助金은 86-96간 30% 減縮
- 輸出補助金은 物量基準 規制 用意
- 非關稅措置의 關稅化는 換率, 國際價格 變動을 감안한 보정인자 인정 및 rebalancing 槪念 인정시 수용 용의
  - 減縮幅은 불명시

韓國, 日本, 스위스등 輸入國

- 食糧安保등 非交易的 고려 品目에 대한 補助 許容 및 수량제한 허용 (關稅化 대상에서의 除外)
- 國內補助등에 관해서는 10년간 20-30% 削減

1 0004

나. 協商 終盤期에 접어들면서 農産物 協商 突破口 마련이 전체 UR 協商 成敗의 關鍵으로 부각

o 브랏셀 閣僚會議 최대 爭點이었으며 閣僚會議 失敗의 直接的 원인

o 農産物 分野 協商 膠着으로 여타 모든 의제에 관한 實質的 討議 부진

다. 브랏셀 閣僚會議 結果

o 4차례의 主要國 首席代表 協議 및 繼續된 幕後 折衷作業에도 불구, 農産物 分野의 美國, 케언즈그룹등 輸出國과 EC, 日本, 韓國등 輸入國間 立場 接近 失敗

o 農産物 輸出國으로 부터의 강한 壓力으로 EC가 國內補助, 市場接近, 輸出補助 3개 요소의 分離 取扱 可能性 시사등 일부 讓步案을 제시 하였으나, 輸入國, 특히 美國이 政治的으로 受諾키에는 未洽

o 協商 突破口 마련을 위해 農産物 그린룸의 Hellstrom 議長이 國內 補助, 市場接近, 輸出補助를 91년 부터 5년간 각각 30% 削減할 것을 骨子로 하는 non-paper 提示

o 美國, 케언즈 그룹은 동 non-paper를 환영하였고 北歐, 스위스등 先進 農産物 輸入國도 協商의 出發點으로 할 수 있다고 하였으나, EC, 日本, 韓國은 이를 協議의 基礎로 受諾하기를 拒否

<u>※ 我國의 議長 non-paper 拒否 事由</u>

- 同 non-paper 檢討 結果, 對開途國優待, 食糧安保등 非交易的 關心 事項에 대한 特別 고려등 我國이 主張해온 事項이 전혀 반영 되어 있지 않았으며, 이를 協議 基礎로 받아들일 경우, 協商 過程에서 我國立場 반영이 難望視 되어 協商의 基礎로 할 수 없다는 立場 表明
- EC 또는 日本과의 事前 協議는 없었음.

라. 브랏셀 閣僚會議 以後 動向 및 展望

o 美國등 農産物 輸出國, 브랏셀 閣僚會議 決裂 責任이 我國, EC, 日本에 있음을 非難, 政治的 決斷 促求

- 12.7. 부시 大統領 성명, 12.11-21 조순 特使 訪美時, 12.17-18 韓. 美 貿易實務委時

o EC의 立場 再調整 움직임

- 12.14. Yeutter 農務長官, MacSharry EC 農業 담당 執行委員 面談後 農産物 協商 妥結에 관한 조심스런 樂觀論 表明등 兩側 幕後 調整 繼續中
- 1.4. EC 執行委에서 EC 共同 農業政策 改革 方案 論議 및 1.7. 週間 Dunkel 갓트 事務總長 브랏셀 訪問, EC와 協議 豫定

o 日本의 立場 再調整 可能性

- 現 協商 與件上 農産物 協商 妥結 與否는 結局 美. EC 妥協에 달려 있으므로 美. EC 妥協의 경우 同 妥協 結果를 受容할 수 밖에 없고, 國內的 說得 名分에도 유리하다는 것이 一般的 觀測

※ 브랏셀 會議 이전부터 日 自民黨 一角 및 財界에서는 쌀 부분 開放論이 꾸준히 擡頭되는등 美. EC 妥協에 대비한 自體的 대응 腹案을 이미 마련해 두고 있는 것으로 觀測됨.

o 展望

- 브랏셀 閣僚會議 決裂 以後 協商 自體를 깨지 않고 協商을 繼續, 妥結하려는 努力이 美. EC間에 繼續되고 있고 특히 EC, 日本등이 Offer 改善 可能性을 시사하고 있으나 妥結 展望은 不透明

3

0006

2. 我國 Offer (90.10.29. 갓트 提出) 要旨

o 國境措置 (市場 開放)

- 輸入制限등 非關稅 措置를 '90-'97간 年次的으로 關稅化(※)

  . 단, 15개 品目(※※)은 關稅化 대상에서 除外, 繼續 輸入 制限

    ※ 關稅化 : 國內. 外 價格差를 반영한 높은 關稅(關稅 상당치)를 부과할 수 있으나 年次的으로 동 關稅를 減縮

    ※※ 쌀, 보리, 콩, 옥수수, 고추, 마늘, 양파, 참깨, 감자, 고구마, 감귤, 쇠고기, 돼지고기, 닭고기, 우유 및 유제품

- 關稅化 對象品目에 대하여는 關稅化 時點부터 10년 동안 關稅 상당치를 최대 30% 減縮

  . '86-'88 平均輸入量을 최소 輸入 水準으로 保障하되 輸入實積이 없거나 극히 미미할 경우에는 '86-'88 國內平均 消費量의 1%輸入 保障

- 上記 關稅化 對象에서 除外되는 品目의 경우에도 基礎食糧을 除外하고는 國內輸入狀況을 감안, 最小限의 市場開放 고려

o 國內補助

- 減縮할 政策은 市場價格 支持 및 品目 特定的인 要素費用 補助에 국한

- 構造調整에 필요한 6년 猶豫期間 경과후 97년 부터 10년 동안 최대 30% 減縮

- 食糧安保, 環境保全, 地域間의 均衡發展등과 같은 非交易的 고려(NTC)에 필요한 適正水準의 農業 유지 目的의 政策등은 減縮對象에서 除外

3. 我國 Offer 再檢討 必要性

가. Offer 內容 自體의 問題點

o 15개 品目 例外 主張의 무리

- 美國, 케언즈그룹(※), 갓트 事務局은 我國이 主張하고 있는 非交易的 고려(NTC)를 근거로 補助 및 市場開放 減縮에 例外를 인정할 경우 餘他國도 例外 認定을 主張할 것이므로 原則 問題로서도 받아 들일 수 없다는 강한 反應
  . 단, 減縮幅, 減縮期間에서의 特別優待는 고려 가능
  ※ 케언즈 그룹 : 호주, 카나다등 13개 農産物 輸出國으로 構成

- 品目 選定의 과다 및 대부분의 品目이 說得力 缺如
  . 현행 輸入制限 品目의 35% 및 生産額 基準으로 총 農産物 生産額의 75% 占有
  . 갓트 國際收支 委員會(BOP) 協議 結果(※)에 따라 시한 도래시 輸入自由化가 不可避한 쇠고기등 9개 品目을 포함한 대부분의 品目이 說得力 缺如
  ※ 갓트 國際收支 委員會 協議 結果 (89.10) : 國際收支 적자를 이유로한 輸入制限 品目을 97.7까지 輸入 自由化 또는 갓트 규정에 合致

o 輸入自由化 猶豫期間 經過後 關稅化 主張의 問題點

- 上記 BOP 協議 結果에 따라 97.7까지 2회에 걸친 3개년 輸入自由化 計劃에 의거 自由化 하기로 공약한 品目에 대해 동 自由化 시점에 가서 段階的 關稅化를 추진 하겠다는 主張은 UR協商의 基本 정신과 BOP協議 結果 이행 의무와 相馳

- BOP 協議 結果에 따라 정상 關稅下에서 年次的으로 自由化 하거나, UR 協商 結果 이행 初年度부터 일시에 關稅化 措置를 취하거나 兩者 택일, 交涉 必要
  . 美國, 濠州등 農産物 輸出國으로서는 UR 協商 結果 이행 初年度부터의 關稅化도 받아들일 수 없고, 오직 BOP 協議 結果에 따라 97년까지 年次的으로 自由化 해야 한다는 立場

o 國內補助 減縮 對象 거의 전무
- NTC 目的등을 모두 許容補助로 분류할 경우 我國으로서는 國內補助 減縮對象이 거의 전무
- 더우기 上記와 같이 減縮對象 補助가 거의 전무한 상태에서 6년 猶豫期間까지 主張하는 것은 我國 Offer에 대한 信任度에 문제

나. 我國 Offer에 대한 主要國의 否定的 視角

o 韓國의 信義, 誠實性 疑心, Offer 개선치 않는한 協議 自體가 不必要하다는 立場 (美國)

o 특히, 브랏셀 閣僚會議 以後 美國, 濠州등 主要國으로 부터의 Offer 改善 要請 漸增
- 12.7. 부시 大統領 성명에서 我國을 具體的 거명, 브랏셀 會議 決裂 責任이 있음을 非難
- 12.13. C. Hills USTR, 조순 特使 面談時 새로운 立場 提示 및 政治的 決斷 促求
- 12.17-18 韓, 美 貿易實務委時 美側, UR 協商 再開를 위해서는 수주내에 韓國側이 農産物 協商에서 initiative 를 취하는 것이 매우 중요하다고 경고

다. 美.EC間 妥協 可能性에 對備, 前向的 姿勢 必要

o 美. EC間 妥協 도달시, 同 妥協 結果 受容 不可避

- 我國, 日本, 餘他 輸入國이 연대, 協商大勢를 결정지을 수 있는 可能性은 稀薄

- 我國에 대한 集中的 非難 防止를 위해서도 빠른 시일내 기여 努力 可視化 必要 (브랏셀 閣僚會議 후의 農産物 輸出國의 視角)

라. 農産物 協商 與件에 대한 國內的 認識 改善

o NTC 品目을 과다 선정했고 協商에서 반영도 거의 不可能하다는 데에 대한 國內的 認識 擴散 (단, 國民說得을 위해 國內補完 對策 提示가 緊要)

4. 我國 Offer 再檢討 方案

基本 方向

o 例外를 可及的 最小化하고 合意 豫想되는 Framework안에서 我國의 核心 立場 反映

國內 補助

o 合意될 Framework 내 許容補助 範圍 擴大 및 동조건의 緩和 交涉

- 6년 猶豫期間 主張 撤回

o 合意된 Framework내에서 減縮幅, 減縮期間에서의 特別優待 確保 交涉

國境措置 (市場開放)

o 例外 品目 最小化

- 完全 例外 品目은 쌀 1개 品目으로 縮小
- BOP品目 9개를 包含한 殘餘14개 品目은 UR 協商 結果 이행 初年度에 모두 關稅化하는등 合意 豫想되는 Framework내에서 최대 實益 確保 交涉

o 關稅 상당치의 減縮幅, 減縮期間에서의 開途國 特別優待 確保 交涉

推進 日程

o 1.10까지 政府 方針 確定

- 청와대 報告

o 1.15. TNC 會議 이전 外交經路를 통해 主要國에 사전 통보

- 미국, 카나다, 호주, 뉴질랜드, 브라질, 알젠틴, 인도네시아, 태국, EC, 일본, 북구, 스위스, 오지리

o 修正 Offer 提出 時期

- 1.15 TNC 會議後 協商 進行 現況을 보아 公式 提出
- 1.15 TNC 會議時 我國 首席代表 演說文에서 修正 Offer 提出 計劃임을 언급

※ 我國 首席代表 演說 要旨

① 브랏셀 閣僚會議時 韓國이 農産物 協商의 進行을 block 하거나 거부한 것은 아니고, 다만 Hellstrom 仲裁案이 韓國의 關心 事項을 적절히 反映하고 있지 않았기 때문에 이점을 지적한 것으로 오해 없기 바람.

② 韓國은 農産物의 경우 어려운 立場에 처해 있지만 協商의 進展을 위해 필요하다면 旣提出한 Offer를 改善할 용의가 있으며 앞으로의 協商 進展 狀況을 보아가면서 提出할 것임. 끝.

添附 : 15개 NTC 品目의 主要 統計

첨부 : 15개 NTC 품목의 관세상당치 (TE), 생산액등 주요 통계

품 목 명	T E	생산액('87-'89 평균, 단위 : 억원)	농산물 총 생산액(※)에 대한 비율	비 고
쌀	505 %	56,600	39 %	
보 리	258 %	3,050	2.1 %	
쇠 고 기	213 %	8,650	6 %	- 총소비의 50% 수입 - BOP 품목
돼지고기	25.8 %	9,830	6.8 %	- BOP 품목
닭 고 기	41.4 %	3,550	2.5 %	- BOP 품목
고 추	208 %	4,900	3.4 %	- BOP 품목
마 늘	97.5 %	4,300	3 %	- BOP 품목
참 깨	1,203 %	2,800	1.9 %	- BOP 품목
우유 및 유제품	- 탈지분유 : 433% - 치즈 : 529%	5,300 (우유)	3.7 % (우유)	- BOP 품목
대 두	456 %	2,200	1.5 %	- 총소비의 85% 수입
옥 수 수	338 %	340	0.2 %	- 총소비의 97% 수입
고 구 마	301 %	1,700	1.2 %	
감 자	115 %	1,600	1.1 %	
양 파	91 %	750	0.5 %	- BOP 품목
감 귤	105.1 %	2,900	2 %	- BOP 품목
계		108,470	74.9 %	

※ '87-89 평균 농산물 총생산액 : 14조 5천 160억원

9 0012

91.1.4
장관보고자료

UR 協商 對策

1. 1.15. TNC 會議 및 UR 協商 再開 展望

o 1.15. TNC 會議는 "페"만 事態 時限에 關係없이 豫定대로 開催될 展望.

- 특히 美國, 카나다는 "페"만 事態가 UR 協商과는 關係없다는 立場

o 同 TNC 會議의 性格, 開催期間 및 UR 協商 再開 與否등은 農産物에 관한 美. EC間 折衷 成功 與否에 左右

- 折衷 失敗時, 1.15會議는 協商 現況 評價(stock-taking)의 性格을 띄게됨으로써 意義 別無
- 折衷 成功時, Dunkel 事務總長의 協商腹案 發表 및 UR 協商 再開로 이어지고 특히 美國은 Fast-Track Mandate 時限을 염두에 두어 2월초 까지 協商을 終結짓고자 할 것임.

o 農産物 分野 美. EC間 折衷 可能性은 아직 未知數

- 12.19. Dunkel 事務總長의 워싱턴 訪問 協議에도 不拘, 아직 展望 不透明
- 12.30. Hills 代表는 TV 인터뷰를 통해 EC 側이 輸出補助, 國內補助, 市場接近등 세가지 分野에서 共同 農業政策을 改革한다면 美國도 融通性을 보이겠다고 闡明
- 1.4. EC 집행위에서 Mcsharry 委員에 의한 EC 共同 農業政策 改革 構想 發表 및 Dunkel 事務總長의 브랏셀 訪問協議(1.7 주간) 結果가 나와야 展望 可能視

0013

o TNC 會議 代表團 派遣 問題

- TNC 會議 性格 및 UR 協商 再開 與否가 不透明한 現在, 대부분 協商 參加國은 具體的 計劃 미수립 상태

. 美國은 駐제네바 代表部 中心으로 1.15. TNC 會議에 임하되, 同會議 전후하여 具體的 妥協案이 나올 경우 추가 代表團 派遣등 伸縮的으로 對應할 것으로 展望

. 카나다는 本部代表團 派遣 豫定

2. 推進 基本 方向

o UR 協商이 91.2月까지 妥結되어야 한다는 것이 我國의 基本立場

- 決裂時 我國의 對外貿易에 심대한 打擊豫想

- 地域主義 擴散등 國際貿易環境의 全般的 惡化, 兩者的 開放壓力 加重

o 브랏셀會議 決裂責任을 我國에 轉嫁시키고 있는 美國等 農産物 輸出國의 態度等을 勘案, 積極的·前向的 方向으로 我國立場을 再調整

- 특히 美國은 農産物 Offer 改善이 없는한 我國과는 協議自體도 불필요 하다는 立場

o 12.28 關係部處 對策會議를 통해 1) 農産物 立場 再調整, 2) 서비스協商 Offer List 提出, 3) 分野別 無稅化 提議 受容 檢討等 3個 分野를 重點的으로 改善하기로 對策方向 일차 合意

- 當部 立場 相當部分 反映

0014

3. 分野別 再調整 方向

가. 農産物 分野

改善 必要性

o 美. EC間 妥協成敗 與否에 關係 없이 我國 Offer 改善 必要

- 美.EC間 妥協成功時 : 我國의 意思와 關係없이 妥協結果 受容 不可避
- 美.EC間 妥協失敗時 : 我國이 EC와 同一線上에서 非難의 對象이 되는 일이 없도록 성의있는 노력 필요

o 美側, 我國이 早速한 時日內 initiative를 취하는 것이 매우 重要하다는 立場 傳達

- 趙淳 特使訪美(12.11-23) 및 韓.美 貿易實務委(12.17-18)時

改善 方向

o 農産物 協商의 全般的 Framework (Hellstrom 仲裁案)안에서 我國의 核心的 實益을 最大한 反映하는 方向으로 再調整

- 쌀에 대한 例外 確保
- 開途國 優待에 의한 長期 履行期間 確保

0015

市場 接近

① NTC 例外 品目의 最少化

- 例外品目으로 쌀하나만을 하자는 主張과 쌀等 基礎食糧으로 하자는 主張이 있으나 例外品目 大幅 縮小調整 原則에는 合意
- NTC 라는 用語 使用않고, 食糧安保等 論理로 對應

② BOP 合意事項 遵守

- 旣存 Offer 上의 年次的 (97년까지) 關稅化 主張 撤回키로 合意
- UR 協商結果 履行 초년도 일괄 關稅化 推進 또는 BOP 合意에 따라 97년까지 段階的 自由化 推進의 2개 代案中 選擇問題는 繼續 檢討

③ 最少市場接近 保障

- 輸入하고 있는 品目은 旣存輸入 水準 保障과 아울러 向後 增益도 考慮
- 輸入이 없거나 미미한 品目의 경우 1% 이상의 최소 市場接近을 保障하는 方案을 檢討

國內 補助

① 補助金 減縮의 猶豫期間 主張 撤回

- 6年 猶豫期間 主張은 撤回키로 原則的 合意
- 開途國 優待에 의한 許容補助範圍 擴大

※ 添附 資料

- 再調整 方向에 관한 當部意見 : 別添1 參照
- 我國 旣存 Offer 要旨 : 別添 2 參照
- 15개 NTC 品目의 TE, 生産額등 主要統計 : 別添3 參照

0016

推進 日程

o 1.10까지 政府 方針 確定

- 청와대 報告 包含
- 이를 위해 年初 關係部處間 協議 繼續

o 1.15 TNC 會議 以前 外交經路를 통해 主要國에 事前 通報

o 修正 Offer 提出 推進 檢討

- 何時라도 提出可能토록 準備完了

國內 弘報

o 追後 檢討 推進 豫定이나, 農産物 協商 與件에 대한 國內的 認識의 改善으로 큰 어려움은 없을 것으로 豫想되나 國民 설득을 위해서는 市場開放 및 補助減縮에 따른 國內 補完對策 提示 바람직

- 단, 美國의 壓力에 屈伏한다는 그릇된 印象을 주지않도록 注意 必要

國會議員團 主要國 訪問問題

o 農林水産委員會 所屬 2개 視察班이 我國의 農業現實 說明 및 協調 要請을 目的으로 제네바, 알젠틴, 카나다 訪問 豫定

- 제1반 : 제네바 (91.1.8-10)
- 제2반 : 알젠틴 (91.1.11-14), 카나다 (91.1.17-19)

0017

o 上記 議員視察團이 我國의 旣存立場을 되풀이 할 경우, 政府의 協商推進 戰略에 重大 차질 초래 憂慮, 訪問計劃을 再調整토록 誘導하고, 再調整 不可時 均衡된 立場이 傳達될 수 있도록 유도 豫定

나. 서비스 協商 Offer List 提出

必 要 性

o 美國의 對我國 否定的 視角 교정 및 協商 雰圍氣 改善에 대한 我國의 積極的 寄與 姿勢 可視化

推進 日程等

o 1.15 TNC 이전까지 提出, 가능한한 多數分野를 包含

- 韓. 美 貿易實務委 (12.17-18)時 美側이 積極的 關心을 表明해온 通信, 流通分野 包含

o 단, UR 協商 決裂의 경우에도 對備, Offer 內容은 신중히 決定

다. 分野別 無稅化 提案 受容 檢討

o 對我國 參與 要請 6개 分野別로 受容 可能性 積極 檢討

- 建設裝備, 電子製品, 水産物, 종이류, 鐵鋼, 木材

* 我國은 브랏셀 會議時 檢討 立場 表明. 끝.

0018

첨부1 : 농산물 협상 아국 입장 재조정 방향에 관한 당부 의견

1. 개선 방향

기본 방향

o 예외를 가급적 최소화하고 합의 예상되는 Framework안에서 아국의 핵심 입장 반영

국내보조

o 합의된 Framework 내 허용보조 범위 확대 및 동조건의 완화 교섭
  - 허용 보조 범위 확대
  - 선진국에 적용되는 허용보조 범위보다 개도국에는 동 범위가 융통성 있도록 적용
  - AMS base가 아닌 실질 정부 지출 예산기준(예 : 선진국 5%, 개도국10%) 허용 보조 확대등
    ※ 상기 기술적 문제는 연구, 보강

o 합의된 Framework내에서 감축폭, 감축기간에서의 특별우대 확보 교섭
  - 예 : 선진국 5년, 30%
    개도국 5년, 15%

0019

시장접근

o 예외 품목 최소화

- 완전 예외 품목은 쌀 1개 품목으로 축소 (MTR에서 인정된 NTC에 대한 특별 고려 근거 활용)
- BOP 품목 9개는 이행초년도에 모두 관세화
- 콩, 옥수수는 관세화 하되 현 생산 수준 확보등 여타 국내적 대응 방안 강구
- 보리, 감자, 고구마는 국내소비의 1% 이상을 최소시장 접근으로 보장
- 국내 생산 및 판매물량 감축 조치를 시행할 경우, 해당 품목에 대해서는 갓트 11조 2항(C) (i)에 근거한 수입제한 검토 (단, 동 수입제한 요건이 매우 엄격함에 유의)

o 관세상당치의 감축폭, 감축기간에서의 개도국 특별우대 확보

o 갓트 제11조 2항(C)조문상 수량 제한 근거 유지 교섭

o 이행기간중 관세인상과 함께 수량제한도 인정하는 특별세이프가드 제도 도입 교섭

0020

2. 기존 Offer 와의 대비표

협 상 요 소	De Zeeuw 의장안(90.7)	Hellstrom 의장안 (90.12.6)	기존 Offer	재검토 방안
국내보조	o 일정조건하 허용되는 보조금을 제외한 모든 보조금을 91/92 부터 합의될 기간 동안 원칙적으로 AMS 사용, 합의될 수준으로 감축 o 개도국 우대 - 합의 될 조건하 이행범위, 이행 기간등에서 융통성 부여 - 특히 개발목적 보조금의 경우 일정조건하 감축 대상에서 제외	o '91부터 5년간 품목별 30% 감축 - 기준년도 : 90년 또는 최근 회계, 유통년도 - 감축방법 : 매년 균분 감축 - 감축대상보조 : 원칙적으로 교역에 가장 왜곡 효과가 큰 보조 o 개도국 우대 - 감축폭 : 15% -30% - 감축기간 : 5년-10년	o 6년 유예기간 후인 '97부터 10년동안 30% 감축 - 단, 농가소득 안정적 확보, 구조조정 정책, NTC 등 관련 보조금은 허용	o 합의 될 Frawework 내 허용 보조 범위확대 및 동 조건의 완화 교섭 - 허용보조 범위 확대 - 선진국에 적용되는 허용 보조금 범위보다 개도국에는 동범위가 융통성 있도록 적용 - AMS base가 아닌 실질 정부 예산지출 기준 허용 보조확대등 o 합의된 framawork내에서 감축폭, 감축기간에서의 특별우대 확보 교섭 - 6년 유예기간은 철회

0021

협 상 요 소	De Zeeuw 의장안(90.7)	Hellstrom 의장안 (90.12.6)	기존 Offer	재검토 방안
o 국경조치	o 모든 비관세 조치를 관세화, 91/92부터 TE를 합의될 기간 동안 합의될 수준으로 감축 - 최소한 기존의 시장접근 수준유지 - 수입실적이 미미한 경우 91/92부터 총소비의 X%를 최소시장 접근으로 보장 o 개도국 우대 - 개도국 관심품목에 대한 시장접근 기회 제고 o NTC - 특정품목에 특별 상황이 있을 경우 협상에 의해 TE 감축율, 시장접근 증가율 별도 결정 o 특별세이프가드 제도 - 관세인상 가능한 안전장치를 협상에 의해 도출 o 모든 기존관세의 양허 및 관세인하	o '91부터 5년간 모든 품목에 대해 '90기준 국경보호 30% 감축 (매년 균분 감축) - 90년 현재 시장 접근수준은 관세화를 포함한 향후 합의될 Modality에 따라 유지 - 수입실적이 미미한 품목의 경우 91/92부터 현재 국내 소비의 최소 5%를 최소시장 접근수준으로 보장 o 개도국 우대 - 개도국 관심품목에 대한 시장접근 기회 제고	o 15개 NTC 품목은 관세화 대상에서 제외 - 쌀, 보리, 콩, 옥수수, 감자, 고구마, 고추, 마늘, 참깨, 양파, 감귤, 쇠고기, 돼지고기, 닭고기, 우유 및 유제품 o 여타 품목은 '91-'97간 단계적으로 관세화 - TE는 관세화 싯점부터 10년동안 30%감축 - '86-'88평균 수입량을 TQ로 보장 - 수입실적이 미미한 경우 소비량의 1% TQ 보장 o 특별세이프가드 제도 - 관세인상 및 수량제한 가능 - 관세화 이행기간 이후에도 적용 o 관세인하 및 양허 확대 용의 - 단, 부적절하게 낮은 양허관세율은 재조정 필요	o 예외 품목 최소화 - 완전 예외 품목은 쌀 1개 품목으로 축소 (MTR에서 인정된 NTC에 대한 특별고려 근거 활용) - BOP 품목 9개는 UR협상 결과 이행 초년도에 모두 관세화 - 콩, 옥수수는 관세화하되 현생산수준 확보등 여타 국내적 대응방안 강구 - 보리, 감자, 고구마는 국내소비의 1% 이상 (X%)을 최소 시장접근으로 보장 - 국내생산 및 판매물량 감축 조치를 시행할 경우 해당 품목에 대해서는 갓트 11조 2항(C)(i)에 근거한 수입제한 검토 o TE감축폭, 감축기간에서의 개도국 특별우대 확보교섭 o 갓트 11조2항(C)조문상 수량 제한 근거 유지교섭 o 이행기간중 관세인상과 함께 수량제한도 인정하는 특별세이프가드 도입교섭

0022

첨부 2 : 아국 기존 Offer 요지

o 국경조치

- 비관세 조치를 '90-'97간 연차적으로 관세화
  . 단, 15개 품목(※)은 관세화 대상에서 제외
    ※ 쌀, 보리, 콩, 옥수수, 고추, 마늘, 양파, 참깨, 감자,
    고구마, 감귤, 쇠고기, 돼지고기, 닭고기, 우유 및 유제품
- 관세화 대상품목에 대하여는 관세화 싯점부터 10년 동안 TE를 최대 30% 감축
  . '86-'88 평균수입량을 최소시장 접근으로 보장하되 수입실적이 없거나 극히 미미할 경우에는 '86-'88 국내평균 소비량의 1%보장
- 관세화 대상에서 제외되는 품목의 경우에도 기초식량을 제외하고는 국내수입상황을 감안, 최소시장 접근 허용

o 국내보조

- 감축할 정책은 시장가격 지지 및 품목 특정적인 요소비용 보조에 국한
- 구조조정에 필요한 6년 유예기간 경과후 97년 부터 10년 동안 최대 30% 감축
- 하기 정책은 감축대상에서 제외
  . 개도국의 농업 및 농촌발전과 관련된 정책
  . 농가소득의 안정적 확보를 위한 관련 정책
  . 농산물 시장개방 과정에서 불가피하게 수반되는 구조조정 정책
  . 식량안보, 환경보전, 지역간의 균형발전등과 같은 NTC 목적 달성에 필요한 적정수준의 농업유지 목적의 정책등

0023

첨부 3 : 15개 NTC 품목의 TE, 생산액등 주요 통계

품 목 명	T E	생산액('87-'89 평균, 단위 : 억원)	농산물 총 생산액(※)에 대한 비율	비 고
쌀	505 %	56,600	39 %	
보 리	258 %	3,050	2.1 %	
쇠 고 기	213 %	8,650	6 %	- 총소비의 50% 수입 - BOP 품목
돼지고기	25.8 %	9,830	6.8 %	- BOP 품목
닭 고 기	41.4 %	3,550	2.5 %	- BOP 품목
고 추	208 %	4,900	3.4 %	- BOP 품목
마 늘	97.5 %	4,300	3 %	- BOP 품목
참 깨	1,203 %	2,800	1.9 %	- BOP 품목
우유 및 유제품	- 탈지분유 : 433% - 치즈 : 529%	5,300 (우유)	3.7 % (우유)	- BOP 품목
대 두	456 %	2,200	1.5 %	- 총소비의 85% 수입
옥 수 수	338 %	340	0.2 %	- 총소비의 97% 수입
고 구 마	301 %	1,700	1.2 %	
감 자	115 %	1,600	1.1 %	
양 파	91 %	750	0.5 %	- BOP 품목
감 귤	105.1 %	2,900	2 %	- BOP 품목
계		108,470	74.9 %	

※ '87-'89 평균 농산물 총생산액 : 14조 5천 160억원

0024

1.5
제2 차관보 승인

※ 1.15. TNC 會議 首席代表

- 同 會議 성격등을 2-3일 더 관망해보고 必要時 駐체코 선준영 大使를 駐제네바 大使 부임시까지 臨時 首席代表로 임명 豫定

國內 弘報

o 政府 方針 確定과 同時에 즉시 弘報 착수

- 내주초 對調室長 주재로 弘報對策小委 구성 운영
- 黨政協議, 對國會報告 및 言論 briefing등

o 弘報 着眼 事項

- 제12대 交易國으로서 UR 協商의 成功的 妥結이 全般的 國益에 寄與
  . 따라서, 農産物 分野에 있어서도 現實的 立場을 취하는 것이 不可避
- 影響을 받는 農民등에 대하여는 충분한 補完對策을 강구, 施行 예정
- 中長期的으로는 農業의 構造調整 및 ~~農業의~~ 체질 强化에 기여

國內補完 對策

o 종래의 ~~補完~~지원對策을 修正 補完하는 일방, ~~高位級 인사가~~ 市場開放 및 補助減縮에 따른 政府支援의 확고한 政策 意志 表明

- 특히 년초 地自制 議員 選擧등 감안

經濟長官 會議 開催

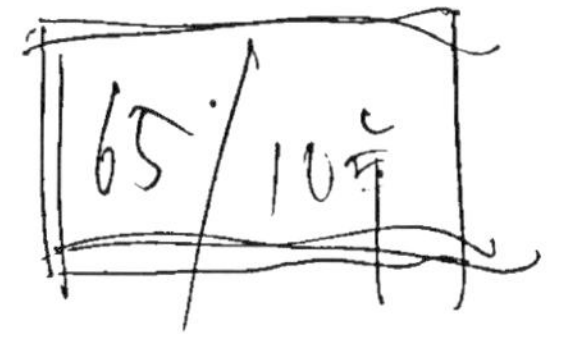

1. 日　　時 : 1991.1.5(土)

2. 場　　所 : 삼청동 안가

3. 討議議題

   o UR 關聯 對策

   o 韓.美 通商懸案 對策

4. 參席範圍

   o 副總理兼 經濟企劃院長官

   o 外務部長官

   o 財務部長官

   o 農林水産部長官

   o 商工部長官

   o 청와대 經濟首席 秘書官

5. 添附資料

   o UR 協商 對策

   o 韓.美 通商關係

0026

添附資料 目次

1. UR 協商 對策

1. 1.15. TNC 會議 및 UR 協商 再開 展望

o 1.15. TNC 會議는 "페"만 事態 時限에 關係없이 豫定대로 開催될 展望.

- 특히 美國, 카나다는 "페"만 事態가 UR 協商과는 關係없다는 立場

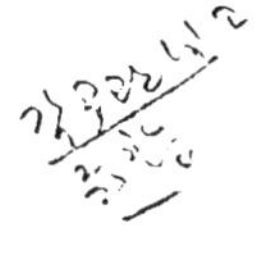

o 同 TNC 會議의 性格, 開催期間 및 UR 協商 再開 與否등은 農産物에 관한 美. EC間 折衷 成功 與否에 左右

- 折衷 失敗時, 1.15會議는 協商 現況 評價(stock-taking)의 性格을 띄게됨으로써 意義 別無
- 折衷 成功時, Dunkel 事務總長의 協商腹案 發表 및 UR 協商 再開로 이어지고 특히 美國은 Fast-Track Mandate 時限을 염두에 두어 2월초 까지 協商을 終結짓고자 할 것임.

o 農産物 分野 美. EC間 折衷 可能性은 아직 未知數

- 12.19. Dunkel 事務總長의 워싱턴 訪問 協議에도 不拘, 아직 展望 不透明
- 12.30. Hills 代表는 TV 인터뷰를 통해 EC 側이 輸出補助, 國內補助, 市場接近등 세가지 分野에서 共同 農業政策을 改革한다면 美國도 融通性을 보이겠다고 闡明
- 1.4. EC 집행위에서 Mcsharry 委員에 의한 EC 共同 農業政策 改革 構想 發表 및 Dunkel 事務總長의 브랏셀 訪問協議(1.7 주간) 結果가 나와야 展望 可能視

2

0028

o TNC 會議 代表團 派遣 問題

- TNC 會議 性格 및 UR 協商 再開 與否가 不透明한 現在, 대부분 協商 參加國은 具體的 計劃 미수립 상태

  . 美國은 駐제네바 代表部 中心으로 1.15. TNC 會議에 임하되, 同會議 전후하여 具體的 妥協案이 나올 경우 추가 代表團 派遣등 伸縮的으로 對應할 것으로 展望

  . 카나다는 本部代表團 派遣 豫定

2. 推進 基本 方向

o UR 協商이 91.2月까지 妥結되어야 한다는 것이 我國의 基本立場

- 決裂時 我國의 對外貿易에 심대한 打擊豫想
- 地域主義 擴散등 國際貿易環境의 全般的 惡化, 兩者的 開放壓力 加重

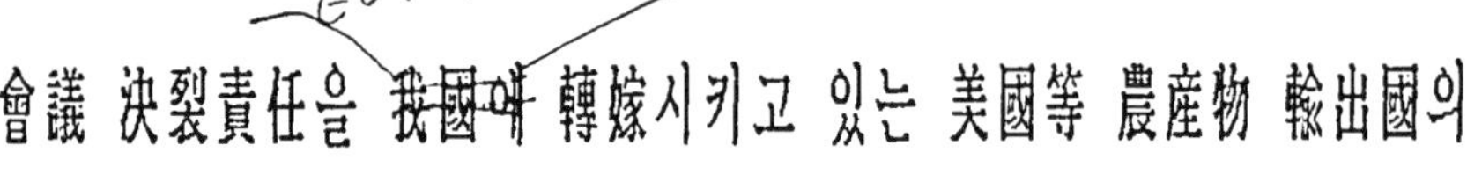

o 브랏셀會議 決裂責任을 我國에 轉嫁시키고 있는 美國等 農産物 輸出國의 態度等을 勘案, 積極的·前向的 方向으로 我國立場을 再調整

- 특히 美國은 農産物 Offer 改善이 없는한 我國과는 協議自體도 불필요하다는 立場

o 12.28 關係部處 對策會議를 통해 1) 農産物 立場 再調整, 2) 서비스協商 Offer List 提出, 3) 分野別 無稅化 提議 受容 檢討等 3個 分野를 重點的으로 改善하기로 對策方向 일차 合意

- 當部 立場 相當部分 反映

3

0029

3. 分野別 再調整 方向

가. 農産物 分野

改善 必要性

o 美. EC間 妥協成敗 與否에 關係 없이 我國 Offer 改善 必要

- 美.EC間 妥協成功時 : 我國의 意思와 關係없이 妥協結果 受容 不可避
- 美.EC間 妥協失敗時 : 我國이 EC와 同一線上에서 非難의 對象이 되는 일이 없도록 성의있는 노력 필요

o 美側, 我國이 早速한 時日內 initiative를 취하는 것이 매우 重要하다는 立場 傳達

- 趙淳 特使訪美(12.11-23) 및 韓.美 貿易實務委(12.17-18)時

改善 方向

o 農産物 協商의 全般的 Framework (Hellstrom 仲裁案)안에서 我國의 核心的 實益을 最大한 反映하는 方向으로 再調整

- 쌀에 대한 例外 確保 努力
- 開途國 優待에 의한 長期 履行期間 確保

4

0030

市場 接近

① NTC 例外 品目의 最少化

- 例外品目으로 쌀하나만을 하자는 主張과 쌀等 基礎食糧으로 하자는 主張이 있으나 例外品目 大幅 縮小調整 原則에는 合意
- NTC 라는 用語 使用않고, 食糧安保等 論理로 對應

(97.12.1.)

② BOP 合意事項 遵守

- 旣存 Offer 上의 年次的 (97년까지) 關稅化 主張 撤回키로 合意
- UR 協商結果 履行 초년도 일괄 關稅化 推進, 단 UR 실패時에는 BOP 合意에 따라 97년까지 段階的 自由化 推進

③ 最小市場接近 保障

- 輸入하고 있는 品目은 旣存輸入 水準 保障과 아울러 向後 增量 考慮
- 輸入이 없거나 미미한 品目의 경우 1% 이상의 최소 市場接近을 保障하는 方案을 檢討

國內 補助

① 補助金 減縮의 猶豫期間 主張 撤回

- 6年 猶豫期間 主張은 撤回키로 原則的 合意
- 開途國 優待에 의한 許容補助範圍 擴大

※ 添附 資料

- 再調整 方向에 관한 當部意見 : 別添1 參照
- 我國 旣存 Offer 要旨 : 別添 2 參照
- 15개 NTC 品目의 TE, 生産額등 主要統計 : 別添3 參照

推進日程

○ 1.10까지 정부방침 확정
 - 청와대 보고

○ 1.15 TNC회의 이전 外交經路等 통해 主要國에 사전통보(제네바, 각국 首都 및 서울)
 - 미국, 캐나다, 호주, 뉴질랜드, EC, 일본, 태국, 인니, 브라질, 알젠틴, 필란드등 북구제국, 스위스, 오지리 등

○ 修正 offer 提出 時期
 - 1.15 TNC 회의후 협상진행 상황을 보아 공식제출
 - 필요시 1.15 TNC 회의시 아국 수석대표 발언등에서 수정제출 계획있음 언급.

※ 수석대표 발언요지

① 브랏셀 각료회의시 한국이 농산물협상을 block 하거나 거부한 것은 아니고, 다만 Hellström 초안이 한국관심사항을 적절히 반영치 않았기 때문에 이점을 지적한 것인바 오해없기 바람.

② 한국도 농산물분야에서 입장이 어려웁지만 0032 협상진전을 위해 기제출된 offer를 개선할

6-1

용의가 있으며, 향후 협상진전 상황을 보아
이를 정식 제출할 것임.

※ 1.15 TNC회의 수석대표

– 동 회의 성격을 2-3일 더 지켜보고
필요시 주제네바 선준영 대사를
임시수석대표로 임명 파견 예정.

0033

6-2

國內 弘報

○ 정부 방침 확정과 동시에 즉시 홍보착수.

- 내무부 대조실장 주재로 홍보대책 소위 구성 운영
- 당정협의, 대국회보고, 언론 Briefing 등.

○ 홍보 착안사항

- 세계 12대 교역국으로 UR 협상의 타결이 아국의 전반적 국가이익에 긴요
  - · 이를 위해 농산물 분야에 있어서도 현실적인 입장을 취하는 것이 불가피.
- 영향을 받는 농민등에 대해 충분한 보완대책을 강구할 예정
- 중장기적으로는 농촌의 구조조정, 농촌체질 강화에 기여할 것임.

國內 補完 對策

○ 종래의 보완대책을 수정 보완하는 방향, 고위급 인사가 시장개방 및 보조감축에 따른 정부 지원의 확고한 정책의지 표명

- 특히 내년초 지자제 의원 선거등 감안.

6-3

0034

國會議員團 主要國 訪問 問題

○ 농림수산위원회 소속 2개 시찰반이 아국의 농업현실 설명 및 협조요청을 목적으로 제네바, 알젠틴, 카나다 방문 예정

- 제1반 : 제네바 (91. 1. 8-10),
  - 허재홍 위원외 4명
  - (스페인, 이태리, 프랑스)경유
- 제2반 : 알젠틴 (91. 1. 11-14)

  카나다 (91. 1. 17-19)

  - 이형배, 정동호 의원등 3명
  - 미국(LA), 브라질, 멕시코 경유

6-4

0035

o 上記 議員視察團이 我國의 旣存立場을 되풀이 할 경우, 政府의 協商推進 戰略에 重大 차질 초래 憂慮, 訪問計劃을 再調整토록 誘導하고, 再調整 不可時 均衡된 立場이 傳達될 수 있도록 유도 豫定

나. 써비스 協商 Offer List 提出

必要性

o 美國의 對我國 否定的 視角 교정 및 協商 雰圍氣 改善에 대한 我國의 積極的 寄與 姿勢 可視化

推進 日程等

o 1.15 TNC 이전까지 提出, 가능한한 多數分野를 包含

- 韓. 美 貿易實務委 (12.17-18)時 美側이 積極的 關心을 表明해온 通信, 流通分野 包含

o 단, UR 協商 決裂의 경우에도 對備, Offer 內容은 신중히 決定

다. 分野別 無稅化 提案 受容 檢討

o 對我國 參與 要請 6개 分野別로 受容 可能性 積極 檢討

- 建設裝備, 電子製品, 水産物, 종이류, 鐵鋼, 木材

* 我國은 브랏셀 會議時 檢討 立場 表明

첨부1 : 농산물 협상 아국 입장 재조정 방향에 관한 당부 의견

1. 개선 방향

기본 방향

o 예외를 가급적 최소화하고 합의 예상되는 Framework안에서 아국의 핵심 입장 반영

국내 보조

o 합의될 Framework 내 허용보조 범위 확대 및 동조건의 완화 교섭
  - 허용 보조 범위 확대
  - 선진국에 적용되는 허용보조 범위보다 개도국에는 동 범위가 융통성 있도록 적용
  - AMS base가 아닌 실질 정부 지출 예산기준(예 : 선진국 5%, 개도국10%) 허용 보조 확대등
    ※ 기술적 문제는 연구, 보강

o 합의된 Framework내에서 감축폭, 감축기간에서의 대개도국 특별우대 확보 교섭

시장접근

o 예외 품목 최소화

- 완전 예외 품목은 쌀 1개 품목으로 축소 (MTR에서 인정된 NTC에 대한 특별 고려 근거 활용)
- BOP 품목 9개는 이행초년도에 모두 관세화
- 콩, 옥수수는 관세화 하되 현 생산 수준 확보등 여타 국내적 대응 방안 강구
- 보리, 감자, 고구마는 국내소비의 1% 이상을 최소시장 접근으로 보장
- 국내 생산 및 판매물량 감축 조치를 시행할 경우, 해당 품목에 대해서는 갓트 11조 2항(C) (i)에 근거한 수입제한 검토 (단, 동 수입제한 요건이 매우 엄격함에 유의)

o 관세상당치의 감축폭, 감축기간에서의 개도국 특별우대 확보

o 갓트 제11조 2항(C)조문상 수량 제한 근거 유지 교섭

o 이행기간중 관세인상과 함께 수량제한도 인정하는 특별세이프가드 제도 도입 교섭

9

0038

2. 기존 Offer 와의 대비표

협 상 요 소	De Zeeuw 의장안(90.7)	Hellstrom 의장안 (90.12.6)	기존 Offer	재검토 방안
국내보조	o 일정조건하 허용되는 보조금을 제외한 모든 보조금을 91/92 부터 합의될 기간 동안 원칙적으로 AMS 사용, 합의될 수준으로 감축 o 개도국 우대 - 합의 될 조건하 이행범위, 이행 기간등에서 융통성 부여 - 특히 개발목적 보조금의 경우 일정조건하 감축 대상에서 제외	o '91부터 5년간 품목별 30% 감축 - 기준년도 : 90년 또는 최근 회계, 유통년도 - 감축방법 : 매년 균분 감축 - 감축대상보조 : 원칙적으로 교역에 가장 왜곡 효과가 큰 보조 o 개도국 우대 - 감축폭 : 15% -30% - 감축기간 : 5년- 10년	o 6년 유예기간 후인 ' 97부터 10년동안 30% 감축 - 단, 농가소득 안정적 확보, 구조조정 정책, NTC 등 관련 보조금은 허용	o 합의 될 Frawework 내 허용 보조 범위확대 및 동 조건의 완화 교섭 - 허용보조 범위 확대 - 선진국에 적용되는 허용 보조금 범위보다 개도국에는 동범위가 융통성 있도록 적용 - AMS base가 아닌 실질 정부 예산지출 기준 허용 보조확대등 o 합의된 framawork내에서 감축폭, 감축기간에서의 특별우대 확보 교섭 - 6년 유예기간은 철회

10

0039

협 상 요 소	De Zeeuw 의장안(90.7)	Hellstrom 의장안 (90.12.6)	기존 Offer	재검토 방안
o 국경조치	o 모든 비관세 조치를 관세화, 91/92부터 TE를 합의될 기간 동안 합의될 수준으로 감축 - 최소한 기존의 시장접근 수준유지 - 수입실적이 미미한 경우 91/92부터 총소비의 X%를 최소시장 접근으로 보장 o 개도국 우대 - 개도국 관심품목에 대한 시장접근 기회 제고 o NTC - 특정품목에 특별 상황이 있을 경우 협상에 의해 TE 감축율, 시장접근 증가율 별도 결정 o 특별세이프가드 제도 - 관세인상 가능한 안전장치를 협상에 의해 도출 o 모든 기존관세의 양허 및 관세인하	o '91부터 5년간 모든 품목에 대해 '90기준 국경보호 30% 감축 (매년 균분 감축) - 90년 현재 시장 접근수준은 관세화를 포함한 향후 합의될 Modality에 따라 유지 - 수입실적이 미미한 품목의 경우 91/92부터 현재 국내 소비의 최소 5%를 최소시장 접근수준으로 보장 o 개도국 우대 - 개도국 관심품목에 대한 시장접근 기회 제고	o 15개 NTC 품목은 관세화 대상에서 제외 - 쌀, 보리, 콩, 옥수수, 감자, 고구마, 고추, 마늘, 참깨, 양파, 감귤, 쇠고기, 돼지고기, 닭고기, 우유 및 유제품 o 여타 품목은 '91-'97간 단계적으로 관세화 - TE는 관세화 싯점부터 10년동안 30%감축 - '86-'88평균 수입량을 TQ로 보장 - 수입실적이 미미한 경우 소비량의 1% TQ 보장 o 특별세이프가드 제도 - 관세인상 및 수량제한 가능 - 관세화 이행기간 이후에도 적용 o 관세인하 및 양허 확대 용의 - 단, 부적절하게 낮은 양허관세율은 재조정 필요	o 예외 품목 최소화 - 완전 예외 품목은 쌀 1개 품목으로 축소 (MTR에서 인정된 NTC에 대한 특별고려 근거 활용) - BOP 품목 9개는 UR협상 결과 이행 초년도에 모두 관세화 - 콩, 옥수수는 관세화 하되 현생산수준 확보등 여타 국내적 대응방안 강구 - 보리, 감자, 고구마는 국내소비의 1% 이상 (X%)을 최소 시장접근으로 보장 - 국내생산 및 판매물량 감축 조치를 시행할 경우 해당 품목에 대해서는 갓트 11조 2항(C)(i)에 근거한 수입제한 검토 o TE감축폭, 감축기간에서의 개도국 특별우대 확보교섭 o 갓트 11조2항(C)조문상 수량 제한 근거 유지교섭 o 이행기간중 관세인상과 함께 수량제한도 인정하는 특별세이프가드 도입교섭

0040

첨부 2 : 아국 기존 Offer 요지

o 국경조치

- 비관세 조치를 '90-'97간 연차적으로 관세화
  . 단, 15개 품목(※)은 관세화 대상에서 제외
    ※ 쌀, 보리, 콩, 옥수수, 고추, 마늘, 양파, 참깨, 감자,
    고구마, 감귤, 쇠고기, 돼지고기, 닭고기, 우유 및 유제품
- 관세화 대상품목에 대하여는 관세화 싯점부터 10년 동안 TE를 최대 30% 감축
  . '86-'88 평균수입량을 최소시장 접근으로 보장하되 수입실적이 없거나 극히 미미할 경우에는 '86-'88 국내평균 소비량의 1%보장
- 관세화 대상에서 제외되는 품목의 경우에도 기초식량을 제외하고는 국내수입상황을 감안, 최소시장 접근 허용

o 국내보조

- 감축할 정책은 시장가격 지지 및 품목 특정적인 요소비용 보조에 국한
- 구조조정에 필요한 6년 유예기간 경과후 97년 부터 10년 동안 최대 30% 감축
- 하기 정책은 감축대상에서 제외
  . 개도국의 농업 및 농촌발전과 관련된 정책
  . 농가소득의 안정적 확보를 위한 관련 정책
  . 농산물 시장개방 과정에서 불가피하게 수반되는 구조조정 정책
  . 식량안보, 환경보전, 지역간의 균형발전등과 같은 NTC 목적 달성에 필요한 적정수준의 농업유지 목적의 정책등

첨부 3 : 15개 NTC 품목의 TE, 생산액등 주요 통계

품 목 명	T E	생산액('87-'89 평균, 단위 : 억원)	농산물 총 생산액(※)에 대한 비율	비 고
쌀	505 %	56,600	39 %	
보 리	258 %	3,050	2.1 %	
쇠 고 기	213 %	8,650	6 %	- 총소비의 50% 수입 - BOP 품목
돼지고기	25.8 %	9,830	6.8 %	- BOP 품목
닭 고 기	41.4 %	3,550	2.5 %	- BOP 품목
고 추	208 %	4,900	3.4 %	- BOP 품목
마 늘	97.5 %	4,300	3 %	- BOP 품목
참 깨	1,203 %	2,800	1.9 %	- BOP 품목
우유 및 유제품	- 탈지분유 : 433% - 치즈 : 529%	5,300 (우유)	3.7 % (우유)	- BOP 품목
대 두	456 %	2,200	1.5 %	- 총소비의 85% 수입
옥 수 수	338 %	340	0.2 %	- 총소비의 97% 수입
고 구 마	301 %	1,700	1.2 %	
감 자	115 %	1,600	1.1 %	
양 파	91 %	750	0.5 %	- BOP 품목
감 귤	105.1 %	2,900	2 %	- BOP 품목
계		108,470	74.9 %	

※ '87-'89 평균 농산물 총생산액 : 14조 5천 160억원

13 0042

Ⅱ. 韓.美 通商關係

1. 對美 貿易黑字 減少, 交易均衡化 趨勢

o 82年 對美貿易收支가 黑字를 示現한 以來 87年 95.5億弗의 黑字를 정점으로 黑字幅 減少 趨勢

- 88年 86.5億弗, 89年 47億弗, 今年 11月末 現在 22.9億弗 水準

o 雙方交易 總額은 89年度에 360億弗 水準(輸出 206億弗, 輸入 159億弗), 今年 11月末 現在 329億弗로 前年同期와 비슷한 水準

- 今年 11月末 現在 輸出 175.5億弗, 輸入 153.6億弗로 輸出은 6.2% 減少, 輸入은 6.3% 增加

2. 最近 韓.美 通商關係에 대한 美側의 否定的 認識 增大

가. 現 況

o 韓國 經濟閣僚팀의 通商政策이 自由·公正貿易으로 부터 後退하고 있다는 不信 增大

- 最近 國際收支 惡化와 關聯, 過去의 輸出드라이브, 輸入抑制 政策으로 回歸하고 있다는 認識

- 過消費 自制를 名分으로 政府가 組織的인 '輸入抑制運動'을 展開하고 있으며, 最近 '農協만화' 事件이 代表的인 實例라는 認識

o 兩國間 旣存 合意事項 履行이 不振하며, 根本的으로 通商懸案 解決을 위한 韓國政府의 誠意가 缺如되어 있다는 認識

- 담배(外國産 담배消費稅 配分 問題), 쇠고기(同時 賣買入札制度 施行 問題), 外國人 投資認可 問題等을 合意事項 履行 遲延事例로 重點 擧論
- 포도주(酒稅率 引上計劃), 植物檢疫(페칸 通關 許容與否) 問題는 今番 韓.美 貿易實務會議에서 美側立場을 受容, 妥結

o UR 協商에서의 態度, 특히 農産物 分野에서의 立場에 대해 不滿

- EC, 日本에 同調하여 協商을 決裂시킨 責任이 있다는 認識
- 農産物 分野에서의 立場 再檢討를 통한 協調 要求

나. 政府 措置事項

o 汎政府的 次元에서 關係部處間 緊密한 協議를 통한 對策樹立 및 施行

- 90.11月 以來 第2次官補를 委員長으로 한 對外弘報協議會 開催(2回)를 비롯하여 大統領 秘書室長主宰 關係部處 閣僚級 會議, 其他 청와대 補佐官主宰 會議, 關係部處 實務對策會議等 10여차례 以上 對策協議
- 綜合的對處 必要性에 대한 共感帶 形成

o 言論의 誇張報道로 인한 問題擴大 傾向과 關聯, 積極的인 言論 接觸活動 展開

- 外務長官 記者懇談會, 通商局長 外信記者 懇談會(3回), 出入記者團 隨時 接觸等

o 11.23 副總理가 勤儉節約運動과 關聯한 政府立場을 發表

- 輸入이나 輸入品이 부당하게 差別되어서는 않되며 政府로서도 그러한 事例가 없도록 유의할 것임을 强調
- 美側은 副總理의 發表는 肯定的으로 評價하나 그 以後에도 輸入差別 事例(農林水産部에서 프렌치프라이에 國産감자 使用 종용등)가 持續되고 있다는 主張

o 農協에서 製作, 配布한 아동用 弘報만화 關聯, 美側 誤解解消를 위한 努力

- 農協이 準政府機關이며 弘報만화 配布도 政府의 방조하에 이루어진 組織的 輸入抑制運動의 一環이라고 認識하고 있는 美 行政府 및 言論에 대해 積極的으로 實狀 說明
- 11.20 字 Journal of Commerce 紙 報道에 대한 반박기사 揭載(同紙 12.7 字 Letters to the Editor 란)
- 12.29 字 Washington Post 紙 1面 記事에 대해서도 반박기사 寄稿 準備中

o 12.11-23 間 趙淳 大統領特使를 美國에 派遣, 美國 朝野의 韓.美 通商 關係에 대한 意見 聽取 및 我國立場 說明

- 美 行政府, 議會, 言論, 學界等 各界의 兩國間 通商關係에 대한 否定的 視角이 생각보다 深刻함을 確認
- 美側은 特使派遣은 肯定的으로 評價하나 具體的인 懸案解決이 必要 하다는 態度

※ Bush 大統領의 親書 接受

<親書 內容>

- 人 事
- 頂上會談에서 自由·公正貿易 擴大, 兩國關係 增進 및 UR 協商을 위해 協力하기로 合意한 事實을 想起시킴.
- UR 協商의 成功을 위한 協調 當付
- 兩國間 通商關係에 積極的인 關心 要望
- 結 語

※ 강한 表現은 아니나 大統領의 積極的이고 個人的인 關心을 要望

o 12.17-18 서울開催 第11次 韓.美 貿易實務會議에서 通商懸案 解決을 통한 通商雰圍氣 改善 努力

- 外務部 通商局長과 Adams USTR 亞.太擔當 副代表補를 首席代表로, 36個 議題 協議
- 美側 主要關心 事項은 UR 에서의 協調問題, '輸入抑制運動' 問題 및 旣存 合意事項 履行問題
- 美側도 同 會議結果를 肯定的으로 評價하였으나 通商雰圍氣 反轉에는 未洽
- 通商問題 累積防止를 위해 駐韓 美大使館과 政府와의 通商問題 常設 實務協議體 構成에 合意

17

0046

다. 向後 對策

1) UR 農産物協商 關聯

o 美側이 滿足할 만한 我側 代案準備 및 GATT 에 提出等 可視的 對美措置 必要

- 趙淳 特使 訪美時에도 美 各界人士들은 한결같이 我國의 UR 에서의 立場關聯 不滿 表示
- 貿易實務會議時에도 强力擧論, 我側은 全般的인 立場 再檢討 約束

o EC 와 類似한 立場이 아님을 보여주고 美, EC 對立時 美國立場 支持로 認識케 할 必要

2) 健全消費 運動 (소위 "輸入抑制運動") 關聯

o 對美 說得내지 弘報 問題로 認識, 그러한 側面에서 努力하는 것보다 실제로 輸入品에 대한 差別이 없어지고 結果的으로 輸入抑制 運動이 아니라고 美側(특히 駐韓美大使館, 駐韓美 商工會議所)이 피부로 느끼게 되는 것이 重要

- 12.4 農林水産部에서 감자튀김업자 會議召集, 輸入감자 不使用 協調 要請事例 같은 것이 繼續되는 한 美側 理解와 協調 期待難
- 關稅廳, 國稅廳等 一線 行政機關에 의한 行政執行時 問題가 發生하지 않도록 하는 것이 重要
- 一線 行政機關의 國際化 水準, 意識水準 向上을 위한 政府의 長期的 敎育프로그램 提示等도 效果的일 것으로 判斷

18

0047

3) 通商關聯 法的 制度的 改善

o 各種 不透明한 法規, 制度 및 慣行으로 인해 韓國에서의 "Doing Business"가 世界에서 가장 어렵다는 不滿

o 특히, 金融 自由化, 外國人 投資 開放, 知的所有權 保護等과 關聯, 國內 法的 制度的 改善 및 透明性 提高 要求

- 金融分野에서 我國의 金融, 資本, 外換市場 開放 및 內國民 待遇 擴大, 金利, 換率 自律化 및 關係法令의 透明性 提高 要求
- 通信서비스, 流通業分野等 主要 外國人投資 對象 分野의 法令 整備 要求
- 知的所有權 保護 關係法令上의 處罰規定 強化, 半導體칩, 營業秘密 保護等 새로운 保護立法 要求

o 이러한 問題는 改善에 時間이 所要될 수 밖에 없으나 長期的인 側面에서 根本的이고 重要한 問題

4) 合意事項 履行 및 懸案問題 解決

o 美側은 具體的이고 可視的인 懸案問題 解決을 通商關係 改善의 척도로 삼겠다는 立場이므로 可能한 前向的으로 美側立場 受容

- 相互 協議過程 및 內容은 차치하고 問題가 解決되었는지 結果에 주된 關心(특히 議會 및 業界)

19

0048

o 美側 主要 關心事項인 담배問題, 쇠고기問題, 外國人 投資 許可 問題는 早速하고도 圓滿한 解決이 重要

- 담배問題 : 國産담배 販賣實績에 따라 外國産 담배消費稅를 地方自治團體에 配分토록 되어 있는 制度改善 또는 補完 要求
  · 同 制度가 地方自治團體의 國産담배 販賣 장려 및 外國産 담배 消費抑制 結果를 가져온다는 主張
  · 90.12. 政府 및 業界間 담배협의 開催, 상당한 意見接近이 있었으나 合意未達, 美側은 業界와 協議後 我側에 새로운 提案 提示 豫定

- 쇠고기 同時賣買入札制度 問題 : 韓.美 쇠고기합의에 의거, 호텔 및 觀光食堂用 쇠고기 入札制度 關聯 細部施行 節次에 대해 業界間 協議 進行
  · 美側, 特定 브랜드에 대해 수의계약 形式 要求

- Cargill 社 대두유 정제업 投資 申請도 그간 우리측에서 大豆關聯 製品이 開放되는 91年度에 檢討하겠다는 답변으로 일관, 91年度에는 개방할 것이라는 間接的인 언질을 주어온 것에 비추어 政府立場 早速 檢討 必要

5) 第9次 韓.美 經濟協議會

o 91.1.14-15 間 서울開催

o 首席代表 : 外務次官, 國務部 McCormack 經濟擔當次官

o 前向的인 姿勢로 各部處別로 妥當性이 있는 美側立場은 積極的으로 受容, 兩國間 通商關係 改善의 機會로 活用必要

3. 參考 事項

o 이승윤 副總理, 91.2.1-3 스위스 다보스開催 世界經濟指導者 會議 參席後 2.5-8間 訪美 豫定

- 美 行政府 및 議會 人士들과 韓.美 經濟·通商 懸案問題 協議 (끝)

21

0050

1.5
최종본

Ⅲ. UR 協商 對策

1. 1.15. TNC 會議 및 UR 協商 再開 展望

o 1.15. TNC 會議는 "패"만 事態 時限에 關係없이 豫定대로 開催될 展望

- 특히 美國, 카나다는 "패"만 事態가 UR 協商과는 關係없다는 立場

o 同 TNC 會議의 性格, 開催期間 및 UR 協商 再開 與否등은 農産物에 관한 美, EC間 折衷 成功 與否에 左右

- 折衷 失敗時, 1.15會議는 協商 現況 評價(stock-taking)의 性格을 띄게됨으로써 意義 別無
- 折衷 成功時, Dunkel 事務總長의 協商腹案 發表 및 UR 協商 再開로 이어지고 특히 美國은 Fast-Track Mandate 時限을 염두에 두어 2월초까지 協商을 終結짓고자 할 것임.

o 農産物 分野 美, EC間 折衷 可能性은 아직 未知數

- 12.19. Dunkel 事務總長의 워싱턴 訪問 協議에도 不拘, 아직 展望 不透明
- 12.30. Hills 代表는 TV 인터뷰를 통해 EC 側이 輸出補助, 國內補助, 市場接近등 세가지 分野에서 共同 農業政策을 改革한다면 美國도 融通性을 보이겠다고 闡明
- 1.4. EC 집행위에서 MacSharry 委員에 의한 EC 共同 農業政策 改革 構想 發表 및 Dunkel 事務總長의 브랏셀 訪問協議(1.7 주간) 結果가 나와야 展望 可能視

o TNC 會議 代表團 派遣 問題

- TNC 會議 性格 및 UR 協商 再開 與否가 不透明한 現在, 대부분 協商 參加國은 具體的 計劃 미수립 상태

. 美國은 駐제네바 代表部 中心으로 1.15. TNC 會議에 임하되, 同會議 전후하여 具體的 妥協案이 나올 경우 추가 代表團 派遣등 伸縮的으로 對應할 것으로 展望

. 카나다는 本部代表團 派遣 豫定

2. 推進 基本 方向

o UR 協商이 91.2月까지 妥結되어야 한다는 것이 我國의 基本立場

- 決裂時 我國의 對外貿易에 심대한 打擊豫想

- 地域主義 擴散등 國際貿易環境의 全般的 惡化, 兩者的 開放壓力 加重

o 브랏셀會議 決裂責任을 EC, 日本, 我國에 轉嫁시키고 있는 美國等 農産物 輸出國의 態度等을 勘案, 積極的·前向的 方向으로 我國立場을 再調整

- 특히 美國은 農産物 Offer 改善이 없는한 我國과는 協議自體도 불필요 하다는 立場 (駐제네바 美農務官)

o 12.28 關係部處 對策會議를 통해 1) 農産物 立場 再調整, 2) 서비스協商 Offer List 提出, 3) 分野別 無稅化 提議 受容 檢討等 3個 分野를 重點的으로 改善하기로 對策方向 일차 合意

- 當部 立場 相當部分 反映

12

0052

3. 分野別 再調整 方向

가. 農産物 分野

改善 必要性

o 美, EC間 妥協成敗 與否에 關係 없이 我國 Offer 改善 必要

- 美.EC間 妥協成功時 : 我國의 意思와 關係없이 妥協結果 受容 不可避
- 美.EC間 妥協失敗時 : 我國이 EC와 同一線上에서 非難의 對象이 되는 일이 없도록 성의있는 노력 필요

o 美側, 我國이 早速한 時日內 initiative를 취하는 것이 매우 重要하다는 立場 傳達

- 趙淳 特使訪美(12.11-23) 및 韓.美 貿易實務委(12.17-18)時

改善 方向

o 農産物 協商의 全般的 Framework (De Zeeuw 議長 草案 및 Hellstrom 仲裁案)안에서 我國의 核心的 實益을 最大한 反映하는 方向으로 再調整

- 쌀에 대한 例外 確保 努力
- 開途國 優待 및 일부 品目에 대한 特別 고려에 의한 長期 履行期間 確保

市場 接近

① NTC 例外 品目의 最小化

- 例外品目으로 쌀하나만을 하자는 主張과 쌀等 基礎食糧으로 하자는 主張이 있으나 例外品目 大幅 縮小調整 原則에는 合意
- NTC 라는 用語 使用않고, 食糧安保等 論理로 對應

② BOP 合意事項 遵守

- 旣存 Offer 上의 年次的 (97년까지) 關稅化 主張 撤回키로 合意
- UR 協商結果 履行 初年度 일괄 關稅化 推進 (단, UR 실패시에는 BOP 合意에 따라 97년까지 段階的 自由化 推進)

③ 最小市場接近 保障

- 輸入하고 있는 品目은 旣存輸入 水準 保障과 아울러 向後 增益 考慮
- 輸入이 없거나 미미한 品目의 경우 1% 이상의 최소 市場接近을 保障하는 方案을 檢討

國內 補助

① 補助金 減縮의 猶豫期間 主張 撤回

- 6年 猶豫期間 主張은 撤回키로 原則的 合意
- 開途國 優待에 의한 許容補助範圍 擴大

※ 添附 資料

- 再調整 方向에 관한 當部意見 : 別添1 參照
- 我國 旣存 Offer 要旨 : 別添 2 參照
- 15개 NTC 品目의 TE, 生産額등 主要統計 : 別添3 參照

推進 日程

o 1.10까지 政府 方針 確定

- 청와대 報告

o 1.15 TNC 會議 以前 外交經路를 통해 主要國에 事前 通報

- 美國, 카나다, 濠州, 뉴질랜드, 브라질, 알젠틴, 인도네시아, 태국, EC, 일본, 북구, 스위스, 오지리

o 수정 Offer 提出 時期

- 1.15. TNC 會議後 協商 進行 狀況을 보아 公式 提出
- 1.15. TNC 會議時 我國 首席代表 演說文에서 수정 Offer 提出 計劃임을 言及

※ 我國 首席代表 演說 要旨

① 브랏셀 閣僚會議時 韓國이 農産物 協商의 進行을 block 하거나 거부한 것은 아니고, 다만 Hellstrom 仲裁案이 韓國의 關心 事項을 적절히 반영하고 있지 않았기 때문에 이점을 지적한 것으로 오해 없기 바람.

② 韓國은 農産物의 경우 어려운 立場에 처해 있지만 協商의 進展을 위해 필요하다면 旣提出한 Offer를 改善할 용의가 있으며 앞으로의 協商 進展 狀況을 보아가면서 提出할 것임.

15

0055

※ 1.15. TNC 會議 首席代表

- 同 會議 성격등을 2-3일 더 관망해보고 必要時 駐체코 선준영 大使를 駐제네바 大使 부임시까지 臨時 首席代表로 임명 豫定

國內 弘報

o 政府 方針 確定과 同時에 즉시 弘報 착수

- 내주초 對調室長 주재로 弘報對策小委 구성 운영
- 黨政協議, 對國會報告 및 言論 briefing등

o 弘報 着眼 事項

- 제12대 交易國으로서 UR 協商의 成功的 妥結이 全般的 國益에 寄與
  . 따라서, 農産物 分野에 있어서도 現實的 立場을 취하는 것이 不可避
- 影響을 받는 農民등에 대하여는 충분한 補完對策을 강구, 施行 예정
- 中長期的으로는 農業의 構造調整 및 體質 強化에 기여

國內補完 對策

o 종래의 支援對策을 修正 補完하는 일방, 市場開放 및 補助減縮에 따른 政府支援의 확고한 政策 意志 表明

- 특히 년초 地自制 議員 選擧등 감안

16

0056

國會議員團 主要國 訪問問題

o 農林水産委員會 所屬 2개 視察班이 我國의 農業現實 說明 및 協調 要請을 目的으로 제네바, 알젠틴, 카나다 訪問 豫定

- 제1반 : 제네바 (91.1.8-10), 스페인 방문 및 이태리, 프랑스 경유, 허재홍 의원등 4명
- 제2반 : 알젠틴 (91.1.11-14), 카나다 (91.1.17-19) 방문 및 미국(LA), 멕시코, 브라질 경유, 이형배 의원등 3명

o 上記 議員視察團이 我國의 旣存立場을 되풀이 할 경우, 政府의 協商推進 戰略에 차질 초래 憂慮, 訪問計劃을 再調整토록 誘導하고, 再調整 不可時 均衡된 立場이 傳達될 수 있도록 유도 豫定

나. 써비스 協商 Offer List 提出

必要性

o 美國의 對我國 否定的 視角 교정 및 協商 雰圍氣 改善에 대한 我國의 積極的 寄與 姿勢 可視化

推進 日程等

o 1.15 TNC 회의 이전까지 提出, 가능한한 多數分野를 包含

- 韓. 美 貿易實務委 (12.17-18)時 美側이 積極的 關心을 表明해온 通信, 流通分野 包含

o 단, UR 協商 決裂의 경우에도 對備, Offer 內容은 신중히 決定

다. 分野別 無稅化 提案 受容 檢討

o 對我國 參與 要請 6개 分野別로 受容 可能性 積極 檢討

- 建設裝備, 電子製品, 水産物, 종이류, 鐵鋼, 木材

* 我國은 브랏셀 會議時 檢討 立場 表明

첨부1 : 농산물 협상 아국 입장 재조정 방향에 관한 당부 의견

1. 개선 방향

기본 방향

o 예외를 가급적 최소화하고 합의 예상되는 Framework안에서 아국의 핵심 입장 반영

국내보조

o 합의될 Framework 내 허용보조 범위 확대 및 동조건의 완화 교섭

- 허용 보조 범위 확대
- 선진국에 적용되는 허용보조 범위보다 개도국에는 동 범위가 융통성 있도록 적용
- AMS base가 아닌 실질 정부 지출 예산기준(예 : 선진국 5%, 개도국10%) 허용 보조 확대등

  ※ 기술적 문제는 연구, 보강

o 합의된 Framework내에서 감축폭, 감축기간에서의 대개도국 특별우대 확보 교섭

시장접근

o 예외 품목 최소화

- 완전 예외 품목은 쌀 1개 품목으로 축소 (MTR에서 인정된 NTC에 대한 특별 고려 근거 활용)
- BOP 품목 9개는 이행초년도에 모두 관세화
- 콩, 옥수수는 관세화 하되 현 생산 수준 확보등 여타 국내적 대응 방안 강구
- 보리, 감자, 고구마는 국내소비의 1% 이상을 최소시장 접근으로 보장
- 국내 생산 및 판매물량 감축 조치를 시행할 경우, 해당 품목에 대해서는 갓트 11조 2항(C) (i)에 근거한 수입제한 검토 (단, 동 수입제한 요건이 매우 엄격함에 유의)

o 관세상당치의 감축폭, 감축기간에서의 개도국 특별우대 확보

o 갓트 제11조 2항(C)조문상 수량 제한 근거 유지 교섭

o 이행기간중 관세인상과 함께 수량제한도 인정하는 특별세이프가드 제도 도입 교섭

2. 기존 Offer 와의 대비표

협 상 요 소	De Zeeuw 의장안(90.7)	Hellstrom 의장안 (90.12.6)	기존 Offer	재검토 방안
국내보조	o 일정조건하 허용되는 보조금을 제외한 모든 보조금을 91/92 부터 합의될 기간 동안 원칙적으로 AMS 사용, 합의될 수준으로 감축 o 개도국 우대 - 합의 될 조건하 이행범위, 이행 기간등에서 융통성 부여 - 특히 개발목적 보조금의 경우 일정조건하 감축 대상에서 제외	o '91부터 5년간 품목별 30% 감축 - 기준년도 : 90년 또는 최근 회계, 유통년도 - 감축방법 : 매년 균분 감축 - 감축대상보조 : 원칙적으로 교역에 가장 왜곡 효과가 큰 보조 o 개도국 우대 - 감축폭 : 15% -30% - 감축기간 : 5년-10년	o 6년 유예기간 후인 '97부터 10년동안 30% 감축 - 단, 농가소득 안정적 확보, 구조조정 정책, NTC 등 관련 보조금은 허용	o 합의 될 Frawework 내 허용 보조 범위확대 및 동 조건의 완화 교섭 - 허용보조 범위 확대 - 선진국에 적용되는 허용 보조금 범위보다 개도국에는 동범위가 융통성 있도록 적용 - AMS base가 아닌 실질 정부 예산지출 기준 허용 보조확대등 o 합의된 framawork내에서 감축폭, 감축기간에서의 특별우대 확보 교섭 - 6년 유예기간은 철회

0061

협 상 요 소	De Zeeuw 의장안(90.7)	Hellstrom 의장안 (90.12.6)	기존 Offer	재검토 방안
o 국경조치	o 모든 비관세 조치를 관세화, 91/92부터 TE를 합의될 기간 동안 합의될 수준으로 감축 - 최소한 기존의 시장접근 수준유지 - 수입실적이 미미한 경우 91/92부터 총소비의 X%를 최소시장 접근으로 보장 o 개도국 우대 - 개도국 관심품목에 대한 시장접근 기회 제고 o NTC - 특정품목에 특별 상황이 있을 경우 협상에 의해 TE 감축율, 시장접근 증가율 별도 결정 o 특별세이프가드 제도 - 관세인상 가능한 안전장치를 협상에 의해 도출 o 모든 기존관세의 양허 및 관세인하	o '91부터 5년간 모든 품목에 대해 '90기준 국경보호 30% 감축 (매년 균분 감축) - 90년 현재 시장 접근수준은 관세화를 포함한 향후 합의될 Modality에 따라 유지 - 수입실적이 미미한 품목의 경우 91/92부터 현재 국내 소비의 최소 5%를 최소시장 접근수준으로 보장 o 개도국 우대 - 개도국 관심품목에 대한 시장접근 기회 제고	o 15개 NTC 품목은 관세화 대상에서 제외 - 쌀, 보리, 콩, 옥수수, 감자, 고구마, 고추, 마늘, 참깨, 양파, 감귤, 쇠고기, 돼지고기, 닭고기, 우유 및 유제품 o 여타 품목은 '91-'97간 단계적으로 관세화 - TE는 관세화 싯점부터 10년동안 30%감축 - '86-'88평균 수입량을 TQ로 보장 - 수입실적이 미미한 경우 소비량의 1% TQ 보장 o 특별세이프가드 제도 - 관세인상 및 수량제한 가능 - 관세화 이행기간 이후에도 적용 o 관세인하 및 양허 확대 용의 - 단, 부적절하게 낮은 양허관세율은 재조정 필요	o 예외 품목 최소화 - 완전 예외 품목은 쌀 1개 품목으로 축소 (MTR에서 인정된 NTC에 대한 특별고려 근거 활용) - BOP 품목 9개는 UR협상 결과 이행 초년도에 모두 관세화 - 콩, 옥수수는 관세화 하되 현생산수준 확보등 여타 국내적 대응방안 강구 - 보리, 감자, 고구마는 국내소비의 1% 이상 (X%)을 최소 시장접근으로 보장 - 국내생산 및 판매물량 감축 조치를 시행할 경우 해당 품목에 대해서는 갓트 11조 2항(C)(i)에 근거한 수입제한 검토 o TE감축폭, 감축기간에서의 개도국 특별우대 확보교섭 o 갓트 11조2항(C)조문상 수량 제한 근거 유지교섭 o 이행기간중 관세인상과 함께 수량제한도 인정하는 특별세이프가드 도입교섭

0062

첨부 2 : 아국 기존 Offer 요지

o 국경조치

- 비관세 조치를 '90-'97간 연차적으로 관세화
  . 단, 15개 품목(※)은 관세화 대상에서 제외
    ※ 쌀, 보리, 콩, 옥수수, 고추, 마늘, 양파, 참깨, 감자, 고구마, 감귤, 쇠고기, 돼지고기, 닭고기, 우유 및 유제품

- 관세화 대상품목에 대하여는 관세화 싯점부터 10년 동안 TE를 최대 30% 감축
  . '86-'88 평균수입량을 최소시장 접근으로 보장하되 수입실적이 없거나 극히 미미할 경우에는 '86-'88 국내평균 소비량의 1%보장

- 관세화 대상에서 제외되는 품목의 경우에도 기초식량을 제외하고는 국내수입상황을 감안, 최소시장 접근 허용

o 국내보조

- 감축할 정책은 시장가격 지지 및 품목 특정적인 요소비용 보조에 국한
- 구조조정에 필요한 6년 유예기간 경과후 97년 부터 10년 동안 최대 30% 감축
- 하기 정책은 감축대상에서 제외
  . 개도국의 농업 및 농촌발전과 관련된 정책
  . 농가소득의 안정적 확보를 위한 관련 정책
  . 농산물 시장개방 과정에서 불가피하게 수반되는 구조조정 정책
  . 식량안보, 환경보전, 지역간의 균형발전등과 같은 NTC 목적 달성에 필요한 적정수준의 농업유지 목적의 정책등

0063

첨부 3 : 15개 NTC 품목의 TE, 생산액등 주요 통계

품 목 명	T E	생산액('87-'89 평균, 단위 : 억원)	농산물 총 생산액(※)에 대한 비율	비 고
쌀	505 %	56,600	39 %	
보 리	258 %	3,050	2.1 %	
쇠 고 기	213 %	8,650	6 %	- 총소비의 50% 수입 - BOP 품목
돼지고기	25.8 %	9,830	6.8 %	- BOP 품목
닭 고 기	41.4 %	3,550	2.5 %	- BOP 품목
고 추	208 %	4,900	3.4 %	- BOP 품목
마 늘	97.5 %	4,300	3 %	- BOP 품목
참 깨	1,203 %	2,800	1.9 %	- BOP 품목
우유 및 유제품	- 탈지분유 : 433% - 치즈 : 529%	5,300 (우유)	3.7 % (우유)	- BOP 품목
대 두	456 %	2,200	1.5 %	- 총소비의 85% 수입
옥 수 수	338 %	340	0.2 %	- 총소비의 97% 수입
고 구 마	301 %	1,700	1.2 %	
감 자	115 %	1,600	1.1 %	
양 파	91 %	750	0.5 %	- BOP 품목
감 귤	105.1 %	2,900	2 %	- BOP 품목
계		108,470	74.9 %	

※ '87-'89 평균 농산물 총생산액 : 14조 5천 160억원

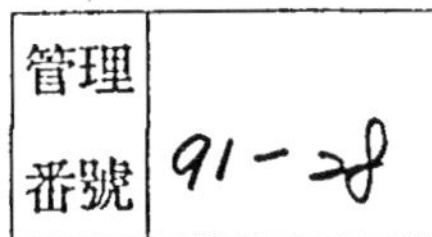
管理 番號 91-28

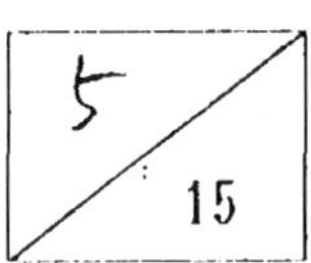
5 / 15

關係長官 會議資料

UR協商 展望과 對策

1991. 1. 5

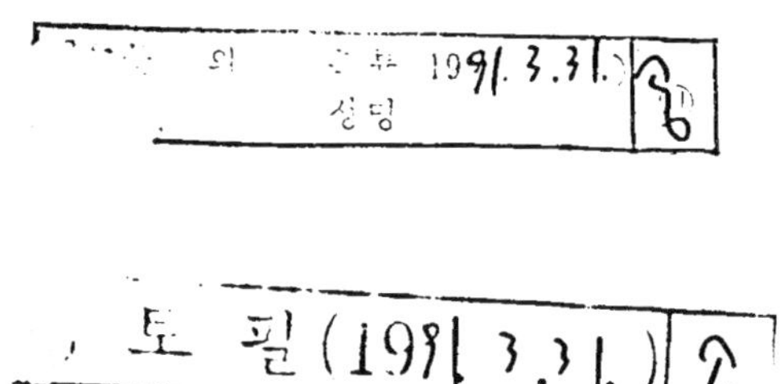

經 濟 企 劃 院

0065

目　次

0066

Ⅰ. UR協商 動向 및 展望

1. 最近의 協商動向

- 브랏셀 閣僚會議에서는 UR協商을 終結시키지 못하고 '91년 初까지 未決爭點妥結을 위해 集中的인 協議를 진행하는 것으로 決定하고 終了

- 브랏셀 閣僚會議 이후 美國 부시 大統領의 主要協商對象國 頂上들과의 電話接觸등 UR協商 妥結을 위한 努力이 전개되었고 EC도 共同農業政策(CAP)에 관한 閣僚會議를 '91年 1月 첫주에 開催

- Dunkel 事務總長은 農産物協商에서의 돌파구를 위하여 美國, EC, 아세안, 濠洲를 巡訪하였으며 農産物分野에서의 妥協案과 서비스分野에서의 開途國의 參與擴大를 內容으로 하는 Mini-Package 案이 거론되고 있음.

2. 向後 協商展望

- GATT 事務總長은 '91년 1월 15일 TNC 首席代表級 非公式 會議를 개최할 것을 통보

- 앞으로의 狀況展開에 대해서는 3개의 豫想이 可能
  ① 美國政府의 議會에 대한 迅速處理節次(Fast Track) 時限인 내년 2월말까지 各國이 集中的인 협상을 통하여 우루과이 라운드 協商妥結
  ② 來年 2월말까지 協商을 推進하나 협상이 결렬되는 경우
  ③ 各國이 旣存立場을 고수하여 協商은 더이상 進展을 보지 못하고 모호한 狀態에서 長期的으로 延長되는 狀況

<悲觀的인 見解>

- 칼라 힐스 USTR은 UR協商이 妥結되기를 희망하나 協商成功의 확률은 25%에 지나지 않는다고 展望

- 美國은 中東事態의 해결에 골몰하고 있고, EC는 EC統合에 專念하고 있어 妥協이 어렵다는 것이 상당수 專門家들의 見解

<樂觀的인 見解>

- 반면 日本 通産省 關係者는 美國과 獨逸間에 '91년초에 UR協商을 타결시키기로 브랏셀 閣僚會議 이전에 이미 合意하였다고 傳言

- 일부 協商專門家들은 내년 2月末까지 UR協商이 妥結될 可能性이 50%이상 된다고 分析

  o 美國과 EC間에 農産物協商에 타협이 이루어질 경우 他分野 協商은 다소 어려움이 있어도 妥結可能

  o 世界最大 輸出國인 獨逸에게는 UR協商의 성공이 중요하며, 이제 獨逸總選이 끝났으므로 農産物協商에서 EC가 좀더 양보할 수 있도록 불란서를 說得할 것으로 豫想

◇ 따라서 1.15開催될 大使級 TNC會議가 UR協商에 매우 중요한 會議가 될 것이나 현재로서는 會議의 性格, 어떤 合意結果를 導出하려 할 것인지 매우 不透明한 狀態

◇ 우리로서는 協商成敗에 관계없이 UR協商에 적극적으로 기여하는 것이 전체적인 協商成功時는 물론 協商失敗時 예상되는 協商摩擦의 격화등 副作用을 未然에 防止하기 위해서도 필요

〈參考〉 韓國의 協商姿勢에 대한 美國의 評價와 要求事項

1. 美國의 評價

- 브랏셀 閣僚會議 終了以後 美國은 UR農産物協商에서의 我國立場에 대해 강한 不滿 表示

  o '90.12.7 美 부시대통령은 EC, 日本, 韓國이 農業分野에서의 소극적 協商態度로 인해 UR協商이 성과없이 終了되었다고 發表

  o 大統領 특사로 訪美한 趙淳 前副總理와 面談한 칼라힐스 USTR代表등 美行政府, 議會, 學界 인사들도 韓國이 EC, 日本등과 같이 農産物協商에 반대하여 UR協商이 결렬되었다고 강한 不滿 토로

- 이러한 美國의 강한 不滿表示는 協商失敗의 책임을 韓國과 日本에도 분담시켜 '91.1.15이후 再開될 UR協商 및 추가적인 雙務協商(金融, 流通分野등)에서 양보 및 협조를 받기 위한 壓力手段의 효과를 일부 기대하고 있는 것으로 판단됨.

2. 美國의 要求事項

- 미국은 農産物協商에서 EC를 고립화하여 自國立場을 관철시키기 위해 韓國, 日本에 대한 說得努力 強化

- 關稅協商에서는 協商그룹의 當初目標인 各國 關稅率의 33% 이상 引下外에 主要品目에 대한 無稅化를 주장하며 韓國이 여기에 동조해 줄 것을 要求

- 서비스協商에서는 實質的 自由化를 조속 推進하기 위해 自國의 Offer List를 提出하였고 여타국도 Offer List 를 提出하고 讓許交換協商에 적극 參與할 것을 촉구

Ⅱ. 向後 推進 對策

◇ UR協商이 最終마무리 段階에 와있는 만큼 현실성있는 最終代案을 마련해야 我國實利 確保가 可能하고 協商以後 美國과의 우호적인 協商關係 維持에도 기여

◇ 이를 위하여 農産物協商에 대한 我國立場을 再定立하고, 無稅化協商의 具體的 代案을 樹立하며, 1月中 서비스協商 Offer List 를 提出

1. 農産物協商 (UR對策實務委員會 結果, '90.12.28)

<基本協商對策>

- 協商막바지 段階이므로 그간 원칙적으로 유지해온 당초의 다소 경직적인 協商案을 고수하기 보다는 伸縮性있는 協商代案을 마련하여야 實質的인 協商參與가 가능하다는 前提 下에서 實利 確保와 향후 예상되는 通商摩擦의 緩化를 동시에 추구하는 伸縮的인 協商戰略의 樹立이 바람직

① 伸縮性있는 協商代案의 樹立

- o Hellstrom 草案을 토대로 我側代案 再檢討
- o 11條 2(C)條項 適用을 위한 代案模索등 NTC 및 猶豫期間의 合理的 調整
- o 適正水準의 最小市場 接近保障
- o 市場開放 및 國內補助 減縮에 있어 開途國 認定을 받기 위한 努力集中

② 協商對應 方式의 轉換

- o UR協商 公式, 非公式會議에서의 신중한 발언
- o 美國과 EC의 合意時 我側關心事項이 合理的 水準에서 反映될 경우 이를 수용할 것이라는 默示的同意 表示

<細部 推進對策>

- 上記 代案을 기본으로 農林水産部가 細部的인 對策을 마련하여 1月中 主要協商 相對國의 事前 說得作業 推進

  - o 韓國은 現實的인 農業問題가 EC나 日本보다 훨씬 심각하여 이들나라보다 앞서 輸出國의 立場에 同調하는 것은 國內與件上 不可能함을 說得하고 브랏셀 會議에서의 我國態度도 이러한 觀点에서 이루어진 것임을 說明

  - o 향후 아국은 UR/農産物協商에의 적극적인 참여와 함께 이미 GATT에서 합의한 農産物 輸入開放計劃을 계획대로 추진할 것임을 표명 (3월말 發表豫定인 2차 輸入自由化 豫示計劃에 主要國의 關心品目 反映 檢討)

  - o 이와 더불어 農産物輸出國의 높은 協商目標의 調整 및 我國 核心關心事項 反映에 대한 協調 要請

  - o 上記 方案을 중심으로 美國,카나다,濠洲,뉴질랜드,ASEAN 등 국가에 대하여 駐韓大使館 關係者를 招請하여 說明하는 한편 高位實務級 代表團 派遣 推進

- 이와같은 政府의 協商對策의 效率的 推進을 위하여 실효성있는 補完對策 마련과 함께 國民說得을 위한 弘報對策 推進

  - o UR/農産物協商과 관련한 農業構造 改善對策 樹立
  - o 國會關聯 常任委 및 主要 政黨에 대한 說明
  - o 言論人 說明會, TV 座談會등을 통한 弘報強化

2. 無稅化 및 關稅追加引下 協商

〈協商 進展狀況〉

- 美國은 合意된 關稅引下目標達成이외에 9개분야에 대해 關稅를 완전히 撤廢하자는 分野別 無稅化를 제안

  o 無稅化 對象分野: 맥주, 건설장비, 전자제품, 수산물, 비철금속, 철강, 의약품, 종이, 목재 및 목제품등 9개분야
  o 우리나라 參與要求分野: 건설장비, 전자제품, 철강, 수산물, 종이, 목재등 6개 분야

- 그동안의 協商過程에서 우리나라는 關稅協商 目標의 達成, 國內業界의 反對 등을 이유로 協商相對國으로 부터의 無稅化 및 關稅追加引下 要求에 대하여 受容不可 立場을 견지

- 그러나, 브랏셀 閣僚會議時 我國은 수석대표의 基調演說을 통하여 미국의 無稅化를 포함한 關稅追加 引下要求에 대해 檢討用意를 표명

〈向後 對策〉

- 美國(카나다,일본포함)의 無稅化提議品目 및 追加關稅引下檢討

  o 美國이 우리나라의 참여를 요구하는 6개분야를 중심으로 우리나라 參與可能分野 및 品目, 參與條件등에 대한 我國의 立場 再定立
  o 美國의 關稅引下要求品目에 대한 優先 受容檢討

- 우리나라가 독자적으로 제시할 無稅化 可能分野 및 品目檢討
  o 美國등이 제시한 上記分野以外에 纖維,신발등 無稅化할 경우 우리나라에 유리한 分野 및 品目檢討

- 8-7 -

0072

3. 서비스協商 讓許計劃(Offer List) 提出

- 美國, EC, 日本등 先進 9個國은 이미 Initial Offer List를 提出하였고 其他 各國도 조속한 시일내에 提出意思를 表明

- 我國도 先進各國의 動向에 呼應 브랏셀 閣僚會議 以前 Offer List의 提出可能性도 검토하였으나 방대한 作業量으로 提出遲延

- 多者間 協商을 통한 서비스貿易 自由化에 대한 意志를 표명하고 農産物協商에 대한 미국의 불만완화, 농산물등 他分野 協商에서의 我國立場 강화를 위해 '91.1.15까지 Initial Offer List를 提出키로 UR對策 實務委員會에서 決定 ('90.12.28)

  o 서비스協商에서 論議된 業種을 최대한 포괄하여 我國의 協商力 強化

  o 讓許水準은 現存規制의 凍結을 원칙으로 하되 一部自由化가 確定된 사항을 追加하는 水準으로 讓許

  o 金融, 流通등 韓.美間 通商問題로 擡頭된 분야는 向後 韓.美間 雙務協商에서 妥結될 수준에서 提示

- 個別서비스 産業擔當部處는 業種別로 開放對策樹立 및 競爭力 強化를 위해 노력해 왔는바, 앞으로 있을 讓許協商에 의한 市場開放 計劃이 競爭力強化의 계기가 될수 있도록 積極 對處

91.1.7 관계부처장관회의 자료

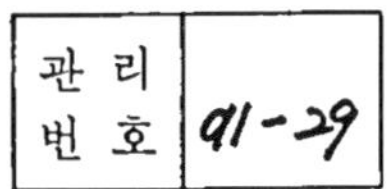
관리번호 91-29

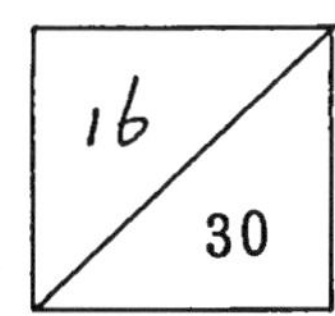
16/30

GATT/우루과이라운드

農產物協商展望과對策

1991. 1.

예고문에 의거 재분류(1991.3.31.)
직위 성명

農 林 水 產 部

0074

目　次

I. 農產物 協商 推進經過

ㅇ 86. 9 : 푼타델에스테宣言을 통하여 우루과이라운드協商開始

ㅇ 88.12 : 카나다 몬트리올에서 中間評價 會議(Mid-Term Review)開催

ㅇ 89. 4 : 제네바에서 우루과이라운드 中間評價 會議 續開

- 農業 保護 및 補助의 相當水準 漸進的 減縮에 合意
- 食糧安保等 農業의 非交易的 關心事項(NTC)을 考慮하기로 決定

ㅇ 89.10 : GATT/BOP協議로 第18條B項 援用 中斷 決定

ㅇ 89.12 : 各國 提案書 提出(我國 : 89.11 提出)

ㅇ 90. 7 : 農產物協商그룹 De Zeeuw議長 合意草案提示

- 協商을 促進시키는 手段으로 活用키로 合意
- 10. 1까지 國別 現況資料(Country List), 10.15까지 農業保護 및 補助減縮計劃(Offer List)提出 合意

ㅇ 90.10~11 : 各國은 國別 現況資料와 農業保護 및 補助減縮計劃 提出

ㅇ 90.11 : 協商 分野別 主要國 非公式 協議(Green Room會議)

- 主要 協商國間 爭點事項에 대한 合意導出 失敗

ㅇ 90.12 : 브랏셀에서 閣僚級 貿易協商委員會(TNC)開催

- 農產物그룹 헬스트롬議長(스웨덴 農務長官)의 非公式仲裁案(Non-Paper)提案
- 接近方法, 減縮幅 및 期間等에 美, EC, 輸入國間 意見對立으로 協商을 91年初로 延期

9-2

0076

Ⅱ. 協商動向과 展望

ㅇ '90.12 브랏셀 閣僚會議時 最終的인 協商妥結에 失敗하고 '91初로 協商을 延期

ㅇ GATT 던켈 事務總長은 '91年 1月15日 大使級 TNC非公式會議 開催를 通報

ㅇ 各國은 새로운 協商 돌파구를 模索하기 위하여 公式, 非公式채널을 통한 多角的인 接觸 努力을 試圖

- 美國, EC 農務長官 會談(12.14)
- 던켈 事務總長은 美國, EC, 케언즈그룹등 主要 協商國 訪問(12月 下旬)
- 美國은 韓國, 日本등 輸入國에 대하여 立場改善을 促求
- EC는 共同農業政策(CAP)의 改善과 立場再調整 問題를 協議하기 위하여 閣僚會談 開催(1. 4)

ㅇ 앞으로의 協商은 美國과 EC間의 妥協과 政治的 決斷 여하에 따라 그 成敗가 決定될 것이나 妥結展望은 아직 不透明한 狀態

- 美國은 迅速處理 節次(Fast Track)時限(2月末)에 쫒기는 立場이나 페르샤灣事態를 먼저 解決해야할 負擔을 안고 있음
- EC는 '92 經濟統合의 重大한 課題를 앞두고 農産物協商에서 域內國家間 意見調整에 있어 相當한 陣痛이 豫想

ㅇ 그러나 美國, EC間 意見接近이 이루어질 경우 協商이 急進展되고 早期에 終了될 可能性도 있음

Ⅲ. 우리의 協商與件

1. 我國立場에 대한 主要國의 評價

農産物 輸出國(美國, 케언즈그룹)

- ㅇ EC, 日本, 韓國등이 Helstrom議長(스웨덴農務長官)의 非公式 提案(Non Paper)에 대한 受容을 拒否하여 브랏셀會議가 延期되었다는 責任轉嫁
- ㅇ 農業의 非交易的 機能(NTC)에 대한 例外를 認定할 경우 모든 나라에도 適用되어 原則이 허물어짐으로 受容困難
- ㅇ 韓國을 더이상 開途國으로 認定하지않겠다는 傾向

農産物 輸入國(日本, 스위스, 北歐等)

- ㅇ 最小限의 農業保護의 必要性과 農業의 非交易的機能(NTC)強調
- ㅇ 非現實的이고 無理한 自由化要求는 世界農業交易 秩序 改善에 도움이 되지 않음

- ㅇ GATT體制內 自由貿易의 惠澤을 가장 많이받고 經濟發展을 이룩한 韓國이 UR協商에서 農産物分野가 어렵다고 例外主張을 強調하는 것은 困難함
- ㅇ 韓國은 經濟發展水準에 相應하는 國際社會에서의 自由貿易에 대한 寄與 乃至는 負擔을 回避하려 한다는 否定的 視角
- ㅇ BOP合意事項에 의해 開放하여야 할 國際的 義務를 附與받고 있음에도 UR協商을 契機로 自由化計劃을 後退하려한다는 非難

9-4

0078

2. 우리의 協商與件

先進國의 경우

○ 미국 · 카나다 · EC等 輸出國은 물론 일본 · 스위스 · 북구等 대부분의 輸入國들도 減産 내지는 生産統制政策을 施行하고 있으므로 11條2項(C)를 적용하여 主要品目에 대한 輸入制限이 可能

○ 과도한 國內財政負擔을 줄이기 위해 '86年以後 國內農業補助에 대한 減縮을 이미 施行中

開途國의 경우

○ 國際收支防禦를 위한 輸入制限規定(18條B)이 認定되고 있어 主要品目에 대한 保護가 可能

○ 財政형편상 國內補助는 거의 없으므로 減縮對象이 극히 미미한 狀態.

我國의 경우

○ 89. 10 18條B를 졸업한 상태이므로 NTC에 의한 例外가 인정되지 않을경우, 11條2項(C)適用要件에 合致되는 品目이 없으므로 輸入制限을 통한 國內農業保護가 불가능하게 됨.

○ 쌀등 重要品目의 二重穀價制等 價格支持制度에 대하여도 減縮義務發生

⇒ ○ 我國의 境遇, 先進國도 開途國도 아닌 狀況에서 유일한 輸入制限根據로 NTC를 主張할 수 밖에 없었으나 現在의 協商분위기는 NTC認定이 더이상 어렵게 됨으로서 伸縮的인 協商代案 마련이 不可避.

9 - 5

0079

Ⅳ. 伸縮的인 協商代案 樹立

<基 本 方 向>

- ○ GATT規範과 協商趨勢를 勘案하여 既存의 我國立場에 대하여 伸縮性있는 協商代案을 마련하되
- ○ 輸入開途國으로서 最小限의 農業維持를 위해 필수불가결한 品目과 政策에 대한 特別考慮를 前提條件으로 提示

主要內容

- ○ NTC의 例外品目(15個)을 食糧安保對象品目으로 縮小調整하고 殘餘品目은 改善된 GATT 11條2項C에 의해 保護하거나 關稅化를 受容
- ○ 쌀을 除外한 모든 品目에 대해 最小市場接近을 保障
- 철회 로수정 ○ 猶豫期間 主張을 緩和하고 長期履行期間 確保로 轉換하되 1992년부터 關稅化 및 國內補助 減縮

前提條件

- 완전개방 예외품목은 쌀 1개品目 ← ○ 쌀(은) 等 最小限의 食糧安保對象品目을(으로 完全) 開放對象에서 例外認定
- ○ 開途國 優待措置를 我國에 適用 → (長期 이행기간 확보 意味)
- ○ 11條2項C의 運用要件을 改善
  - 現實與件上 適用이 어렵더라도 追後 要件改善을 前提로 受容
- ○ 自由化 擴大過程에서 불가피하게 수반되는 構造調整政策은 減縮對象에서 除外 → 범위가 漠然하여 說得力이 없음으로 具体化함

9-6

0080

우리 Offer와 協商代案

區　　分	헬스트롬議長 Non－Paper	旣存立場 (我國의 Offer)	協商代案
< 市 場 開 放 >			
○ 例外品目			
－ NTC	言及없음	15個 重要品目	쌀＋α
－ 11條 2項 C	〃	(NTC＋11條 2項C)	一部 重要品目 (適用要件 合致前提)
○ 關稅化			
－ 對象品目	모든 輸入制限 品目	餘他 輸入制限 品目 (15個 重要品目 除外)	15個 品目中 一部＋ 餘他 輸入制限 品目
－ 履行期間및 減縮幅	'91부터 5年間 30%	'91－'97부터 10年間 最大 30%(品目別로 最大 6年間 猶豫期間)	'92부터 10年間 30% (先進國의 1/2水準)
< 市 場 接 近 >			
○ 例外品目	言及없음	쌀등 基礎食糧	쌀만 除外
○ 保障方法			
－ 輸入이 있는 境遇	現水準 市場接近保障	'86～'88平均 輸入量	現水準 市場接近保障
－ 輸入이 없는 境遇	國內消費의 5% (EC : 國內消費의 3%)	'86～'88國內消費의 1%	國內消費의 1.5～2.5% (先進國의 1/2水準)
< 國 內 補 助 >			
○ 減縮對象 例外品目	言及없음	15個 重要品目	쌀
○ 履行期間 및 減縮幅	'91부터 5年間 30% (開途國은 5～10年間 15～30% 減縮)	'97부터 10年間30% (6年間의 猶豫期間)	'92부터 10年間 30% (先進國의 1/2水準)

※ 변경要

0081

V. 向後協商 對應方案

1. UR協商에서 對美協力 強化

○ 我國의 改善된 立場에 대한 事前說明을 통해 UR에서 積極協力 意思를 전달하는 동시에 美側의 支持와 說得을 誘導

- 한·미 經濟協議會 (91.1.14~15) 活用

2. 1月 TNC 會議時 改善된 協商代案 提示

○ 91.1.15 TNC 會議時 首席代表가 향후 農産物 協商에서 伸縮的인 我國立場을 제시할 用意가 있음을 公式表明

○ 具體的인 代案內容은 他國의 立場緩和動向을 보아 農産物 Green Room 會議등 적절한 時期에 提示

3. 主要協商國에 대한 交涉活動 推進 (제네바, 서울, 공관통한주요국)

○ 제네바에서 主要國協商代表에게 改善된 我國立場說明

○ 서울 주재 外交團에 대한 我國立場 說明會 開催(1月中) 個別的으로

○ 고위급 政府交涉團의 主要國 派遣檢討 不要 (各國 주재공관통해)

- EPB, 外務部, 農林水産部등의 高位實務級으로 合同交涉團을 構成하고 카나다, 호주등 케언즈 그룹 中心으로 訪問
- 具體的인 派遣時期는 協商動向과 進展狀況을 보아 決定

4. BOP 合意事項의 誠實한 履行意思表明

○ '92~'94의 3年間 品目別 自由化 豫示計劃을 91年 3월중 GATT에 通報

○ 主要國 關心事項은 自由化 計劃에 受容하는 方案을 檢討

5. TNC회의 수석대표 연설時 정부立場 表明.

9-8

0082

Ⅵ. 對國民 弘報對策

1.弘報 力點事項

○ 我國立場 改善의 不可避性을 說得力있게 提示

– 美國의 通商壓力보다 브랏셀 會議結果 我國의 實利를 確保하기 위한 戰略上, 協商代案의 修正이 不可避함을 說得

○ NTC와 같은 예외주장보다 同一한 効果를 갖는 갓트 規範內에서 農業保護가 더 說得力 있음을 強調

– 大部分의 輸入國들이 NTC주장보다 11條2項(C)의 援用을 통한 國內農業保護로 旋回하는 점을 周知

○ BOP에 의한 開放보다 UR協商이 相對的으로 有利함을 浮刻

– 높은 關稅에 의한 保護可能, 쌍무적인 通商壓力을 緩和

○ 猶豫期間의 主張보다 開途國 優待措置에의한 長期履行期間의 確保가 더 現實的임

– 投資擴大, 構造調整의 早期完了등을 통해 競爭力向上이 可能함을 認識

2. 推進方案

가.劃期的인 國內對策의 同時 제시

○ 構造調整의 早期完了를 위한 追加的 投資計劃

○ 品目別 競爭力 強化 對策

○ 輸出有望品目에 대한 重点 支援計劃

나.國民說得을 위한 多角的인 弘報活動展開

○ 冬季 營農敎育, 슬라이드 配布등 對農民 說得

○ 輸入開放 補完對策特別委員會 開催(1.9)

– 農民團體, 學界, 독농가등, 主要人士에 대한 브랏셀회의 結果와 協商분위기 說明

○ 國會 및 主要 政黨에 對한 說明

– 農林水産委등 관련 常任委 報告

– 黨 · 政 協議會, UR 特別對策委 報告

○ 言論人 간담회, TV 좌담회등 對國民 弘報強化

– 特히 言論人을 對象으로 重点 弘報

91.1.7. 관계부처장관회의 자료.

관리 번호	91-30

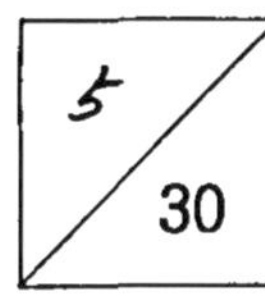

無稅化 協商 對策

1991. 1

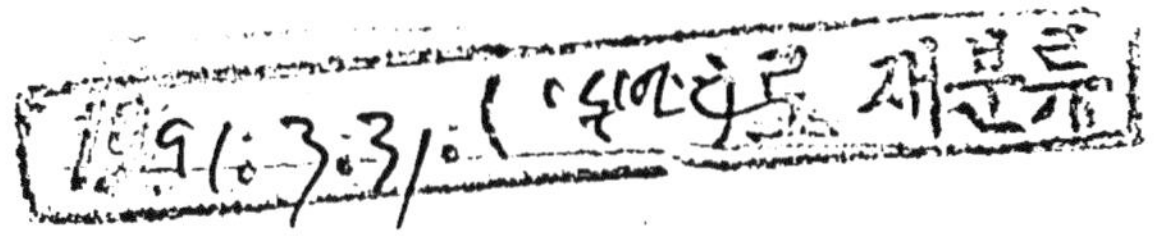

商 工 部

0084

目　　次

0085

1. UR/關稅協商 經過

○ UR/關稅協商은 協商參與國이 關稅引下計劃(offer list)을 提出하고 이에 대해 各國이 關稅引下 要請品目을 提出하여 追加引下를 위한 兩者協商을 進行하였음.

- 先進國들은 關稅引下目標(輸入額 加重平均基準 33% 引下)를 達成하였으나 대부분의 開途國들은 目標에 未達
- 우리나라는 2次 關稅引下計劃 提出을 통하여 關稅引下 目標 達成(33% 引下, 83% 讓許)

○ 美國은 自國의 offer提出을 통하여 主要 交易相對國의 參與를 條件으로 特定分野의 關稅를 完全히 撤廢하자는 分野別 無稅化 協商을 提案하여 關稅協商의 主要討議課題로 됨.

- 美國이 '90.3月 1次關稅 offer에서 최초로 提案한 이후 '90.10月 修正 offer를 提出함으로써 無稅化 協商을 더욱 强力하게 推進

○ 그동안 協商過程에서 우리나라는 UR關稅協商目標의 達成에 주력하고 無稅化 協商은 UR이후에 추진하자는 消極的인 立場을 취해왔으나 브랏셀 閣僚會議時 우리나라의 立場을 變更, 首席代表(商工部長官)의 基調演說에서 일정한 條件下에 美國의 分野別 無稅化 提案을 包含한 追加關稅引下 可能性에 대한 檢討用意를 表明

7-1

0086

※ 首席代表 基調演說文(90.12.4)

"Korea intends to examine the possiblity of additional tariff cuts under certain terms and conditions, keeping in mind the sectoral tariff elimination approach proposed by the United States"

2. 分野別 無稅化 提案(zero for zero proposal)의 槪要

○ 推進方式 : 特定分野에 主要國들이 參與하여 關稅를 無稅化하고 이를 MFN原則에 의거 여타의 國家에도 開放하는 方式

○ 對象分野 : 맥주, 建設裝備, 電子製品, 水產物, 非鐵金屬, 醫藥品, 鐵鋼, 종이, 木材 및 木製品등 9個 分野

※ 鐵鋼은 UR과 別個로 多者間 協商 進行中

○ 參與要求國家 : 分野에 따라 상이하며 美國은 韓國에 대해 建設裝備, 電子製品, 鐵鋼, 水產物, 종이, 木材 및 木製品 등 6個分野 參與要求(HS 10單位, 1,662個品目)

○ 無稅化 施行期間 : 分野에 따라 즉시, 3年 또는 5年 등으로 多様

3. 各國 立場 및 協商 展望

가. 各國立場

○ E C : 基本的으로 美國의 提案에 반대하면서 石油化學, 纖維, 신발류에 대하여는 各國의 關稅率을 一定水準으로 一致시키는 關稅調和(tariff harmonization)를 主張

- EC는 美國이 高關稅를 維持하고 있어 事實上 受容하기 어려운 纖維, 신발류의 關稅를 低關稅로 引下하자고 提案함으로써 美國에 대한 協商力을 强化하려는 의도임.
- 단, 醫藥品에 있어서는 美國·EC間 業界의 合意로 無稅化 參與意思를 表明

○ 日 本 : 無稅化 協商을 原則的으로 支持하며, 水產物을 除外한 대부분의 工產品에 대한 無稅化를 提示하여 美國提示品目을 대부분 受容함과 동시에 美國이 受容하기 어려운 品目도 提示

○ 카나다 : 無稅化 協商을 原則的으로 支持하며 美國이 提示한 水產物, 木材, 종이는 受容하나 石油化學製品 및 컴퓨터製品은 美國提示品目과 相異

○ 北歐, 스위스, 오지리, 濠洲, 뉴질랜드 : 美國이 關稅協商目標를 우선적으로 充足시키는 Offer改善이 있어야 한다는 立場이나 國別로 醫藥品, 鐵鋼, 石油化學, 水產物등에는 參與可能性을 표명

○ 開途國(브라질, 멕시코, ASEAN등) : 分野別 無稅化는 先·開途國을 同等하게 待遇하는 것으로서 基本的으로 반대

7 - 3

0088

나. 向後 協商展望

ㅇ 主要 先進國들은 一般的으로 낮은 關稅率 水準을 維持하고 있어 同提案을 受容하는데 基本的으로는 別問題가 없음.

ㅇ 그러나 主要 協商國間 無稅化 品目 및 履行期間등에 대한 意見對立으로 이를 調整하는데 상당한 진통이 있을 것으로 豫想됨.

4. 協商對策

가. 基本方向

ㅇ 韓·美 通商關係 및 UR協商 進展에 대한 寄與次元에서 協商이 可能한 合理的인 水準에서 우리나라가 參與할 分野를 提示하고 無稅化 不可能分野에서는 最大引下 可能稅率을 提示함으로써 最大限의 성의를 表示

ㅇ 參與分野를 提示함에 있어서는 産業의 競爭力 水準을 勘案하여 長期間의 履行期間등의 參與條件을 提示하여 우리나라의 脆弱分野를 최대한 방어

- 美國의 無稅化 提示分野에 대한 美國의 關稅率은 대부분 0%이나 우리나라의 경우 8~13% 내외의 比較的 高關稅를 維持하고 있어 즉시 또는 짧은 期間內 無稅化는 不可能

ㅇ 한편 우리나라에게 有利한 獨自的인 分野 및 品目을 提示함으로써 無稅化 協商에서의 利益의 均衡을 도모하며 우리나라의 協商力을 强化함.

나. 美國이 提示한 6個分野中 우리나라의 參與可能分野 및 參與條件

(1) 選定基準

○ 低關稅率로 讓許한 品目으로 현재의 讓許關稅率로는 産業保護 效果가 없는 品目

○ 國內市場이 협소하여 規模의 經濟를 確保하기 어렵고 開放하더라도 産業被害가 적은 品目

○ 輸出爲主의 成長基盤이 필요한 品目

○ 長期間의 履行期間을 條件으로 提示할 경우 參與가 可能한 品目

(2) 參與可能分野 檢討

① 鐵 鋼

— 미국의 主導下에 이루어지고 있는 鐵鋼 多者間 協商에서 우리나라는 鐵鋼의 無稅化에 原則的으로 同意(단, 履行期間은 10 ~ 15 年)

② 종이 및 서적

— 펄프 : 대부분 2%로 讓許하고 있어 無稅化 可能

— 書籍 : 0%로 讓許하고 있어 無稅化 可能

③ 建設裝備 및 機械類 一部

— 農機具, 計測機器, 터널굴착기등

④ 電子·電氣機器 一部

— 자기테이프, 無線送受信機器, TV用튜너등

⑤ 木材 및 木製品

— 原木: 대부분 2%로 讓許하고 있어 無稅化 可能

(山林廳은 反對)

— 製材木 및 木製品 一部

⑥ 水產物은 輸入自由化의 先行後 受容 可能性 檢討

(3) 參與條件

○ 3～10年 또는 그 이상의 履行期間 提示

○ 電子·電氣機器의 경우 대만, 홍콩, 태국, 말레이지아등 4個國은 필수참여국가에 포함

다. 우리나라가 獨自的으로 提示할 無稅化分野 및 品目

(1) 選定基準

○ 우리나라의 競爭力이 매우 큰 品目으로 無稅化 될 경우 우리나라 輸出에의 寄與가 크게 期待되는 品目

○ 全量 輸入에 依存하고 있는 基礎原資材

(2) 對象分野 檢討

① 家具, 완구 : 美國이 提示하였다가 철회한 分野로서 우리나라가 競爭力이 있으므로 無稅化될 경우 輸出增大 可能

② 신발 : 世界市場을 주도하는 品目으로 無稅化될 경우 輸出增大 可能

③ 家電製品 一部(黑白TV, 마이크로웨이브 오븐등) : 美國市場에 대한 主要供給國 品目으로 輸出增大 可能

※ 纖維 : 纖維는 미국이 도저히 受容할 수 없는 分野로서 우리가 纖維를 無稅化 對象分野로 提示할 경우 우리나라의 無稅化 協商參與 意志를 오해받을 소지가 있음

라. 無稅化 不可能分野에 대한 最大引下 可能稅率 提示

○ 敏感品目을 除外하고는 關稅引下 5個年計劃上의 '94年 關稅率로 讓許

5. 推進方向

○ 商工部, 農林水產部등 品目所管部處의 檢討結果를 財務部에 送付

○ 財務部는 商工部, 農林水產部등 關係部處와 協議하여 우리나라 立場 및 協商戰略 樹立

7 - 7

0092

對外 協力委員會 資料

1991. 1 . 8 .

通 商 局

심의관; 전

앙고재	통상기구과	91년 1월 8일	담 당	과 장	국 장	차관보	차 관	장 관

0093

目 次

0094

1. 對外協力委員會 槪要

o 日 時 : 90.1.9(水) 10:00

o 場 所 : 經濟企劃院 大會議室 (1동 727호)

o 案 件 : UR 協商 對策

o 參席對象

- 副總理, 外務, 財務, 農林水産, 商工, 動資, 建設, 保社, 勞動, 交通, 遞信, 科技處長官

- 大統領秘書室 經濟首席, 外交安保補佐官

- 國務總理室 行政調整室長

- 安企部 第2次長

2. 1.15. UR/TNC 會議 對策

가. 會議 展望 (公館報告 綜合)

o 同 會議의 性格, 開催期間 및 實質協商의 再開로 이어질지 與否등은 農産物에 관한 美. EC등 主要國의 立場 折衷成功 與否에 左右

o 현재까지의 狀況에 비추어 1.15. 이전 農産物 分野 折衷 可能性은 稀薄하고, 1월말에가서야 實質的 異見 折衷 作業이 展開될 展望.

① EC 內部 立場 未定立 狀態

- 1.4. EC 執行委員會에서 豫定된 MacSharry 農業擔當 執行委員의 共同農業政策(CAP) 改革方案 提示가 口頭 報告에 그침.
- 1.19. 경 文書로 正式 提案된 後에야 本格 討議가 進行될 展望

② Dunkel 事務總長의 仲裁努力도 具體的 成果 別無

- Dunkel 事務總長은 12.19. 워싱턴을 訪問한 바 있고, 1.7부터 브랏셀 訪問中이나 별다른 成果 期待 難望.

③ 美. EC間의 뚜렷한 接觸 움직임도 不在

- 12.14. Yeutter-MacSharry 面談時에도 美. EC間 돼지고기 紛爭, 옥수수 協定期限 延長 問題등 兩者間 懸案만 論議

④ 主要國間 實質的인 妥協點 摸索 努力은 1월말경에나 本格化 豫想

- 1.25-26 Andriessen EC 執行委 副委員長의 中南美 强硬 케언즈 그룹 國家 (알젠틴, 브라질)訪問 協議 및 歸路에 워싱턴 訪問, Hills代表와 面談 豫定
- 1월말경 Dunkel 事務總長의 ASEAN 및 日本 訪問 檢討中

o 따라서 1.15. TNC 會議는 協商 點檢을 위한 小規模, 短期間의 會議가 될 것으로 展望되며 UR 協商의 實質的 再開는 1월말 이후가 될 것으로 觀測

- 美, 日, EC, 濠州, 카나다, 스위스, 北歐등 主要 協商 參加國 및 GATT 事務局의 共通된 意見
- 1.15. 이전 進行키로 되었던 市場接近分野 兩者 協議도 아직 이루어 지지 않고 있으며 美國 農務長官 更迭說 및 이에 따른 美國 立場 變動 可能性도 상기 觀測을 뒷받침.

나. 我國 代表團 派遣

o 상기 事情을 감안 선준영 駐 제코 大使를 首席代表로 하는 小規模 代表團을 派遣함이 바람직.

- 대부분의 國家가 제네바 現地 代表를 參席시킬 것으로 觀測
- 美, EC, 日本, 카나다등 主要 協商 參加國도 首都에서는 核心要員만 派遣 計劃

다. 對外 措置 計劃

o UR 協商의 進展과 원만한 妥結을 위해 我國이 前向的 姿勢로 임하고 있음을 參加國에게 可視的으로 보여주는 것이 중요하므로, 農産物 Offer 修正案, 써비스 1차 Offer案, 無稅化 提案에 대한 政府方針이 確定되는 대로 아래와 같은 外交的 措置 施行 必要

① 1.15. 이전까지 外交經路 (제네바, 서울, 各國首都)를 통해 主要協商 參加國에 새로운 農産物 Offer案을 中心으로 我國의 前向的 立場 說明

- 美國, 카나다, 濠州, 뉴질랜드, 브라질, 알젠틴, 인도네시아, 泰國, EC, 日本, 北歐, 스위스, 오스트리아

② 1.15. 이전 써비스 協商 1차 Offer 提出

③ 1.15. TNC 會議 首席代表 演說을 통해 아래 要旨로 我國立場 表明.

- 이번 TNC 會議에서 UR협상 妥結의 契機가 마련되기를 希望함.
- 韓國은 UR 協商의 成功을 위해 前向的 姿勢로 協商에 임해왔고 이러한 立場을 繼續 堅持할 것임.
- 브랏셀 閣僚會議時 韓國은 Hellstrom 議長의 Non-paper에 韓國의 核心 關心事項이 適切히 反映되지 않았다는 點에 異義를 提起한것 뿐이며 協商을 block하거나 拒否한 것이 아님.
- 韓國은 UR협상의 조속한 妥結을 위해 아래와 같은 努力과 寄與를 다짐함.
  . 農産物 協商의 進展을 위해 旣存 offer 改善 豫定이며, 向後 適當한 時期에 修正 Offer 提出 用意
  . 서비스 協商 Initial Offer 提出
  . 일정 條件下에 分野別 無稅化 協商 參與 用意
  . BOP 協議 結果등 旣存 自由化 公約 誠實 履行
- 餘他 協商 參加國도 이에 상응하는 積極的인 寄與를 해줄 것을 촉구

④ 農産物 修正 Offer 公式 提出은 向後 協商 進行 現況을 보아가면서 提出

添附 : 1. TNC會議 我國 首席代表 演說文 要旨
2. UR 協商의 妥結을 위한 韓國의 寄與에 대한 說明資料 (主要國 說明用 talking points)
3. TNC 會議 關聯 業務 推進 日程 計劃. 끝.

(첨부 1)

UR/TNC 아국 수석대표 연설문 요지

1. 한국은 브랏셀 각료회의에서 UR 협상 성공의 기초가 될 정치적 지침을 마련치 못하게 된 것에 실망하며 이번 TNC 회의에서 UR이 가까운 장래에 원만히 타결될 수 있는 계기가 마련되기를 희망함.

2. 한국은 다자무역체제의 강화와 자유무역을 항상 지지해 왔고 이를 위해 UR협상이 성공적으로 타결되어야 한다는 신념하에 UR 협상의 거의 모든 분야에서 전향적 자세로 협상에 임해 왔으며, 앞으로도 계속 이러한 자세와 입장을 견지할 것임.

3. 일부 언론에서 브랏셀 각료회의시 한국이 여타 수개국과와 함께 농산물 협상을 block 하거나 거부하였다고 보도한 바 있으나 이는 사실과 다름. 한국은 Hellstrom 스웨덴 농무장관의 Non-paper에는 한국의 핵심 관심 사항인 비교역적 고려(NTC), 구조 조정을 위한 유예기간, 시장접근에서의 농업 개도국에 대한 특별우대가 적절히 반영되어 있지 않았기 때문에 이에 관해 이의를 제기한 것일뿐 협상을 block 하거나 거부한 것은 아님.

4. UR 협상의 원만한 타결은 다자간 무역체제의 구원과 세계무역의 확대, 나아가 세계경제의 지속적 성장을 위해 필수적인바 참가국 모두는 이를 위해 최선의 노력과 건설적 기여를 아끼지 말아야할 것임. 한국으로서는 UR의 타결을 위해 다음과 같은 노력과 기여를 다짐함.

   가. 한국은 농산물 분야에서 심각한 어려움을 겪고 있는 것이 사실이나, 농산물 협상의 진전을 위해 보다 전향적인 자세에서 기제출한 Offer를 개선할 예정이며, 향후 농산물 협상의 진전 상황을 보아 수정 Offer를 제출할 용의가 있음.

나. 또한 서비스 분야 협상의 진전을 위해 Initial Offer를 금일자로 제출하였음.

다. 브랏셀 각료회의시 밝힌대로 일정 조건하에 분야별 무세화 협상에도 참여할 용의가 있음.

라. 아울러 한국은 BOP 협의결과등 기존의 다자적인 자유화 공약과 기발표한 자유화 계획도 성실히 이행할 것임.

5. 한국은 UR 협상의 조속한 타결을 위해 이상에서 언급한 사항을 포함하여 전향적 자세로 협상에 참가할 것인바, 모든 참가국도 협상에 보다 적극적인 자세로 임해주기를 희망함.

6

0100

(첨부 2)

UR 협상의 타결을 위한 아국의 기여에 대한 설명 자료

1991. 1 . 8 .

통 상 기 구 과

7

0101

1. UR협상에 대한 그간의 기여 및 기본입장

o 한국은 다자무역체제의 강화와 자유무역을 항상 지지해 왔고 이를 위해 UR 협상이 성공적으로 타결되어야 한다는 신념하에 UR협상의 거의 모든 분야에서 전향적 자세로 협상에 임해 왔음.

- 서비스, 투자, 지적소유권등 신분야 협상 적극 참여
- 열대산품, 비관세, 관세등 시장접근 분야에서의 상당 기여등

o 또한, 다자적으로 공약한 자유화 계획 및 합의 사항을 성실히 이행해 왔음.

- '89-'91 수입자유화 계획 이행(총284개 품목 수입자유화)
- 쇠고기 합의 사항 이행등

o 이는 UR 협상 성공과 다자 무역체제의 강화, 발전에 적극적으로 기여하려는 한국 정부의 노력으로 평가되어야 할 것임.

2. 브랏셀 각료회의 결렬에 대한 입장

o 한국은 브랏셀 각료회의에서 UR 협상 성공의 기초가 될 정치적 지침을 마련치 못하게 된 것에 실망하며 1.15. TNC 회의에서 UR이 가까운 장래에 원만히 타결될 수 있는 계기가 마련되기를 희망함.

o 일부 언론에서 브랏셀 각료회의시 한국이 여타 수개국가와 함께 농산물 협상을 block 하거나 거부하였다고 보도한 바 있으나 이는 사실과 다름.

o 한국은 Hellstrom 스웨덴 농무장관의 Non-paper에는 한국의 핵심 관심 사항인 비교역적 고려(NTC), 구조조정을 위한 유예기간, 시장접근에서의 농업 개도국에 대한 특별우대가 적절히 반영되어 있지 않았기 때문에 이에 대해 이의를 제기한 것일뿐 협상을 block하거나 거부한 것은 아님.

o 어떠한 협상 참가국도 자국의 핵심 관심 사항이 적절히 반영되지 못한 협상안에 대해 이의를 제기할 수 있는 것은 갓트의 확립된 관행이며 권리임.

3. 입장 재검토 배경 및 방향

o 브랏셀 각료회의 결렬 이후 다자간 무역체제의 구원과 세계무역의 확대, 나아가 세계경제의 지속적 성장을 위해 UR 협상의 원만한 타결이 필수적임을 참가국 모두가 재확인하게 되었음.

o 따라서, 성공적 UR협상 종료를 위하여는 모든 협상 참가국들이 최선의 노력과 건설적 기여를 아끼지 말아야 할 것임.

o 이러한 차원에서 한국 정부로서도,

- 첫째, 한국은 농산물 분야에서 심각한 어려움을 겪고 있는 것이 사실이나, 농산물 협상의 진전을 위해 보다 전향적인 자세에서 기제출한 Offer를 개선할 예정이며, 향후 농산물 협상의 진전 상황을 보아 수정 Offer를 제출할 용의가 있음. (Offer 개선 방향 : 하기 4항 참조)

- 둘째, 써비스 분야 협상의 진전을 위해 Initial Offer를 가급적 1.15. 이전에 제출할 것임.

- 셋째, 브랏셀 각료회의시 밝힌대로 일정 조건하에 분야별 무세화 협상에도 참여할 것임.

10

0104

o 아울러 한국은 89.10월 갓트 BOP 협의 결과등 기존의 다자적인 자유화 공약과 기발표한 자유화 계획도 성실히 이행할 것임.

o 한국은 UR협상의 조속한 타결을 위해 이상에서 언급한 사항을 포함하여 전향적 자세로 협상에 참가할 것인바, 모든 참가국도 협상에 보다 적극적인 자세로 임해주기를 희망함.

4. 한국의 농산물 Offer 개선 방향

기본 방향

o 한국의 농업은 전체인구의 16%인 8백만의 농가인구, 총 취업인구의 18.7%가 농업 취업인구를 점하고 있으며 GNP에 대한 기여는 8.4%수준으로 한국 경제에 중요한 부문임. 그러나, 선진국에 비해 상대적으로 낮은 생산성등 구조적 취약성을 벗어나지 못하고 있는 전형적인 개도국 농업의 특성을 지님.

o 따라서, 시장개방과 자생력 배양을 위해서는 장기간의 구조조정 기간과 정부의 지원이 필요함.

o 그러나, 이러한 어려움에도 불구, UR 농산물 협상의 타결을 위해 예외를 최소화하고 De Zeeuw 의장과 Hellstrom 의장의 초안을 가능한 수용코자 함.

o 이러한 전향적 자세를 가능케하기 위해서는 무엇보다도 개도국 우대에 바탕을 둔 장기 보조 및 보호 감축기간등을 통해 구조조정에 필요한 기간 확보등 현실적인 여건이 마련되어야 함.

시장 접근

① 관세화

o 대상품목 : 쌀등 2-3개 품목을 제외한 현행 모든 수입제한 품목

o 이행기간 및 감축폭 : 선진국의 1/2 수준 부담

o 최소 시장접근

- 수입실적이 있는 품목 : 현 수준 시장접근 보장

- 수입실적이 없는 품목 : 선진국의 1/2 수준을 최소 시장접근으로 보장

② 갓트 BOP 협의 결과 이행

o UR 협상에서 동 품목을 UR 협상 결과 이행 초년도에 일괄 관세화

- 단, 91.3.까지 협상이 타결되지 않거나 관세화 원칙에 대한 합의가 이루어지지 않을 경우 BOP 협의 결과에 따라 91.3. 갓트에 '92-'94 수입자유화 계획을 통보할 방침 (단, 91.3. 이후 UR 협상 타결 및 동 협상에서 관세화 원칙 합의시 UR 협상 결과 이행초년도에 일괄 관세화)

③ 관세화 예외 품목

o 대상 품목 : 보리등 1-2개 품목(단, 최소 시장접근은 보장)

④ 쌀 1개 품목에 대한 시장접근 예외

- 북한과 군사적으로 대치하고 있는 현상황하에서 식량안보에 극히 긴요
- 농가소득의 40-50%를 점하고 있어 농가소득 유지에 필수적이며 한국 농업의 근간으로서 문화적 전통과도 긴밀히 연계
- 시장 개방에 앞서 선행되어야 하는 구조 조정 필요성
- 도시에 비해 낙후된 농촌실정, 도. 농간 소득격차 확대, 수입자유화에 따른 농가 소득감소등으로 인한 농민의 고조되고 있는 정치, 사회적 불만등 국내 정치적 어려움.

국내 보조

o 선진국 1/2 수준의 감축 의무 부담

- 단, 쌀에 대한 국내보조는 현행대로 유지

Offer 개선 조건

o 상기 시장접근, 국내보조에서 새로운 Offer를 가능하게 하기 위해서는 하기 사항 반영 필요

① 개도국 우대 적용

- 이행기간, 감축폭에 있어서 선진국의 1/2 수준 부담 (관세화, 최소시장접근 및 국내보조 공히 해당)

② 갓트 11조 2항 (C) (i)의 개선 및 동조항 원용권리 유보

- 향후 11조 2항 (C) (i)가 현재처럼 엄격한 조건 때문에 원용할 수 없는 조항이 아니라 원용 가능하도록 개선 되어야 하며 아국은 동 조항 원용 권리 유보. 끝.

14

0108

(첨부 3)

UR/TNC (1.15) 회의 관련 업무 추진 일정 계획

일 자	업 무 계 획	비 고
1.7(월)	o 정부 방침 결정 (관계부처 장관회의) o 관계부처 대표 추천 요청 (전통 발송) o 수석대표 발언 요지, 주제네바대표부 타전	
1.8(화) - 1.9(수)	o 대표단 파견 준비 - 훈령 작성 - 수석대표 연설문 작성 - 대표단 임명, 결재상신 o 주요국 사전통보 준비 - Talking point 작성 - 지시 전문 작성	
1.9(수)	o 정부방침 최종확정 (대외협력 위원회)	
1.10(목)	o 대표단 임명 결재 완료 o 대표단 훈령 타전 (주제네바대표부, 주체코대사관) o 주요국 공관 지시 전문 (사전 통보) 타전	
1.11(금)	o 대표단 출발 o 주요국 주한 대사관 설명 차관 - 주한 미국대사 통상국장 - 주한 호주, 카나다, 뉴질랜드대사	

15

0109

UR 협상의 타결을 위한 아국의 기여에 대한 설명 자료

1991. 1 . 8 .

통 상 기 구 과

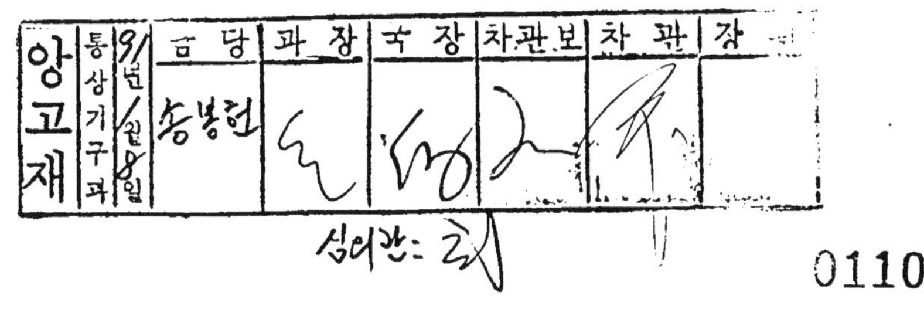

앙 고 재	통상기구과	91년 1월 8일	담 당	과 장	국 장	차관보	차 관	장 관
			송봉헌					

심의관:

0110

1. UR협상에 대한 그간의 기여 및 기본입장

o 한국은 다자무역체제의 강화와 자유무역을 항상 지지해 왔고 이를 위해 UR 협상이 성공적으로 타결되어야 한다는 신념하에 UR협상의 거의 모든 분야에서 전향적 자세로 협상에 임해 왔음.

- 서비스, 투자, 지적소유권등 신분야 협상 적극 참여
- 열대산품, 비관세, 관세등 시장접근 분야에서의 상당 기여등

o 또한, 다자적으로 공약한 자유화 계획 및 합의 사항을 성실히 이행해 왔음.

- '89-'91 수입자유화 계획 이행(총284개 품목 수입자유화)
- 쇠고기 합의 사항 이행등

o 이는 UR 협상 성공과 다자 무역체제의 강화, 발전에 적극적으로 기여하려는 한국 정부의 노력으로 평가되어야 할 것임.

2. 브랏셀 각료회의 결렬에 대한 입장

o 한국은 브랏셀 각료회의에서 UR 협상 성공의 기초가 될 정치적 지침을 마련치 못하게 된 것에 실망하며 1.15. TNC 회의에서 UR이 가까운 장래에 원만히 타결될 수 있는 계기가 마련되기를 희망함.

o 일부 언론에서 브랏셀 각료회의시 한국이 여타 수개국가와 함께 농산물 협상을 block 하거나 거부하였다고 보도한 바 있으나 이는 사실과 다름.

o 한국은 Hellstrom 스웨덴 농무장관의 Non-paper에는 한국의 핵심 관심 사항인 비교역적 고려(NTC), 구조조정을 위한 유예기간, 시장접근에서의 농업 개도국에 대한 특별우대가 적절히 반영되어 있지 않았기 때문에 이에 대해 이의를 제기한 것일뿐 협상을 block하거나 거부한 것은 아님.

o 어떠한 협상 참가국도 자국의 핵심 관심 사항이 적절히 반영되지 못한 협상안에 대해 이의를 제기할 수 있는 것은 갓트의 확립된 관행이며 권리임.

2

0112

3. 입장 재검토 배경 및 방향

o 브랏셀 각료회의 결렬 이후 다자간 무역체제의 유지·발전과 세계무역의 확대, 나아가 세계경제의 지속적 성장을 위해 UR 협상의 원만한 타결이 필수적임을 참가국 모두가 재확인하게 되었음.

o 따라서, 성공적 UR협상 종료를 위하여는 모든 협상 참가국들이 최선의 노력과 건설적 기여를 아끼지 말아야 할 것임.

o 이러한 차원에서 한국 정부로서도,

- 첫째, 한국은 농산물 분야에서 심각한 어려움을 겪고 있는 것이 사실이나, 농산물 협상의 진전을 위해 보다 전향적인 자세에서 기제출한 Offer를 개선할 예정이며, 향후 농산물 협상의 진전 상황을 보아 수정 Offer를 제출할 용의가 있음. (Offer 개선 방향 : 별첨 참조)

- 둘째, 써비스 분야 협상의 진전을 위해 Initial Offer를 가급적 1.15. 이전에 제출할 것임.

- 셋째, 브랏셀 각료회의시 밝힌대로 일정 조건하에 분야별 무세화 협상에도 참여할 것임.

o 아울러 한국은 89.10월 갓트 BOP 협의 결과등 기존의 다자적인 자유화 공약과 기발표한 자유화 계획도 성실히 이행할 것임.

o 한국은 UR협상의 조속한 타결을 위해 이상에서 언급한 사항을 포함하여 전향적 자세로 협상에 참가할 것인바, 모든 참가국도 협상에 보다 적극적인 자세로 임해주기를 희망함.

첨부 : 한국의 농산물 Offer 개선 방향

0114

첨부 : 한국의 농산물 Offer 개선 방향

기본 방향

o 한국의 농업은 전체인구의 16%인 8백만의 농가인구, 총 취업인구의 18.7%가 농업 취업인구를 점하고 있으며 GNP에 대한 기여는 8.4%수준으로 한국 경제에 중요한 부문임. 그러나, 선진국에 비해 상대적으로 낮은 생산성등 구조적 취약성을 벗어나지 못하고 있는 전형적인 개도국 농업의 특성을 지님.

o 따라서, 시장개방과 자생력 배양을 위해서는 장기간의 구조조정 기간과 정부의 지원이 필요함.

o 그러나, 이러한 어려움에도 불구, UR 농산물 협상의 타결을 위해 예외를 최소화하고 De Zeeuw 의장과 Hellstrom 의장의 초안을 가능한 수용코자 함.

o 이러한 전향적 자세를 가능케하기 위해서는 무엇보다도 개도국 우대에 바탕을 둔 장기 보조 및 보호 감축기간등을 통해 구조조정에 필요한 기간 확보등 현실적인 여건이 마련되어야 함.

시장 접근

① 관세화

o 대상품목 : 쌀등 2-3개 품목을 제외한 현행 모든 수입제한 품목

o 이행기간 및 감축폭 : 선진국의 1/2 수준 부담

o 최소 시장접근

- 수입실적이 있는 품목 : 현 수준 시장접근 보장

- 수입실적이 없는 품목 : 선진국의 1/2 수준을 최소 시장접근으로 보장

② 갓트 BOP 협의 결과 이행

o UR 협상에서 동 품목을 UR 협상 결과 이행 초년도에 일괄 관세화

- 단, 91.3.까지 협상이 타결되지 않거나 관세화 원칙에 대한 합의가 이루어지지 않을 경우 BOP 협의 결과에 따라 91.3. 갓트에 '92-'94 수입자유화 계획을 통보할 방침 (단, 91.3. 이후 UR 협상 타결 및 동 협상에서 관세화 원칙 합의시 UR 협상 결과 이행초년도에 일괄 관세화)

③ 관세화 예외 품목

o 대상 품목 : 보리등 1-2개 품목(단, 최소 시장접근은 보장)

6

0116

④ 쌀 1개 품목에 대한 시장접근 예외

- 북한과 군사적으로 대치하고 있는 현상황하에서 식량안보에 극히 긴요
- 농가소득의 40-50%를 점하고 있어 농가소득 유지에 필수적이며 한국 농업의 근간으로서 문화적 전통과도 긴밀히 연계
- 시장 개방에 앞서 선행되어야 하는 구조 조정 필요성
- 도시에 비해 낙후된 농촌실정, 도. 농간 소득격차 확대, 수입자유화에 따른 농가 소득감소등으로 인한 농민의 고조되고 있는 정치, 사회적 불만등 국내 정치적 어려움.

국내 보조

o 선진국 1/2 수준의 감축 의무 부담
  - 단, 쌀에 대한 국내보조는 현행대로 유지

Offer 개선 조건

o 상기 시장접근, 국내보조에서 새로운 Offer를 가능하게 하기 위해서는 하기 사항 반영 필요

① 개도국 우대 적용

- 이행기간, 감축폭에 있어서 선진국의 1/2 수준 부담
  (관세화, 최소시장접근 및 국내보조 공히 해당)

② 갓트 11조 2항 (C) (i)의 개선 및 동조항 원용권리 유보

- 향후 11조 2항 (C) (i)가 현재처럼 엄격한 조건 때문에 원용할 수 없는 조항이 아니라 원용 가능하도록 개선 되어야 하며 아국은 동 조항 원용 권리 유보. 끝.

8

0118

關聯國 事前 通報등 對外 措置 必要性

91.1.9. 대외협력위 보충자료.

91.1.9. 통상기구과.

農林水産部에서 主要國이 전혀 움직임을 보이지 않고 있다는 點을 들어 現 時點에서 立場 調整 用意를 對外的으로 알릴 필요가 없다는 主張을 펼 경우에 대한 對應 資料.

1. 美. EC間 妥結 與否에 관계 없이 豫定된 對外 措置 施行이 必要

- 美. EC 妥結 成功時 : 我國의 立場과 意思와는 관계 없이 妥結 結果 受容 不可避
- 美. EC 妥結 失敗時 : 我國이 EC와 同一線上에서 輸出國들의 非難의 표적이 되는 일이 없도록 事前에 확실한 意思 表明을 해두는 것이 重要

2. 我國 關心 事項은 美. EC間 折衷의 對象이 되고 있는 內容과는 無關

- 補助金減縮 規模, 輸出補助金 처리 問題등이 美. EC間의 關心 事項으로 NTC, 猶豫期間등 再調整 對象에 되고 있는 旣存 我國의 立場과는 無關한 事項

3. 現實的으로도 立場 變更 必要

- NTC 反映 可能性 期待難
- 核心 品目인 쌀에 대한 例外 確保, 餘他 品目에 대한 減縮幅 및 履行期間에 있어서의 特別 考慮등 實利 追求가 賢明

4. 美國등 主要交易對象國에게 우리의 前向的 姿勢를 可視的으로 보여주는 것이 緊要. 끝.

0119

첨부 : 농산물 협상 아국 입장 재조정 방향에 관한 당부 의견

1. 개선 방향

기본 방향

ㅇ 예외를 가급적 최소화하고 합의 예상되는 Framework안에서 아국의 핵심 입장 반영

국내보조

ㅇ 합의될 Framework 내 허용보조 범위 확대 및 동조건의 완화

- 허용 보조 범위 확대
- 선진국에 적용되는 허용보조 범위보다 개도국에는 동 범위가 융통성 있도록 적용
- AMS base가 아닌 실질 정부 지출 예산기준(예 : 선진국 5%, 개도국10%) 허용 보조 확대등

※ 상기 기술적 문제는 연구, 보강

ㅇ 합의된 Framework내에서 감축폭, 감축기간에서의 특별우대 확보

- 예 : 선진국 5년, 30%

  개도국 5년, 15%

0120

시장접근

o 예외 품목 최소화

- 완전 예외 품목은 쌀 1개 품목으로 축소 (MTR에서 인정된 NTC에 대한 특별 고려 근거 활용)
- BOP 품목 9개는 이행초년도 부터 모두 관세화
- 콩, 옥수수는 관세화 하되 현 생산 수준 확보등 여타 국내적 대응 방안 강구
- 보리, 감자, 고구마는 국내소비의 1% 이상을 최소시장 접근으로 보장하되 갓트 11조 2항(C) (i)에 합치하여 수입제한

o 관세상당치의 감축폭, 감축기간에서의 개도국 특별우대 확보

o 갓트 제11조 2항(C)조문상 수량 제한 근거 확보

o 이행기간중 관세인상과 함께 수량제한도 인정하는 특별세이프가드 제도운영

0121

2. 기존 Offer 와의 대비표

협 상 요 소	De Zeeuw 의장안(90.7)	Hellstrom 의장안 . (90.12.6)	기존 Offer	재검토 방안
국내보조	o 일정조건하 허용되는 보조금을 제외한 모든 보조금을 91/92 부터 합의될 기간 동안 원칙적으로 AMS 사용, 합의될 수준으로 감축 o 개도국 우대 - 합의 될 조건하 이행범위, 이행 기간등에서 융통성 부여 - 특히 개발목적 보조금의 경우 일정조건하 감축 대상에서 제외	o '91부터 5년간 품목별 30% 감축 - 기준년도 : 90년 또는 최근 회계, 유통년도 - 감축방법 : 매년 균분 감축 - 감축대상보조 : 원칙적으로 교역에 가장 왜곡 효과가 큰 보조 o 개도국 우대 - 감축폭 : 15% -30% - 감축기간 : 5년-10년	o 6년 유예기간 후인 '97부터 10년동안 30% 감축 - 단, 농가소득 안정적 확보, 구조조정 정책, NTC 등 관련 보조금은 허용	o 합의 될 Frawework 내 허용 보조 범위확대 및 동 조건의 완화 - 허용보조 범위 확대 - 선진국에 적용되는 허용 보조금 범위보다 개도국에는 동범위가 융통성 있도록 적용 - AMS base가 아닌 실질 정부 예산지출 기준 허용 보조확대등 o 합의된 framawork내에서 감축폭, 감축기간에서의 특별우대 확보 - 6년 유예기간은 철회

0122

협 상 요 소	De Zeeuw 의장안(90.7)	Hellstrom 의장안 (90.12.6)	기존 Offer	재검토 방안
o 국경조치	o 모든 비관세 조치를 관세화, 91/92부터 TE를 합의될 기간 동안 합의될 수준으로 감축 - 최소한 기존의 시장접근 수준유지 - 수입실적이 미미한 경우 91/92부터 총소비의 X%를 최소시장 접근으로 보장 o 개도국 우대 - 개도국 관심품목에 대한 시장접근 기회 제고 o NTC - 특정품목에 특별 상황이 있을 경우 협상에 의해 TE 감축율, 시장접근 증가율 별도 결정 o 특별세이프가드 제도 - 관세인상 가능한 안전장치를 협상에 의해 도출 o 모든 기존관세의 양허 및 관세인하	o '91부터 5년간 모든 품목에 대해 '90기준 국경보호 30% 감축 (매년 균분 감축) - 90년 현재 시장접근수준은 관세화를 포함한 향후 합의될 Modality에 따라 유지 - 수입실적이 미미한 품목의 경우 91/92부터 현재 국내소비의 최소 5%를 최소시장 접근수준으로 보장 o 개도국 우대 - 개도국 관심품목에 대한 시장접근 기회 제고	o 15개 NTC 품목은 관세화 대상에서 제외 - 쌀, 보리, 콩, 옥수수, 감자, 고구마, 고추, 마늘, 참깨, 양파, 감귤, 쇠고기, 돼지고기, 닭고기, 우유 및 유제품 o 여타 품목은 '91-'97간 단계적으로 관세화 - TE는 관세화 싯점부터 10년동안 30%감축 - '86-'88평균 수입량을 TQ로 보장 - 수입실적이 미미한 경우 소비량의 1% TQ 보장 o 특별세이프가드 제도 - 관세인상 및 수량제한 가능 - 관세화 이행기간 이후에도 적용 o 관세인하 및 양허 확대 용의 - 단, 부적절하게 낮은 양허관세율은 재조정 필요	o 예외 품목 최소화 - 완전 예외 품목은 쌀 1개 품목으로 축소 (MTR에서 인정된 NTC에 대한 특별고려 근거 활용) - BOP 품목 9개는 UR협상 결과 이행 초년도부터 모두 관세화 - 콩, 옥수수는 관세화 하되 현생산수준 확보등 여타 국내적 대응방안 강구 - 보리, 감자, 고구마는 국내소비의 1% 이상 (X%)을 시장접근으로 보장하되 갓트11조 2항 (C)(i)에 합치하여 수입 제한 (삭제) o TE 감축폭, 감축기간에서의 개도국 특별우대 확보 o 갓트 11조 2항(C)조문상 수량제한 근거 확보 o 이행기간중 관세인상과 함께 수량제한도 인정하는 특별세이프가드 제도 운영

0123

對外協力委員會
報告 案件

「우루과이 라운드」 協商展望 및 對策

1991. 1. 9

對外協力委員會

0124

目 次

0125

Ⅰ. 最近의 「우루과이 라운드」協商動向과 展望

1. 最近의 協商動向

- 지난 4년동안 진행되어온 「우루과이 라운드」協商은 지난해 12월 「브랏셀」會議에서도 最終結論에 이르지 못하고 금년초까지 協商을 延長

- 현재의 協商冷却期間中에도 協商參與國들은 項上들간의 對話, 각종 非公式接觸 및 自國의 立場再調整등을 통하여 協商進展을 위한 努力을 展開

  ○ 美國 부시大統領은 EC등 주요 協商參加國 項上들과의 對話 및 書信交換등을 통한 의견교환

  ○ 던켈 GATT 事務總長은 協商의 돌파구마련을 위하여 美國, EC, 아세안 國家등을 巡訪

  ○ EC는 農產物協商에서의 域內國家들의 의견조정을 위한 執行委員會를 開催(1.4)

- 이와같은 協商打開를 위한 노력과 함께 「우루과이 라운드」協商失敗時의 위기의식이 한층 고조되고 있으며 주요 協商參加國들은 책임소재문제를 公式的으로 擧論하고 있는 상황

0126

2. 앞으로의 協商展望

- 브랏셀 會議에서 實務協商 責任을 위임받은 GATT 사무총장 (Dunkel)은 協商續開를 위하여 1월 15일 大使級 貿易協商 委員會를 소집

- 現 時点에서 앞으로의 協商展開에 대하여 비관적인 견해와 樂觀的인 견해가 竝存

  o 美國은 中東事態 解決에 골몰하고 있고 EC국가들은 1992년末 EC統合問題에 전념하고 있어 協商이 妥結되기 어렵다는 見解 尙存

  o 反面 現在 「우루과이 라운드」協商에서 가장 큰 쟁점이 되고 있는 農産物協商에서 美國과 EC가 政治的 절충을 이룸으로써 協商이 순조롭게 妥結될 것이라는 意見도 다수 提示

  o 이는 農産物協商에서 EC의 새로운 대안제시에 반대해온 獨逸이 총선이 마무리된 단계에서 프랑스를 설득하여 보다 緩和된 讓步案을 제시할 것이라는 기대에 의하여 뒷받침

- 最近에 들어 樂觀적인 견해가 다소 우세하나 EC존립의 바탕인 共同農業政策(CAP)改革에는 한계가 있으므로 앞으로의 協商은 美國과 EC등 각국의 政治的 결단에 의해 결정될 것이며 1월15일 貿易協商委員會에서 協商의 진전여부가 밝혀질 것으로 豫想

0127

Ⅱ. 그간의 協商參與에 대한 評價

- 그간 우리나라는「우루과이 라운드」協商 15개 모든 分野에 걸쳐 協商에 적극적으로 참여하여 우리의 基本立場을 제시하는 한편 國家別 協商에도 能動的으로 對處

  ㅇ 關稅分野에서는 先進國에 접근하는 수준으로 關稅를 引下(33%) 識許함과 동시에 美國의 無稅化 提案에도 참여방침표명

  ㅇ 纖維分野에서는 纖維輸出國의 立場에서 美國등 輸入國의 立場을 肯定的으로 수용

  ㅇ 知的所有權 保護,通信등 서비스분야에서는 先進國과 開發途上國의 중간위치에서 仲裁的 役割 遂行함으로써 다수국가의 참여를 주장

- 다만 우리가「우루과이 라운드」協商에서 상대적으로 방어적이 될 수 밖에 없는 農産物分野에서 우리 國內農業의 어려움때문에 여타 農産物 輸入國과 함께 강경한 立場의 固守가 불가피

  ㅇ 이에 대하여 일부 協商主導國들은 이번 協商에서 핵심과제인 農産物協商에서 韓國이 상당히 硬直된 基本立場을 고수하고 있는 態度를 非難

  ㅇ 특히 미국과 호주등 케언즈그룹 國家들은 EC와 일본, 한국을「우루과이 라운드」協商에서 가장 비협조적이라고 공개적으로 비난하고 브랏셀 閣僚會議 延長責任의 전가를 시도

- 이와같은 非難은 그간 우리의 協商姿勢에 비추어 볼때 반드시 정당하다고 만은 볼 수 없으나 현재의 상황이 지속되면 우리의 協商에 대한 寄與側面은 제대로 평가받지 못한채 協商遲延 또는 失敗의 責任을 부담하게 됨으로써 가장큰 피해를 받게 될 可能性

  ㅇ 우리나라는 日本,EC등에 비하여 상대적으로 協商力이 약하고 地域經濟形成의 대안도 없기 때문에 協商失敗時 직접적이고 강력한 雙務的 開放壓力에 직면

- 따라서 앞으로 얼마남지 않은 協商期間동안 協商에 대한 올바른 인식을 바탕으로 현재의 어려운 協商與件을 극복하고 우리경제의 全般的 運用方向과 일치될 수 있는 방향에서 協商에 대응해 나간다는 姿勢의 정립이 중요

  ㅇ「우루과이 라운드」 協商은 長期間에 걸쳐 世界交易自由化를 圖謀하고 있기 때문에 우리도 長期的인 안목에서 協商에 대응

  ㅇ 쌍무적인 問題解決方式보다는 多者間 協商이 우리에게 크게 유리하다는 인식하에 능동적인 대응

  ㅇ 전반적인 開放化가 불가피한 상황에서 국내 個別産業의 문제점은 國內制度改善 및 構造調整努力을 통하여 해결해 나가야 한다는 積極的 姿勢 필요

- 이와같은 상황인식과 적극적인 姿勢를 바탕으로 「우루과이 라운드」協商의 成敗와 관계없이 앞으로의 協商에 능동적으로 對處

Ⅲ. 向後 協商對策

1. 基本方向 및 推進課題

〈基 本 方 向〉

◇ 「우루과이 라운드」協商이 마무리단계에 와있는 만큼 앞으로 전개될 새로운 協商與件에 伸縮性있게 對應함으로써 全體協商의 成功的 妥結에 기여

◇ 全體 協商妥結의 관건이 되고 있는 農産物 및 서비스 協商分野에서는 우리의 실리를 最大限 확보하면서 協商의 大勢와 조화될 수 있는 協商戰略을 수립.추진

▼

〈重 点 推 進 課 題〉

◇ 農産物協商에서는 지나친 例外認定要求보다는 GATT규정과 協商흐름내에서 우리의 입장을 최대한 반영할 수 있는 伸縮的인 代案마련

◇ 서비스協商에서는 우리의 長期的인 開放政策方向에 적합한 수준에서 讓許計劃을 제출함으로써 全體協商에 寄與해 나간다는 我國의 意志表明

◇ 우리의 長期的인 工産品 關稅引下 趨勢의 範圍內에서 추가적인 關稅引下 協商에 참여하는 한편 主要國의 關稅無稅化 提案에 相互主義 原則에 따라 능동적으로 대처

0130

2. 主要分野에서의 協商對策

가. 農産物 協商

- 協商이 막바지 段階에 이른 狀況이기 때문에 我國이 그간 경직적으로 고수해온 당초 協商案을 견지할 경우 현재의 協商雰圍氣로 보아 매우 어려운 立場에 처할 것으로 예상

  o 앞으로의 協商에서 我國이 協商에서 소외될 수 있고 이렇게 될 경우 우리의 立場貫徹이 더욱 어려워질 可能性

  o 農産物協商이 우리의 意思와 관계없이 美國, EC등 協商主導國들의 合意에 의해 妥結될 경우에도 協商結果 受容 불가피

- 따라서 앞으로의 協商에서는 우리의 核心關心事項의 反映을 계속 主張하되 協商의 기본틀과 크게 차이가 나는 協商대응을 조정하여 協商의 흐름속에서 우리의 實利가 확보될 수 있도록 대응

  o 쌀등 최소한의 食糧安保 對象品目의 開放例外立場 견지

  o 우리가 開發途上國 우대적용 對象國이 되도록 協商力을 집중함으로써 市場開放과 國內補助 減縮에 있어 長期履行期間의 확보에 주력

  o 國內生産統制와 輸入制限을 연결시킬 수 있는 현재 GATT 規定을 최대한 援用함과 동시에 同條項의 합리적 改善을 위하여 利害關係國과의 共同努力 強化

0131

o 輸入을 開放하더라도 점진적인 市場接近을 통하여 國內 生産 基盤이 최대한 유지될 수 있도록 하는 範圍內에서 最小市場接近 許容

o 開放化에 따른 國內被害를 最小化할 수 있도록 關稅引上과 함께 數量制限이 가능한 緊急輸入制限制度 마련에 協商力 集中

- 이러한 協商對策의 推進과 더불어 農業構造調整등 國內 補完對策의 着實한 推進

o 「우루과이라운드」協商과 관계없이 農漁家에 대한 全體 支援規模는 지속적으로 擴大시켜 나가되 支援方式을 農漁家의 實質所得增大 및 國際規範에 맞도록 制度改善

o 農業生産性向上, 農外所得增大, 農漁村環境改善 및 敎育.醫療등 農漁民 福祉 向上등을 中心으로 農漁村綜合開發對策을 修正.補完

* 上記 基本方向을 중심으로 具體的인 補完對策 별도 마련 추진

0132

나. 서비스協商 讓許計劃 提出

<協商推進狀況과 我國의 對應>

- 基本協定.分野別 主釋書制定에 대한 協商進展이 未洽함에도 불구하고 서비스貿易自由化에 대한 意志表明을 위해 9個國이 브랏셀 閣僚會議時까지 條件附로 最初의 讓許計劃表를 提出

  o 美國, 스위스, EC, 호주, 뉴질랜드, 홍콩, 스웨덴, 캐나다 등 讓許計劃을 제출한 9個國의 世界 서비스交易 占有比重은 80%에 달함

  o 대부분의 國家가 현재의 서비스交易에 대한 國內規制水準을 凍結(Standstill)하고 一部業種의 自由化計劃을 포함하는 수준의 讓許計劃表를 제출

- 아국도 당초 브랏셀 閣僚會議時까지 讓許計劃書를 提出코자 推進하였으나 방대한 作業量으로 인해 未提出

- 그러나 我國이 제네바 貿易協商委員會('91.1.15)에 讓許計劃表를 제출할 경우 膠着狀態에 빠진 서비스協商의 進展에 寄與한 것으로 평가받을 수 있을 것으로 判斷되며 金融, 通信分野등에서의 雙務的 通商壓力緩化에도 바람직

0133

<我國 讓許計劃(案)의 內容>

① 서비스協商에 대한 我國의 基本立場

- 서비스協商의 核心爭點인 包括業種範圍 및 最惠國待遇(MFN) 問題에 대하여 전체 업종이 포함되어야 하며 (Universal Coverage)와 무조건적 MFN 原則 관철을 주장

- 現行 國內法에 의해 일반적으로 適用되는 外國人의 國內營業活動에 관한 制限事項은 기본적으로 유지 (例: 外資導入法,外國換管理法등 外國人土地法,出入國管理法)

- 서비스 一般協定 및 分野別 附屬書, 各國의 讓許計劃 內容이 具體化될 경우 우리의 立場을 伸縮性 있게 調整

② 分野別 市場開放 約束

<對象業種>

○ 金融, 通信, 運送, 流通, 建設, 事業서비스등 서비스協商에서 論議된 주요한 업종을 대부분 포함

○ 敎育 및 保健서비스 전체, 流通分野中 貿易業, 事業서비스중 法務서비스등은 除外

<自由化水準>

○ 대부분 現存開放 및 規制水準을 凍結하는 정도에서 제시

○ 通信分野등 비롯한 美國등 主要國의 關心事項에 대해서는 追加的인 自由化計劃을 포함

0134

<向後 推進對策>

- 上記內容의 讓許計劃을 '91.1.15 제네바 TNC會議에 제출함으로써 우리의 協商力 強化

- 讓許協商에의 徹底한 對應

  ㅇ 美國, EC등 先進國으로부터 開放要求가 있을 것으로 豫想되는 分野에 대하여 協商代案을 開發하는 同時에 相對國에 대한 要求事項(Request List)을 철저히 준비

    . 讓許計劃表에서 除外되었다 하더라도 最終的으로 開放對象에서 除外되는 것은 아니므로 教育 및 保健서비스등에 대해서 美國, EC등 主要先進國이 開放要求 가능

    . 金融, 流通등 讓許計劃表에 包含시킨 業種에 대해서도 包括範圍의 擴大 및 보다 높은 수준의 自由化要求 可能

  ㅇ 各部處에 構成되어 있는 18個 分野別 對策班에 協商專門家를 參與시키는등 讓許協商팀을 補強

- 國內補完對策의 推進

  ㅇ 지금까지 把握된 國內規制現況을 바탕으로 各部處는 民間의 자유로운 競爭을 저해하는 規制制度를 整備

  ㅇ 長期的인 次元에서 各部處는 서비스協商을 契機로 所管業種에 대한 國際競爭力의 強化方案 등을 包含한 産業構造調整方案을 綜合的으로 推進

다. 關稅引下 및 無稅化 協商 對策

- 지난해 12月 브랏셀 閣僚會議時 우리는 關稅追加 引下 및 無稅化 協商參與 反對立場을 變更하여 「우루과이라운드」 協商에 적극 寄與한다는 趣旨에서 同協商에의 參與意思를 표명

  o 無稅化 論議對象分野 : 맥주, 建設裝備, 電子製品, 水産物, 非鐵金屬, 鐵鋼, 醫藥品, 종이, 木材 및 木製品등 9個 分野

  o 우리나라 參與要求分野 : 建設裝備, 電子製品, 鐵鋼, 水産物, 종이, 木材등 6個 分野

- 앞으로 關稅無稅化 協商이 本格的으로 論議될 것이 豫想되므로 이에 철저히 대비

  o 이미 협상참여를 요구받은 분야에서는 分野別 競爭力 狀況을 고려하여 無稅化受容與否 및 適正水準의 履行期間確保方案 마련

  o 長期的인 輸出環境의 개선을 위하여 우리가 無稅化를 要求할 수 있는 品目을 選定하여 向後 協商에 포함 시키도록 努力

◇ 上記 農産物, 서비스 및 關稅無稅化 協商에 대한 우리의 基本立場은 1월15일 제네바에서 개최될 貿易協商委員會에서 公式 提示

◇ 또한 各種 公式.非公式會議에서의 실질토의에 적극 참여하여 우리의 立場反映에 최대의 노력 경주

Ⅳ. 「우루과이라운드」 協商關聯 國內對策의 推進

- 「우루과이라운드」 協商의 成敗에 관계없이 現在協商에서 논의되고 있는 國際交易의 範圍 및 自由化 幅의 擴大趨勢는 어떤 형태로든 새로운 國際經濟秩序의 基本原則으로 작용

- 우리경제의 最大課題인 산업의 全般的인 競爭力 提高는 적절한 수준의 國際化 達成에 의해서만 가능

- 이와같은 관점에서 協商에의 적극적 참여는 물론 政府次元에서 종합적으로 추진되어야 할 다음의 과제에 대하여는 細部的인 國內對策을 마련하여 着實하게 推進
  - o 새로운 國際交易推移의 變化아래에서 국제화에 부응할 수 있는 經濟運用 방식을 정착
  - o 對內競爭促進 施策의 추진등 산업의 全般的 경쟁력 제고
  - o 農業構造調整政策 및 農漁家 所得增大 施策의 착실한 추진
  - o 서비스산업의 開放化 促進과 競爭力 향상
  - o 國際化관련 對外交涉能力의 확충 및 開放化에 대한 국민인식의 제고

◇ 上記 課題中 短期的인 措置가 필요한 사항에 대해서는 금년 上半期中 細部對策 마련 추진

◇ 中.長期的인 대책은 제7차 經濟社會 發展 5個年計劃에 반영하여 추진

對外協力委員會
報 告 案 件

「우루과이 라운드」協商展望과 對策

1991. 1. 9

UR對策實務委員會

0138

目　　次

0139

I. 最近의 「우루과이 라운드」 協商動向과 展望

1. 最近의 協商動向

- 지난 4年동안 進行되어온 「우루과이 라운드」協商은 지난해 12月 「브랏셀」會議에서도 最終結論에 이르지 못하고 今年初까지 協商을 延長

- 現在의 協商 冷却期間中에도 協商參與國들은 頂上들間의 對話, 各種 非公式接觸 및 自國의 立場再調整등을 통하여 協商進展을 위한 努力을 展開
  - o 美國 부시大統領은 EC등 主要 協商參加國 頂上들과의 對話 및 書信交換등을 通한 意見交換
  - o 던켈 GATT 事務總長은 協商의 돌파구마련을 위하여 美國, EC, 아세안 國家등을 巡訪
  - o EC는 農産物協商에서의 域內國家들의 意見調整을 위한 執行委員會를 開催하였으나 實質討議에 들어가지 못하고 1月 19日 會議에서 再論議키로 決定

- 이와같은 協商打開를 위한 努力과 함께 「우루과이 라운드」協商 失敗時의 危機意識이 한층 高潮되고 있으며 主要 協商 參加國들은 責任所在問題를 公式的으로 擧論하고 있는 狀況

2. 앞으로의 協商展望

— 브랏셀會議에서 實務協商 責任을 委任받은 GATT事務總長은 協商續開를 위하여 1月 15日 大使級 貿易協商委員會를 소집

— 現 時點에서 앞으로의 協商展開에 대하여 비관적인 견해와 樂觀的인 견해가 竝存

○ 美國은 中東事態 解決에 골몰하고 있고 EC國家들은 1992年末 EC統合問題에 專念하고 있어 協商이 妥結되기 어렵다는 見解 尙存

○ 反面 現在 「우루과이 라운드」協商에서 가장 큰 爭點이 되고 있는 農産物協商에서 美國과 EC가 政治的 절충을 이룸으로써 協商이 순조롭게 妥結될 것이라는 意見도 다수 提示

○ 그러나 EC存立의 바탕이 되고 있는 共同農業政策改革에는 많은 어려움이 있기때문에 앞으로 相當한 진통이 예상

— 앞으로의 協商의 進展을 위해서는 美國과 EC 等 各國의 政治的 결단이 필요한 狀況이며 協商妥結의 必要性에 대해서는 다같이 共感하고 있으나 가까운 時日內에 협상돌파구를 마련할 수 있는 劃期的 方案이 期待되지 않고 있는 狀況

Ⅱ. 그간의 協商參與에 대한 評價

- 그간 우리나라는 「우루과이 라운드」協商 15個 모든 分野에 걸쳐 協商에 적극적으로 參與하여 우리의 基本立場을 제시하는 한편 國家別 協商에도 能動的으로 對處
  - ○ 關稅分野에서는 先進國에 접근하는 水準으로 關稅를 引下(33%) 讓許함과 同時에 美國의 無稅化 提案에도 參與方針 表明
  - ○ 纖維分野에서는 纖維輸出國의 立場에서 美國등 輸入國의 立場을 肯定的으로 수용
  - ○ 知的所有權 保護, 通信 등 서비스分野에서는 先進國과 開發途上國의 中間位置에서 仲裁的 役割을 遂行함으로써 다수국가의 參與를 主張

- 다만, 우리가 「우루과이 라운드」協商에서 相對的으로 방어적이 될 수 밖에 없는 農産物分野에서 우리 國內農業의 어려움때문에 여타 農産物 輸入國과 함께 강경한 立場의 固守가 불가피
  - ○ 이에 대하여 일부 協商主導國들은 이번 協商에서 核心課題인 農産物協商에서 韓國이 상당히 硬直된 基本立場을 고수하고 있는 態度를 非難
  - ○ 특히 美國과 濠洲등 케언즈그룹 國家들은 EC와 日本, 韓國을 「우루과이 라운드」協商에서 가장 非協調的이라고 公開的으로 非難하고 브랏셀閣僚會議 延長責任의 전가를 시도

- 이와같은 非難은 그간 協商推進過程에 비추어 볼 때 반드시 정당하다고 만은 볼 수 없으나 現在의 狀況이 지속되면 우리의 協商에 대한 寄與側面은 제대로 評價받지 못한채 協商遲延 또는 失敗의 責任을 부담하게 됨으로써 가장 큰 피해를 받게 될 可能性
  - ○ 우리나라는 日本, EC 등에 비하여 상대적으로 協商力이 약하고 地域經濟圈形成의 代案도 없기 때문에 協商失敗時 直接的이고 强力한 雙務的 開放壓力에 직면

- 따라서 앞으로 얼마남지 않은 協商期間동안 協商에 대한 올바른 認識을 바탕으로 現在의 어려운 協商與件을 극복하고 우리經濟의 全般的 運用方向과 일치될 수 있는 方向에서 協商에 對應해 나간다는 姿勢의 定立이 重要
  - ○ 「우루과이 라운드」協商은 長期間에 걸쳐 世界交易自由化를 圖謀하고 있기 때문에 우리도 長期的인 안목에서 協商에 對應
  - ○ 雙務的인 問題解決方式보다는 多者間 協商이 우리에게 크게 유리하다는 認識下에 能動的인 對應
  - ○ 全般的인 開放化가 불가피한 狀況에서 國內 個別産業의 問題點은 國內制度改善 및 構造調整努力을 통하여 解決해 나가야 한다는 積極的 姿勢 필요

- 이와같은 狀況認識과 積極的인 姿勢를 바탕으로 「우루과이 라운드」協商의 成敗와 關係없이 앞으로의 協商에 能動的으로 對處

Ⅲ. 向後 協商對策

1. 基本方向 및 推進課題

〈 基 本 方 向 〉

◇ 「우루과이 라운드」協商이 마무리단계에 와있는 만큼 앞으로 전개될 새로운 協商與件에 伸縮性있게 對處함으로써 全體協商의 成功的 妥結에 寄與

◇ 全體 協商妥結의 관건이 되고 있는 農産物 및 서비스 協商分野에서는 우리의 실리를 最大限 確保하면서 協商의 大勢와 조화될 수 있는 協商戰略을 樹立·推進

〈 重點推進課題 〉

◇ 農産物協商에서는 지나친 例外認定要求보다는 GATT規定과 協商흐름내에서 우리의 입장을 최대한 反映할 수 있는 伸縮的인 代案 마련

◇ 서비스協商에서는 우리의 長期的인 開放政策方向에 적합한 水準에서 讓許計劃을 提出함으로써 全體協商에 寄與해 나간다는 우리의 意志表明

◇ 우리의 長期的인 工産品 關稅引下 趨勢의 範圍內에서 추가적인 關稅引下 協商에 參與하는 한편 主要國의 關稅無稅化 提案에 相互主義 原則에 따라 能動的으로 對處

2. 主要分野에서의 協商對策

가. 農産物 協商

- 協商이 막바지 段階에 이른 狀況에서 우리가 주장해온 當初 協商案을 견지할 경우 現在의 協商雰圍氣로 보아 매우 어려운 立場에 처할 것으로 豫想
  - ○ 앞으로의 協商過程에서 我國이 實質的으로 協商에서 소외될 우려가 있고 이렇게 될 경우 우리의 立場貫徹이 더욱 어려워질 可能性
  - ○ 農産物協商이 우리의 意思와 관계없이 美國, EC 등 協商主導國들의 合意에 의해 妥結될 경우에도 協商結果 受容 불가피

- 따라서 앞으로의 協商에서는 우리의 核心關心事項의 反映을 계속 主張하되 協商의 기본틀內에서 實利가 確保될 수 있도록 對應
  - ○ 쌀등 최소한의 食糧安保 對象品目의 開放例外立場 견지
  - ○ 우리가 開發途上國 우대적용 對象國이 되도록 協商力을 집중함으로써 市場開放과 國內補助 減縮에 있어 長期履行期間의 確保에 注力
  - ○ 國內生産統制와 輸入制限을 연결시킬 수 있는 現在 GATT 規定을 최대한 援用함과 동시에 同條項의 合理的 改善을 위하여 利害關係國과의 共同努力 强化

○ 輸入을 開放하더라도 國內生産 基盤이 최대한 維持될 수 있도록 하는 範圍內에서 最小市場接近 許容

○ 開放化에 따른 國內被害를 最小化할 수 있도록 關稅引上과 함께 數量制限이 可能한 緊急輸入制限制度 마련에 協商力 集中

- 이러한 協商對策의 推進과 더불어 農業構造調整등 國內 補完 對策의 着實한 推進

○ 「우루과이라운드」協商과 관계없이 農漁村에 대한 全體 支援은 지속적으로 擴大

○ 다만, 支援方式에 있어서는 農漁村의 構造調整, 農漁家의 實質所得增大에 중점을 두면서 國際規範에 일치될수 있도록 추진

○ 향후 協商妥結 結果를 반영하여 「農漁村綜合發展對策('89.4)」를 具體的으로 修正·補完

나. 서비스協商讓許計劃 提出

〈協商推進狀況과 我國의 對應〉

- 基本協定·分野別 註釋書制定에 대한 協商 進展이 未洽함에도 불구하고 서비스貿易 自由化에 대한 意志表明을 위해 9個國이 브랏셀閣僚會議時까지 條件附로 最初의 讓許計劃書를 提出
  - ㅇ 美國, 스위스, EC, 호주, 뉴질렌드, 홍콩, 스웨덴, 캐나다 등 讓許計劃을 提出한 9個國의 世界서비스交易 占有比重은 80%에 達함.
  - ㅇ 대부분의 國家가 現在의 서비스交易에 대한 國內規制水準을 凍結(Standstill)하고 一部業種의 自由化計劃을 包含하는 水準의 讓許計劃書를 提出

- 我國도 當初 브랏셀 閣僚會議時까지 讓許計劃書를 提出코자 추진하였으나 방대한 作業量으로 인해 未提出

- 그러나 我國이 제네바 貿易協商委員會에 對備하여 讓許計劃書를 제출할 수 있어야만 교착상태에 빠진 서비스協商의 진전에 寄與할 수 있을 것으로 判斷
  - ㅇ 아울러 金融, 通信分野등에서의 雙務的 通商壓力緩和에도 바람직

〈我國 讓許計劃(案)의 內容〉

① 讓許計劃 提示에 있어서 我國의 基本立場

— 서비스協商에서 대체로 合意가 이루어진 基本構造 및 그간 주장해온 立場을 土臺로하여 作成提示

— 現行 國內法에 의해 일반적으로 通用되는 外國人의 國內 營業活動에 관한 制限事項은 기본적으로 維持

(例 : 外資導入法, 外國換管理法, 外國人土地法, 出入國管理法등)

— 서비스 一般協定 및 分野別 附屬書, 各國의 讓許計劃 內容이 具體化될 경우 우리立場의 補完·調整이 可能

② 分野別 市場開放 約束

〈對象業種〉

○ 金融, 通信, 運送, 流通, 建設, 事業서비스등 서비스協商에서 論議된 주요한 業種을 大部分 包含

○ 敎育 및 保健서비스 全體, 流通分野中 貿易業, 事業서비스중 法務서비스등은 除外

〈自由化水準〉

○ 대부분 現存開放 및 規制水準을 凍結하는 정도에서 提示

○ 通信分野를 비롯한 美國등 主要國의 關心事項에 대해서는 追加的인 自由化計劃을 包含

0148

〈向後 推進對策〉

— 上記內容의 讓許計劃을 제네바 TNC會議에 제출할 수 있도록 함으로써 우리의 協商力 强化

— 讓許協商에의 徹底한 對應

○ 美國, EC등 先進國으로부터 開放要求가 있을 것으로 豫想되는 分野에 대하여 協商代案을 開發하는 同時에 相對國에 대한 要求事項 (Request List)을 철저히 준비

• 讓許計劃書에서 除外되었다 하더라도 最終的으로 開放對象에서 除外되는 것은 아니므로 教育 및 保健서비스 등에 대해서 美國, EC등 主要先進國이 開放要求 가능

• 金融, 流通등 讓許計劃書에 包含시킨 業種에 대해서도 包括範圍의 擴大 및 보다 높은 水準의 自由化要求 可能

○ 各部處에 構成되어 있는 18個 分野別 對策班에 協商專門家를 參與시키는등 讓許協商팀을 補强

— 國內補完對策의 推進

○ 지금까지 把握된 國內規制現況을 바탕으로 各部處는 民間의 자유로운 競爭을 저해하는 規制制度를 整備

○ 長期的인 次元에서 各部處는 서비스協商을 契機로 所管業種에 대한 國際競爭力의 强化方案 등을 包含한 產業構造調整方案을 綜合的으로 推進

다. 關稅引下 및 無稅化 協商 對策

- 지난해 12月 브랏셀 閣僚會議時 우리는 關稅追加 引下 및 無稅化 協商參與 反對立場을 變更하여 「우루과이라운드」協商에 적극 寄與한다는 趣旨에서 同協商에의 參與意思를 표명
  - o 無稅化 論議對象分野 : 맥주, 建設裝備, 電子製品, 水產物, 非鐵金屬, 鐵鋼, 醫藥品, 종이, 木材 및 木製品등 9個 分野
  - o 우리나라 參與要求分野 : 建設裝備, 電子製品, 鐵鋼, 水產物, 종이, 木材등 6個 分野
- 앞으로 關稅無稅化 協商이 本格的으로 論議될 것이 豫想되므로 이에 철저히 대비
  - o 이미 協商參與를 要求받은 分野에서는 關聯業界의 競爭力 狀況 등을 고려하여 無稅化受容與否 및 適正水準의 履行期間確保 方案 마련
  - o 長期的인 輸出環境의 改善을 위하여 우리가 無稅化를 要求할 수 있는 品目을 選定하여 向後 協商에 包含시키도록 努力

◇ 上記 農產物, 서비스協商에 대한 우리의 立場은 제네바에서 開催될 貿易協商委員會에서 公式 提示하고 關稅無稅化 協商에 대하여는 個別協商時 適切히 對應 ◇ 또한 各種 公式·非公式會議에서의 실질토의에 적극 參與하여 우리의 立場反映에 최대의 努力 경주

Ⅳ. 協商關聯 國內後續對策의 推進

- 「우루과이라운드」協商의 成敗에 관계없이 現在協商에서 論議되고 있는 國際交易의 範圍 및 自由化 幅의 擴大趨勢는 어떤 형태로든 앞으로 새로운 國際經濟秩序의 基本原則으로 작용

- 우리經濟의 最大課題인 산업의 全般的인 競爭力 提高는 적절한 水準의 國際化 達成에 의해서만 가능

- 이와같은 관점에서 協商에의 적극적인參與는 물론 政府次元에서 종합적으로 推進되어야 할 다음의 과제에 대하여는 細部的인 國內對策을 마련하여 着實하게 推進
  - ○ 새로운 國際交易秩序下에서 國際化에 副應할 수 있는 經濟運用 方式을 정착
  - ○ 對內競爭促進施策의 推進등 產業의 全般的 競爭力 提高
  - ○ 農業構造調整政策 및 農漁家 所得增大의 施策의 착실한 推進
  - ○ 서비스產業의 開放化 促進과 競爭力 向上
  - ○ 國際化關聯 對外交涉能力의 擴充 및 國際化에 대한 政府, 企業 및 國民認識의 提高

◇ 上記 課題中 短期的인 措置가 必要한 事項에 대해서는 금년 上半期中 細部對策 마련 추진

◇ 中·長期的인 對策은 第7次 經濟社會 發展 5個年計劃에 反映하여 推進

長 官 報 告 事 項

報 告 畢

1990. 1 . 9 .
通 商 局
通 商 機 構 課(1) .

題 目 : UR 對策 關聯 對外協力委員會 會議 結果 報告

1.9(水) 開催된 UR 對策 關聯 對外協力委員會 會議에서는 1.15 제네바 TNC 會議에서 UR 成功을 위한 我國의 前進的 姿勢를 表明키로 결정하고, 同 結果를 1.10(木) 大統領께 報告키로 하였는 바, 同 會議 結果를 아래와 같이 報告드립니다.

1. 會議 槪要

- ㅇ 日 時 : 91.1.9(水) 10:00-11:20
- ㅇ 場 所 : 經濟企劃院 大會議室
- ㅇ 參 席 者 : 副總理, 財務部, 農水産部, 商工部, 動資部, 建設部, 保社部, 交通部, 遞信部, 科技處長官, 外務部次官補등
- ㅇ 議 題 : 우루과이라운드 協商 展望과 對策

2. 會議 結果

가. 農産物 協商 對策

ㅇ 1.15. TNC 首席代表 ~~會議를~~ 연설을 통해 UR 協商 成功을 위한 我國의 前進的 姿勢 ~~를~~ 表明 (연설문안은 외무부 안대로 채택)

- 보다 融通性 있고 前進的인 姿勢로 協商에 臨할 것이며 協商 進展 狀況을 보아 修正 Offer 를 提示할 用意가 있음을 表明

공람	통상기구과	91년 1월 9일	담 당	과 장	국 장	차관보	차 관	장 관
			송봉헌	(서명)				

0152

o 美側에 대해서는 1.14-15 韓. 美 經濟協議會, 2月初 副總理 訪美 日程을 고려 農産物 協商에 대한 美側 오해 해소를 위해 美側에 我國의 立場 再檢討 方向을 事前 說明 (餘他國에 協商 動向을 보아가며 決定)

- 누가 설명해 줄 것인지와 어느 정도 자세한 內容을 說明해 줄 것인가는 外務部에서 決定後 關係部處 ~~協議~~ 통보

나. 서비스 1次 Offer 提出

o 經濟企劃院에서 綜合한 草案을 最終 點檢하여 1.15. TNC 開催日까지 GATT에 提出

다. 無稅化 協商 參加

o 財務部에서 商工部等 각 해당 部處 檢討 結果를 綜合하되 브랏셀 閣僚會議時 我國의 參與 意思를 公式 表明한 바 있음을 감안, 최대한 前進的인 姿勢에서 檢討

o 檢討 結果는 協商 過程을 통해 提示

(TNC 我國 首席代表 演說文에는 上記 農産物 서비스, 無稅化에 대한 我國의 前進的 立場을 表明한~~고 餘他 參加國도 積極 寄與할 것을 促求함)~~

라. 今日 協議한 UR 對策과 韓. 美 通商問題를 明 1.10.(木) 大統領께 報告

o 報告~~時間~~ : ~~15:30~~

0153

3. 其他 論議 事項

가. 我國의 自由貿易 政策과 UR 協商에 대한 積極的인 姿勢를 對外에 弘報토록 최대한 努力

- 駐韓 外信記者의 인터뷰 申請을 回避하지 말고 오히려 積極 活用
- 經濟長官과 駐韓 外國商社 代表 및 外信記者가 定例的으로 만나는 方案을 마련

나. 韓.美 서비스 兩者 協議

- 今 1.9(水) 10:00 Hills USTR의 商工部長官을 통한 1.29 以後 서비스 兩者協議 提議에 대해서는 美側 意圖 및 我側의 準備 狀況을 고려, 1-2일내 我側 立場을 提示 끝.

0154

長官報告事項

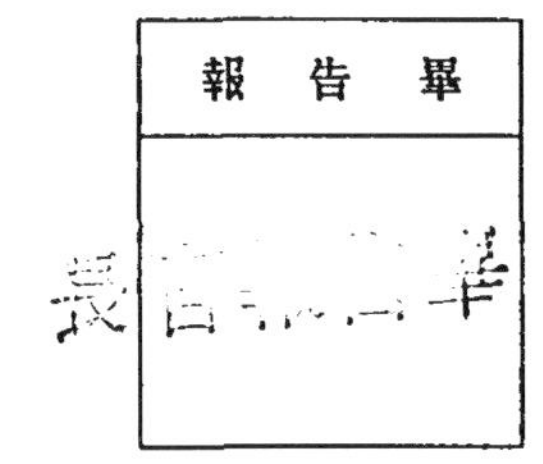

1990. 1 . 9 .
通 商 局
通商機構課

題 目 : UR 對策 關聯 對外協力委員會 會議 結果 報告

1.9(水) 開催된 UR 對策 關聯 對外協力委員會 會議에서는 1.15 제네바 TNC 會議에서 UR 成功을 위한 我國의 前進的 姿勢를 表明키로 결정하고, 同 結果를 1.10(木) 大統領께 報告키로 하였는 바, 同 會議 結果를 아래와 같이 報告드립니다.

1. 會議 槪要

- 日 時 : 91.1.9(水) 10:00-11:20
- 場 所 : 經濟企劃院 大會議室
- 參 席 者 : 副總理, 財務部, 農水産部, 商工部, 動資部, 建設部, 保社部, 交通部, 遞信部, 科技處長官, 外務部次官補등
- 議 題 : 우루과이라운드 協商 展望과 對策

2. 會議 結果

가. 農産物 協商 對策

- 1.15. TNC 首席代表 演說을 통해 UR 協商 成功을 위한 我國의 前進的 姿勢 表明 (演說文案은 外務部案 대로 採擇)
  - 보다 融通性 있고 前進的인 姿勢로 協商에 臨할 것이며 協商 進展 狀況을 보아 修正 Offer 를 提示할 用意가 있음을 表明

o 美側에 대해서는 1.14-15 韓. 美 經濟協議會, 2月初 副總理 訪美 日程을 고려하고 農産物 協商에 대한 美側 오해 해소를 위해 美側에 我國의 立場 再檢討 方向을 事前 說明 (餘他國에 대한 說明은 協商 動向을 보아가며 決定)

- 누가 설명해 줄 것인지와 어느 정도 자세한 內容을 說明해 줄 것인가는 外務部에서 決定後 關係部處 通報

(1.9. 午後 上記 決定 事項 關係部處 通報 :

① 제네바, 워싱톤, 서울에서 外交 채널을 통하여 美側에 說明함.

② 說明內容은 外務部 Talking Points 文案 대로 함.)

나. 서비스 1次 Offer 提出

o 經濟企劃院에서 綜合한 草案을 最終 點檢하여 1.15. TNC 開催日까지 GATT에 提出

다. 無稅化 協商 參加

o 財務部에서 商工部等 각 해당 部處 檢討 結果를 綜合하되 브랏셀 閣僚會議時 我國의 參與 意思를 公式 表明한 바 있음을 감안, 최대한 前進的인 姿勢에서 檢討

o 檢討 結果는 協商 過程을 통해 提示

(TNC 我國 首席代表 演說文에는 上記 農産物외에도 서비스, 無稅化에 대한 我國의 前進的 立場을 表明함)

라. 今日 協議한 UR 對策과 韓. 美 通商問題를 明 1.10. (木) 大統領께 報告

o 報告日時 : 1.10(목), 15:30

3. 其他 論議 事項

가. 我國의 自由貿易 政策과 UR 協商에 대한 積極的인 姿勢를 對外에 효율적으로 弘報토록 최대한 努力

○ 駐韓 外信記者의 인터뷰 申請을 回避하지 말고 오히려 積極 活用

○ 經濟長官과 駐韓 外國商社 代表 및 外信記者가 定例的으로 만나는 方案을 마련

나. 韓.美 서비스 兩者 協議

○ 今 1.9(水) 10:00 Hills USTR은 商工部長官을 통해 1.29 以後 서비스 兩者協議 開催를 提議해온 바, 美側 意圖 및 我側의 準備 狀況을 고려, 1-2일내 我側 立場을 提示 끝.

〈參　考〉

對外協力委員會 議決內容 ('91.1.9)

－「우루과이라운드」協商展望과 對策－

〈 農産物 協商 〉

- 앞으로의 協商에서는 우리의 核心關心事項의 反映을 계속 主張하되 協商의 基本틀內에서 實利가 確保될 수 있도록 對應

 o 쌀등 최소한의 食糧安保 對象品目의 開放例外立場 堅持

 o 우리가 開發途上國 優待適用 對象國이 되도록 協商力을 集中함으로써 市場開放과 國內補助 減縮에 있어 長期履行期間의 確保에 주력

 o 國內生産統制와 輸入制限을 연결시킬 수 있는 現在 GATT 規定을 최대한 援用함과 동시에 同條項의 合理的 改善을 위하여 利害關係國과의 共同努力 强化

 o 輸入을 開放하더라도 國內生産 基盤이 최대한 유지될 수 있도록 하는 範圍內에서 最小市場接近 許容

 o 開放化에 따른 國內被害를 最小化할 수 있도록 關稅引上과 함께 數量制限이 가능한 緊急輸入制限制度 마련에도 協商力을 集中

0158

<添附 1>

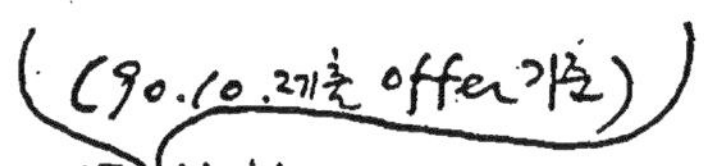

Hellström 議長協議 草案(Non-Paper)과 我國立場 比較

	Non-Paper	我 國 立 場
國內補助	o '91부터 5年間 30%減縮 o 開途國은 '91부터 5-10年間 15-30%減縮(※非交易的 機能(NTC) 및 猶豫期間 不認定)	o '97부터 10年間 最大 30%減縮 (※'96까지 猶豫期間 認定)
市場開放	o 모든 國境保護措置를 '91부터 5年間 30%減縮 o 모든 品目에 대한 市場接近 保障 - 輸入이 있는 경우 現水準의 市場接近 保障 - 輸入이 없는 경우 國內消費量의 5% 保障 (※保護減縮 및 市場接近에 있어 例外 不認定)	o 關稅相當値를 品目別 '91-'97부터 10年間 最大 30% 減縮 (※15個 重要品目의 輸入制限 維持) o 15個 主要品目中 基礎食糧을 除外하고 市場接近을 保障 - 輸入이 있는 경우 現水準 市場接近 考慮 - 輸入이 없는 경우 國內消費量의 1% 保障
輸出補助	o '88-'90 平均 補助支給額 및 物量을 基準하여 5年間 30% 減縮	o 輸出補助의 分離減縮 (단, 具體的인 減縮幅은 提示않음)

0159

주요국 관심품목 반영현황 (농산물)

〈EC 요청품목 54개 기준시〉

구 분	관심품목 (A)	현재반영(B)	B / A
관 심 품 목 계 (공 통 관 심)	110 (37)	44 (4)	40% (10.8)
미국, 카나다, 호주, 뉴질랜드	93	34	36.6
E C	54	14	25.9

〈EC 요청품목 112개 기준시〉

구 분	관심품목 (A)	현재반영(B)	B / A
관 심 품 목 계 (공 통 관 심)	136 (69)	63 (14)	46.3% (20.3)
미국, 카나다, 호주, 뉴질랜드	93	34	36.6
E C	112	43	38.4

+1 38.6

0160

1. 報告會 槪要

o 日　　時 : 1.10(木) 15:30

o 場　　所 : 청와대 本館

o 參席範圍 : 經濟企劃院長官, 外務部長官, 財務部長官, 農水産部長官, 商工部長官, 國務總理 行政調整室長, 經濟企劃院 對調室長

o 報告案件 : UR 協商 展望과 對策

2. 1.9. 對外 協力委員會 會議 結果

가. 農産物 協商 對策

o 我國 立場 再調整 內容

- 쌀등 最小限의 食糧安保 對象品目에 대해서만 開放 例外 主張
- 市場開放, 國內補助 減縮의 長期間 履行期間 確保에 注力
- 現行 GATT 11條 2項의 合理的 改善 努力 및 同 條項 援用

o 1.15. TNC 會議에서 我國 首席代表 演說을 통해 UR協商 妥結을 위한 我國의 前進的 姿勢 表明

. 向後 協商 進展 狀況을 보아가면서 修正 Offer 提示 用意가 있음도 言及

o 美國에 대해 我國 立場 再調整의 槪略的 內容 別途 事前 通報

- 韓. 美 經濟協議會 (1.14-15)와 제네바, 워싱톤 및 서울의 外交 經路를 活用 事前 通報

※ 餘他國에 대한 說明은 協商 動向을 보아가면서 決定

나. 서비스 1차 Offer 提出

o 經濟企劃院에서 綜合한 草案을 點檢하여 1.15. TNC 開催日까지 갓트에 提出

다. 無稅化 協商 參加

o 財務部에서 商工部等 각 해당 部處 檢討 結果를 綜合하되 브랏셀 閣僚會議時 我國의 參與 意思를 公式 表明한 바 있음을 감안, 최대한 前進的인 姿勢에서 檢討

o 檢討 結果는 協商 過程을 통해 提示

※ TNC 我國 首席代表 演說文에는 上記 農産物외에도 서비스, 無稅化에 대한 我國의 前進的 立場을 表明함

3. 必要時 長官님 言及 事項

o 對外協力委員會 決定에 따른 外交的 措置 施行 課程

- 1.15. TNC 會議에 선준영 駐제코 大使를 首席代表로 派遣

. 基調演說을 통해 我國의 前向的 協商 立場을 表明(演說文 要旨 : 아래)

. 主要國 代表와 활발한 接觸을 통하여 我國立場 說明 및 協商 展望에 관한 情報收集

2

0162

- 美國에 대한 事前 通報

. 1.15. TNC 會議 開催 以前인 1.14 韓. 美 經濟協議會에서 美側에 我國 立場을 說明

. 제네바, 워싱톤 및 서울에서도 外交 經路를 통해 同一 內容을 美側에 說明

※ 演說文 要旨

- 이번 TNC 會議에서 UR협상 妥結의 契機가 마련되기를 希望함.

- 韓國은 UR 協商의 成功을 위해 前向的 姿勢로 協商에 임해왔고 이러한 立場을 繼續 堅持할 것임.

- 브랏셀 閣僚會議時 韓國은 Hellstrom 議長의 Non-paper에 韓國의 核心 關心事項이 適切히 反映되지 않았다는 點에 異義를 提起한것 뿐이며 協商을 block하거나 拒否한 것이 아님.

- 韓國은 UR협상의 조속한 妥結을 위해 아래와 같은 努力과 寄與를 다짐함.
  . 農産物 協商의 進展을 위해 旣存 offer 改善 豫定이며, 向後 適當한 時期에 修正 Offer 提出 用意
  . 서비스 協商 Initial Offer 提出
  . 일정 條件下에 分野別 無稅化 協商 參與 用意
  . BOP 協議 結果등 旣存 自由化 公約 誠實 履行

- 餘他 協商 參加國도 이에 상응하는 積極的인 寄與를 해줄 것을 촉구

添附 : 청와대 報告資料. 끝.

「우루과이 라운드」 協商展望과 對策

1991. 1. 10

對外協力委員會

0164

目　　次

0165

Ⅰ. 最近의 「우루과이 라운드」 協商動向과 展望

1. 最近의 協商動向

- 지난 4年동안 進行되어온 「우루과이 라운드」協商은 지난해 12月 「브랏셀」會議에서도 最終結論에 이르지 못하고 今年初까지 協商을 延長

- 현재의 協商 冷却期間中에도 協商參與國들은 頂上들間의 對話, 各種 非公式接觸 및 自國의 立場再調整등을 통하여 協商進展을 위한 努力을 展開

  ○ 美國 부시大統領은 EC등 주요 協商參加國 頂上들과의 對話 및 書信交換등을 통하여 意見을 交換

  ○ 던켈 GATT 事務總長은 協商의 돌파구마련을 위하여 美國, EC, 아세안 國家등을 巡訪

  ○ EC는 農産物協商에서의 域內國家들의 意見調整을 위한 執行委員會를 開催하였으나 實質討議에 들어가지 못하고 1月 19日 會議에서 다시 論議키로 決定

- 이와같은 協商打開를 위한 努力과 함께 「우루과이 라운드」協商 失敗時의 危機意識이 한층 高潮되고 있으며 주요 協商 參加國 들은 責任所在問題를 公式的으로 擧論하고 있는 狀況

2. 앞으로의 協商展望

- 「브랏셀」會議에서 實務協商 責任을 委任받은 GATT 事務總長은 協商續開를 위하여 **1月 15日 大使級 貿易協商委員會를** 소집

- 現 時點에서 앞으로의 協商展開에 대하여는 **悲觀的인** 견해와 **樂觀的인** 견해가 서로 엇갈리고 있는 狀況

  ○ 美國은 中東事態 解決에 골몰하고 있고 EC國家들은 1992年末 EC統合問題에 專念하고 있어 協商妥結이 어렵다는 見解 尙存

  ○ 반면 現在 「우루과이 라운드」協商에서 가장 큰 爭點이 되고 있는 農産物協商에서 **美國과 EC가 政治的 절충을** 이룸으로써 協商이 순조롭게 妥結될 것이라는 意見도 다수 提示

  ○ 그러나 EC存立의 바탕이 되고 있는 共同農業政策의 改革에는 많은 어려움이 있기때문에 앞으로 相當한 진통이 예상

- 앞으로 協商의 進展을 위해서는 **美國과 EC等 各國의 政治的 결단이** 필요한 狀況이며 協商妥結의 必要性에 대해서는 다같이 共感하고 있으면서도 가까운 時日內에 협상의 돌파구를 마련할 수 있는 **劃期的 方案이 提示되기는 어려울것으로** 判斷

-2-

0167

Ⅱ. 그간의 協商參與에 대한 評價

— 그간 우리나라는 「우루과이 라운드」協商 15個 모든 分野에 걸쳐 協商에 적극적으로 參與하여 우리의 基本立場을 제시하는 한편 國家別 協商에도 能動的으로 對處

○ 關稅分野에서는 先進國에 접근하는 水準으로 關稅를 引下 讓許 함과 동시에 美國의 無稅化 提案에도 參與方針 表明

○ 纖維分野에서는 纖維輸出國의 立場에서 美國등 輸入國의 立場을 肯定的으로 수용

○ 知的所有權 保護, 通信 등 서비스分野에서는 先進國과 開發途上國의 中間位置에서 仲裁的 役割을 遂行함으로써 다수국가의 參與를 유도

— 다만, 우리가 國內農業의 어려움때문에 相對的으로 방어적이 될 수 밖에 없는 農產物分野에서는 여타 農產物 輸入國과 함께 강경한 立場의 固守가 불가피

○ 이에 대하여 일부 協商主導國들은 이번 協商에서 核心課題로 다루어지고 있는 農產物協商에서 韓國이 상당히 硬直된 基本立場을 고수하고 있는 態度를 非難

○ 특히 美國과 濠洲등 케언즈그룹 國家들은 EC와 日本, 韓國을 「우루과이 라운드」協商에서 가장 非協調的 國家로 指名하여 公開的으로 非難하면서 協商延長의 責任轉嫁를 시도

- 이와같은 非難은 그간 協商推進過程에 비추어 볼 때 반드시 정당하다고 만은 볼 수 없으나 現在의 狀況이 지속되면 우리의 協商에 대한 寄與側面은 제대로 評價받지 못한채 協商遲延 또는 失敗의 責任을 부담하게 됨으로써 가장 큰 피해를 받게 될 可能性

○ 우리나라는 日本, EC 등에 비하여 상대적으로 協商力이 약하고 地域經濟圈形成의 代案도 없기 때문에 協商失敗時 直接的이고 强力한 雙務的 開放壓力에 직면

- 따라서 앞으로 얼마남지 않은 協商期間동안 協商에 대한 올바른 認識을 바탕으로 現在의 어려운 協商與件을 극복하고 우리經濟의 全般的 運用方向과 일치될 수 있는 方向에서 協商에 對應해 나간다는 姿勢의 定立이 重要

○ 「우루과이 라운드」協商은 長期間에 걸쳐 世界交易自由化를 圖謀하고 있기 때문에 우리도 長期的인 안목에서 協商에 對應

○ 雙務的인 問題解決方式보다는 多者間 協商이 우리에게 크게 유리하다는 認識下에 能動的인 對應

○ 全般的인 開放化가 불가피한 狀況에서 國內 個別産業의 問題點은 國內制度改善 및 構造調整努力을 통하여 解決해 나가야 한다는 積極的 姿勢 필요

- 이와같은 狀況認識과 積極的인 姿勢를 바탕으로 「우루과이 라운드」協商의 成敗와 關係없이 앞으로의 協商에 能動的으로 對處

Ⅲ. 向後 協商對策

1. 基本方向 및 推進課題

〈基 本 方 向〉

◇ 「우루과이 라운드」協商이 마무리단계에 와있는 만큼 앞으로 展開될 새로운 協商與件에 伸縮性있게 對處함으로써 全體協商의 成功的 妥結에 寄與

◇ 전체 協商妥結의 관건이 되고 있는 農産物 및 서비스 協商分野에서는 우리의 實利를 最大限 確保하면서 協商의 大勢와 조화될 수 있는 協商戰略을 樹立·推進

〈重點推進課題〉

◇ 農産物協商에서는 지나친 例外認定要求보다는 GATT規定과 協商흐름내에서 우리의 입장을 최대한 反映할 수 있는 伸縮的인 代案 마련

◇ 서비스協商에서는 우리의 長期的인 開放政策方向에 적합한 水準에서 讓許計劃을 提出함으로써 全體協商에 寄與해 나간다는 우리의 意志表明

◇ 우리의 長期的인 工産品 關稅引下 趨勢의 範圍內에서 추가적인 關稅引下 協商에 參與하는 한편 主要國의 關稅無稅化 提案에 相互主義 原則에 따라 能動的으로 對處

2. 主要分野에서의 協商對策

가. 農産物 協商

- 協商이 막바지 段階에 이른 狀況에서 우리가 주장해온 當初 協商案을 견지할 경우 現在의 協商雰圍氣로 보아 매우 어려운 立場에 처할 것으로 豫想

  ○ 앞으로의 協商過程에서 우리나라가 實質的으로 協商에서 소외될 우려가 있고 이렇게 될 경우 우리의 立場貫徹이 더욱 어려워질 可能性

  ○ 農産物協商이 우리의 意思와 관계없이 美國, EC 등 協商 主導國들의 合意에 의해 妥結될 경우에도 協商結果 受容 불가피

- 따라서 앞으로의 協商에서는 우리의 核心關心事項의 反映을 계속 主張하되 協商의 기본틀內에서 實利가 確保될 수 있도록 對應

  ○ 쌀등 최소한의 食糧安保 對象品目의 開放例外立場 견지

  ○ 우리가 開發途上國 우대적용 對象國이 되도록 協商力을 집중함으로써 市場開放과 國內補助 減縮에 있어 長期 履行期間의 確保에 注力

○ 國內生產統制와 輸入制限을 연결시킬 수 있는 現在 GATT 規定을 최대한 援用함과 동시에 同條項의 合理的 改善을 위하여 利害關係國과의 共同努力 强化

○ 輸入을 開放하더라도 國內生產 基盤이 최대한 維持될 수 있도록 하는 範圍內에서 最小市場接近 許容

○ 開放化에 따른 國內被害를 最小化할 수 있도록 關稅引上과 함께 數量制限이 가능한 緊急輸入制限制度 마련에도 協商力을 集中

— 이러한 協商對策의 推進과 더불어 農業構造調整등 國內 補完 對策도 着實하게 推進

○ 「우루과이라운드」協商과 관계없이 農漁村에 대한 全體 支援은 지속적으로 擴大

○ 다만, 支援方式에 있어서는 農漁村의 構造調整, 農漁家의 實質所得增大에 중점을 두면서 國際規範에 일치될 수 있도록 추진

○ 향후 協商妥結 結果를 반영하여 「農漁村發展綜合對策 ('89.4)」을 具體的으로 修正·補完

나. 서비스協商 讓許計劃 提出

〈協商推進狀況과 我國의 對應〉

— 서비스 協商進展이 未洽함에도 불구하고 서비스貿易自由化에 대한 意志表明을 위해 美國, EC, 日本, 홍콩등 9個國이 브랏셀 閣僚會議時 條件附로 「최초의 讓許計劃書」를 提出

— 우리도 당초 브랏셀 閣僚會議時까지 讓許計劃書를 提出코자 推進하였으나 방대한 作業量으로 인해 未提出

— 그러나 우리나라가 제네바 貿易協商委員會에 讓許計劃書를 제출할 경우 膠着狀態에 빠진 서비스協商의 進展에 寄與한 것으로 평가받을 수 있을 것으로 判斷되며 金融, 通信分野 등에서의 雙務的 通商壓力緩和에도 바람직

〈我國 讓許計劃(案)의 內容〉

— 對象業種

○ 金融, 通信, 運送, 流通, 建設, 事業서비스등 서비스協商에서 論議된 주요한 업종을 대부분 包含

○ 教育 및 保健서비스 전체, 流通分野中 貿易業, 事業서비스중 法務서비스등은 除外

— 自由化 水準

○ 대부분 現存開放 및 規制水準을 凍結하는 정도에서 제시

○ 通信分野등 美國을 비롯한 主要國의 關心事項에 대해서는 追加的인 自由化計劃을 包含

〈向後 推進對策〉

- 上記內容의 讓許計劃을 1991.1.15 제네바 TNC會議에 제출할 수 있도록 함으로써 우리의 協商力 强化

- 向後 讓許協商에의 徹底한 對應

  ○ 美國, EC등 先進國으로부터 開放要求가 있을 것으로 豫想되는 分野에 대하여 協商代案을 開發하는 同時에 相對國에 대한 要求事項(Request List)을 철저히 준비

    • 讓許計劃書에서 除外되었다 하더라도 最終的으로 開放對象에서 除外되는 것은 아니므로 教育 및 保健서비스등에 대하여도 美國, EC등 主要先進國이 開放要求 可能

    • 金融, 流通등 讓許計劃書에 包含시킨 業種에 대해서도 包括範圍의 擴大 및 보다 높은 水準의 自由化要求 可能

  ○ 各部處에 構成되어 있는 18個 分野別 對策班에 協商專門家를 參與시키는등 讓許協商팀을 補强

- 國內補完對策의 推進

  ○ 지금까지 把握된 國內規制現況을 바탕으로 各部處는 民間의 자유로운 競爭을 저해하는 規制制度를 整備

  ○ 長期的 안목에서 各部處는 서비스協商을 契機로 所管業種에 대한 國際競爭力의 强化對策 등을 包含한 構造調整方案을 綜合的으로 推進

0174

다. 關稅引下 및 無稅化 協商 對策

— 지난해 12月 브랏셀 閣僚會議時 우리는 關稅追加 引下 및 無稅化 協商參與 反對立場을 變更하여 「우루과이 라운드」協商에 적극 寄與한다는 趣旨에서 同協商에의 參與意思를 표명

○ 無稅化 論議對象分野 : 맥주, 建設裝備, 電子製品, 水産物, 非鐵金屬, 鐵鋼, 醫藥品, 종이, 木材 및 木製品 등 9個 分野

○ 우리나라 參與要求分野 : 建設裝備, 電子製品, 鐵鋼, 水産物, 종이, 木材등 6個 分野

— 앞으로 關稅無稅化 協商이 本格的으로 論議될 것이 豫想되므로 이에 철저히 대비

○ 이미 協商參與를 要求받은 分野에서는 關聯業界의 競爭力 狀況 등을 고려하여 無稅化受容與否 및 適正水準의 履行期間確保 方案 마련

○ 長期的인 輸出環境의 改善을 위하여 우리가 無稅化를 要求할 수 있는 品目을 選定하여 向後 協商에 包含시키도록 努力

◇ 上記 農産物, 서비스協商에 대한 우리의 立場은 제네바에서 開催될 貿易協商委員會에서 公式 提示하고 關稅無稅化 協商에 대하여는 個別協商時 適切히 對應

◇ 또한 各種 公式·非公式會議에서의 實質討議에 적극 參與하여 우리의 立場反映에 최대의 努力 경주

Ⅳ. 協商관련 國內後續對策의 推進

- 「우루과이라운드」協商의 成敗에 관계없이 現在 協商에서 論議되고 있는 國際交易規範의 適用對象 및 自由化 幅의 擴大趨勢는 어떤 형태로든 앞으로 새로운 國際經濟秩序의 基本原則으로 作用

- 우리經濟의 最大課題인 産業의 全般的인 競爭力 向上은 적절한 水準의 國際化 達成에 의해서만 可能

- 이와같은 관점에서 協商에의 積極的인 參與는 물론 政府次元에서 종합적으로 推進되어야 할 다음의 과제에 대하여는 細部的인 國內對策을 마련하여 着實하게 推進

  ○ 새로운 國際交易秩序下에서 國際化에 副應할 수 있는 經濟運用方式을 정착
  ○ 對內競爭促進施策의 推進등 産業의 全般的 競爭力 提高
  ○ 農業構造調整政策 및 農漁家 所得增大施策의 착실한 推進
  ○ 서비스産業의 開放化 促進과 競爭力 向上
  ○ 國際化關聯 對外交涉能力의 擴充 및 國際化에 대한 政府·企業 및 國民認識의 提高

> ◇ 上記 課題中 短期的인 措置가 必要한 事項에 대해서는 금년 上半期中 細部對策 마련 推進
> ◇ 中·長期的인 對策은 第7次 經濟社會發展5個年計劃에 反映하여 推進

91.1.10 청와대 보고

旣存立場과 새로운 協商代案

區　　分	旣存立場(我國의 Offer)	새로운 協商代案
<市場開放>		
○ 關稅化		
－ 例外品目	15個(NTC 및 11條2項 C) (쌀, 보리, 콩, 옥수수, 감자, 고구마, 고추, 마늘, 양파, 참깨, 감귤, 쇠고기, 돼지고기, 닭고기, 우유 및 유제품)	NTC : 쌀, 보리, 우유 및 乳製品(또는 감자, 고구마 등 澱粉) (3) 11條2項C : 쇠고기, 고추, 마늘, 양파, 감귤 等 (5)
－ 對象品目	餘他 輸入制限 品目(270餘個)	참깨, 돼지고기, 닭고기, 콩, 옥수수등과 餘他輸入制限 品目(270餘個)
－ 履行期間 및 減縮幅	品目別로 '91－'97부터 10年間 30% 減縮 (最大 6年까지 猶豫期間)	'92부터 10年間 30%減縮 (先進國의 2배 履行期間) ※ 헬스트롬 중재안 : 5年間 30% 減縮
○ 最小市場 接近		
－ 例外品目	쌀, 보리, 감자, 고구마, 고추, 마늘 등	쌀만 除外
－ 保障方法		
· 輸入이 있는 品目	'86～'88平均 輸入量	現水準의 輸入을 保障
· 輸入이 없는 品目	'86～'88國內消費의 1%	先進國(케언즈그룹 5%, EC 3% 主張)의 1/2水準으로 國內消費의 1.5～2.5% 保障
<國內補助>		
○ 減縮例外品目	15個 NTC品目	쌀
○ 履行期間 및 減縮幅	6年間의 猶豫期間을 거쳐 '97부터 10年間 30% 減縮	'92부터 10年間 30% 減縮 (先進國의 2倍 履行期間) ※ 헬스트롬 중재안 : 5年間 30%減縮

0177

「우루과이 라운드」協商展望과 對策

1991. 1. 10

對外協力委員會

0178

目　　次

0179

Ⅰ. 最近의「우루과이 라운드」協商動向과 展望

1. 最近의 協商動向

- 지난 4年동안 進行되어온「우루과이 라운드」協商은 지난해 12月「브랏셀」會議에서도 **最終結論에 이르지 못하고 今年初까지 協商을 延長**

- 현재의 協商 冷却期間中에도 協商參與國들은 **頂上들間의 對話,** 各種 非公式接觸 및 **自國의 立場再調整**등을 통하여 協商進展을 위한 努力을 展開

  ○ 美國 부시大統領은 EC등 주요 協商參加國 頂上들과의 對話 및 書信交換등을 통하여 意見을 交換

  ○ 던켈 GATT 事務總長은 協商의 돌파구마련을 위하여 美國, EC, 아세안 國家등을 巡訪

  ○ EC는 農產物協商에서의 域內國家들의 意見調整을 위한 執行委員會를 開催하였으나 實質討議에 들어가지 못하고 1月 19日 會議에서 다시 論議키로 決定

- 이와같은 協商打開를 위한 努力과 함께「우루과이 라운드」**協商失敗時의 危機意識이** 한층 **高潮**되고 있으며 주요 協商 參加國들은 **責任所在問題를 公式的으로 擧論**하고 있는 狀況

2. 앞으로의 協商展望

- 「브랏셀」會議에서 實務協商 責任을 委任받은 GATT 事務總長은 協商續開를 위하여 **1月 15日 大使級 貿易協商委員會를** 소집

- 現 時點에서 앞으로의 協商展開에 대하여는 **悲觀的인 견해와 樂觀的인 견해**가 서로 엇갈리고 있는 狀況

  ○ 美國은 中東事態 解決에 골몰하고 있고 EC國家들은 1992年末 EC統合問題에 專念하고 있어 協商妥結이 어렵다는 **見解** 尙存

  ○ 반면 現在 「우루과이 라운드」協商에서 가장 큰 爭點이 되고 있는 農産物協商에서 **美國과 EC가 政治的 절충을** 이룸으로써 協商이 순조롭게 妥結될 것이라는 意見도 다수 提示

  ○ 그러나 EC存立의 바탕이 되고 있는 共同農業政策의 改革에는 많은 어려움이 있기때문에 앞으로 相當한 진통이 예상

- 앞으로 協商의 進展을 위해서는 **美國과 EC等 各國의 政治的 결단이** 필요한 狀況이며 協商妥結의 必要性에 대해서는 다같이 共感하고 있으면서도 가까운 時日內에 협상의 돌파구를 마련할 수 있는 **劃期的 方案이 提示되기는 어려울것으로 判斷**

Ⅱ. 그간의 協商參與에 대한 評價

- 그간 우리나라는 「우루과이 라운드」協商 15個 모든 分野에 걸쳐 協商에 적극적으로 參與하여 우리의 基本立場을 제시하는 한편 國家別 協商에도 能動的으로 對處

  ○ 關稅分野에서는 先進國에 접근하는 水準으로 關稅를 引下 讓許함과 동시에 美國의 無稅化 提案에도 參與方針 表明

  ○ 纖維分野에서는 纖維輸出國의 立場에서 美國등 輸入國의 立場을 肯定的으로 수용

  ○ 知的所有權 保護, 通信 등 서비스分野에서는 先進國과 開發途上國의 中間位置에서 仲裁的 役割을 遂行함으로써 다수국가의 參與를 유도

- 다만, 우리가 國內農業의 어려움때문에 相對的으로 방어적이 될 수 밖에 없는 農產物分野에서는 여타 農產物 輸入國과 함께 강경한 立場의 固守가 불가피

  ○ 이에 대하여 일부 協商主導國들은 이번 協商에서 核心課題로 다루어지고 있는 農產物協商에서 韓國이 상당히 硬直된 基本立場을 고수하고 있는 態度를 非難

  ○ 특히 美國과 濠洲등 케언즈그룹 國家들은 EC와 日本, 韓國을 「우루과이 라운드」協商에서 가장 非協調的 國家로 指名하여 公開的으로 非難하면서 協商延長의 責任轉嫁를 시도

- 이와같은 非難은 그간 協商推進過程에 비추어 볼 때 반드시 정당하다고 만은 볼 수 없으나 現在의 狀況이 지속되면 우리의 協商에 대한 寄與側面은 제대로 評價받지 못한채 **協商遲延 또는 失敗의 責任을 부담**하게 됨으로써 가장 큰 피해를 받게 될 可能性

  ○ 우리나라는 日本, EC 등에 비하여 상대적으로 協商力이 약하고 地域經濟圈形成의 代案도 없기 때문에 協商失敗時 直接的이고 强力한 雙務的 開放壓力에 직면

- 따라서 앞으로 얼마남지 않은 協商期間동안 **協商에 대한 올바른 認識을 바탕으로 現在의 어려운 協商與件을 극복**하고 우리經濟의 全般的 運用方向과 일치될 수 있는 方向에서 協商에 對應해 나간다는 姿勢의 定立이 重要

  ○ 「우루과이 라운드」協商은 長期間에 걸쳐 世界交易自由化를 圖謀하고 있기 때문에 우리도 長期的인 안목에서 協商에 對應

  ○ 雙務的인 問題解決方式보다는 多者間 協商이 우리에게 크게 유리하다는 認識下에 能動的인 對應

  ○ 全般的인 開放化가 불가피한 狀況에서 國內 個別産業의 問題點은 國內制度改善 및 構造調整努力을 통하여 解決해 나가야 한다는 積極的 姿勢 필요

- 이와같은 狀況認識과 積極的인 姿勢를 바탕으로 「우루과이 라운드」 **協商의 成敗와 關係없이 앞으로의 協商에 能動的으로 對處**

Ⅲ. 向後 協商對策

1. 基本方向 및 推進課題

〈基 本 方 向〉

◇ 「우루과이 라운드」協商이 마무리단계에 와있는 만큼 앞으로 展開될 새로운 協商與件에 伸縮性있게 對處함으로써 全體協商의 成功的 妥結에 寄與

◇ 전체 協商妥結의 관건이 되고 있는 農産物 및 서비스 協商分野에서는 우리의 實利를 最大限 確保하면서 協商의 大勢와 조화될 수 있는 協商戰略을 樹立·推進

〈重點推進課題〉

◇ 農産物協商에서는 지나친 例外認定要求보다는 GATT規定과 協商흐름내에서 우리의 입장을 최대한 反映할 수 있는 伸縮的인 代案 마련

◇ 서비스協商에서는 우리의 長期的인 開放政策方向에 적합한 水準에서 讓許計劃을 提出함으로써 全體協商에 寄與해 나간다는 우리의 意志表明

◇ 우리의 長期的인 工産品 關稅引下 趨勢의 範圍內에서 추가적인 關稅引下 協商에 參與하는 한편 主要國의 關稅無稅化 提案에 相互主義 原則에 따라 能動的으로 對處

0184

2. 主要分野에서의 協商對策

가. 農產物 協商

- 協商이 막바지 段階에 이른 狀況에서 우리가 주장해온 當初 協商案을 견지할 경우 現在의 協商雰圍氣로 보아 매우 어려운 立場에 처할 것으로 豫想

  ○ 앞으로의 協商過程에서 우리나라가 實質的으로 協商에서 소외될 우려가 있고 이렇게 될 경우 우리의 立場貫徹이 더욱 어려워질 可能性

  ○ 農產物協商이 우리의 意思와 관계없이 美國, EC 등 協商 主導國들의 合意에 의해 妥結될 경우에도 協商結果 受容 불가피

- 따라서 앞으로의 協商에서는 우리의 核心關心事項의 反映을 계속 主張하되 協商의 기본틀內에서 實利가 確保될 수 있도록 對應

  ✓ ○ 쌀등 최소한의 食糧安保 對象品目의 開放例外立場 견지

  ○ 우리가 開發途上國 우대적용 對象國이 되도록 協商力을 집중함으로써 市場開放과 國內補助 減縮에 있어 長期 履行期間의 確保에 注力

○ 國內生產統制와 輸入制限을 연결시킬 수 있는 現在 GATT 規定을 최대한 援用함과 동시에 同條項의 合理的 改善을 위하여 利害關係國과의 共同努力 强化

○ 輸入을 開放하더라도 國內生產 基盤이 최대한 維持될 수 있도록 하는 範圍內에서 最小市場接近 許容

○ 開放化에 따른 國內被害를 最小化할 수 있도록 關稅引上과 함께 數量制限이 가능한 緊急輸入制限制度 마련에도 協商力을 集中

ㅡ 이러한 協商對策의 推進과 더불어 **農業構造調整등 國內 補完 對策**도 着實하게 推進

○ 「우루과이라운드」協商과 관계없이 農漁村에 대한 全體 支援은 지속적으로 擴大

○ 다만, 支援方式에 있어서는 農漁村의 構造調整, 農漁家의 實質所得增大에 중점을 두면서 國際規範에 일치될 수 있도록 추진

○ 향후 協商妥結 結果를 반영하여 「農漁村發展綜合對策 ('89.4)」을 具體的으로 修正·補完

나. 서비스協商 讓許計劃 提出

〈協商推進狀況과 我國의 對應〉

- 서비스 協商進展이 未洽함에도 불구하고 서비스貿易自由化에 대한 意志表明을 위해 **美國, EC, 日本, 홍콩등 9個國이** 브랏셀 閣僚會議時 條件附로 「최초의 讓許計劃書」를 提出

- 우리도 당초 브랏셀 閣僚會議時까지 讓許計劃書를 提出코자 推進하였으나 방대한 作業量으로 인해 未提出

- 그러나 우리나라가 제네바 貿易協商委員會에 讓許計劃書를 제출할 경우 膠着狀態에 빠진 서비스協商의 進展에 寄與한 것으로 평가받을 수 있을 것으로 判斷되며 **金融, 通信分野 등에서의 雙務的 通商壓力緩和**에도 바람직

〈我國 讓許計劃(案)의 內容〉

- 對象業種

  ○ 金融, 通信, 運送, 流通, 建設, 事業서비스등 서비스協商에서 論議된 주요한 업종을 대부분 包含

  ○ 教育 및 保健서비스 전체, 流通分野中 貿易業, 事業서비스중 法務서비스등은 除外

- 自由化 水準

  ○ 대부분 現存開放 및 規制水準을 凍結하는 정도에서 제시

  ○ 通信分野등 美國을 비롯한 主要國의 關心事項에 대해서는 追加的인 自由化計劃을 包含

〈向後 推進對策〉

- 上記內容의 讓許計劃을 **1991.1.15** 제네바 TNC會議에 제출할 수 있도록 함으로써 우리의 協商力 强化

- 向後 讓許協商에의 徹底한 對應

  ○ 美國, EC등 先進國으로부터 開放要求가 있을 것으로 豫想되는 分野에 대하여 **協商代案을 開發하는 同時에 相對國**에 **대한 要求事項**(Request List)을 철저히 준비

    • 讓許計劃書에서 除外되었다 하더라도 最終的으로 開放對象에서 除外되는 것은 아니므로 教育 및 保健서비스 등에 대하여도 美國, EC등 主要先進國이 開放要求 可能

    • 金融, 流通등 讓許計劃書에 包含시킨 業種에 대해서도 包括範圍의 擴大 및 보다 높은 水準의 自由化要求 可能

  ○ 各部處에 構成되어 있는 18個 分野別 對策班에 **協商專門家를 參與시키는등 讓許協商팀**을 補强

- 國內補完對策의 推進

  ○ 지금까지 把握된 國內規制現況을 바탕으로 各部處는 民間의 자유로운 競爭을 저해하는 規制制度를 整備

  ○ 長期的 안목에서 各部處는 서비스協商을 契機로 所管業種에 대한 國際競爭力의 强化對策 등을 包含한 構造調整方案을 綜合的으로 推進

다. 關稅引下 및 無稅化 協商 對策

- 지난해 12月 브랏셀 閣僚會議時 우리는 關稅追加 引下 및 無稅化 協商參與 反對立場을 變更하여 「우루과이 라운드」協商에 적극 寄與한다는 趣旨에서 同協商에의 參與意思를 표명

  o 無稅化 論議對象分野 : 맥주, 建設裝備, 電子製品, 水產物, 非鐵金屬, 鐵鋼, 醫藥品, 종이, 木材 및 木製品 등 9個 分野

  o 우리나라 參與要求分野 : 建設裝備, 電子製品, 鐵鋼, 水產物, 종이, 木材등 6個 分野

- 앞으로 關稅無稅化 協商이 本格的으로 論議될 것이 豫想되므로 이에 철저히 대비

  o 이미 協商參與를 要求받은 分野에서는 關聯業界의 競爭力 狀況 등을 고려하여 無稅化受容與否 및 適正水準의 履行期間確保 方案 마련

  o 長期的인 輸出環境의 改善을 위하여 우리가 無稅化를 要求할 수 있는 品目을 選定하여 向後 協商에 包含시키도록 努力

◇ 上記 農產物, 서비스協商에 대한 우리의 立場은 제네바에서 開催될 貿易協商委員會에서 公式 提示하고 關稅無稅化 協商에 대하여는 個別協商時 適切히 對應

◇ 또한 各種 公式·非公式會議에서의 實質討議에 적극 參與하여 우리의 立場反映에 최대의 努力 경주

Ⅳ. 協商관련 國內後續對策의 推進

- 「우루과이라운드」協商의 成敗에 관계없이 現在 協商에서 論議되고 있는 國際交易規範의 適用對象 및 自由化 幅의 擴大趨勢는 어떤 형태로든 앞으로 새로운 國際經濟秩序의 基本原則으로 作用

- 우리經濟의 最大課題인 産業의 全般的인 競爭力 向上은 적절한 水準의 國際化 達成에 의해서만 可能

- 이와같은 관점에서 協商에의 積極的인 參與는 물론 政府次元에서 종합적으로 推進되어야 할 다음의 과제에 대하여는 細部的인 國內對策을 마련하여 着實하게 推進

  ○ 새로운 國際交易秩序下에서 國際化에 副應할 수 있는 經濟運用方式을 정착
  ○ 對內競爭促進施策의 推進등 産業의 全般的 競爭力 提高
  ○ 農業構造調整政策 및 農漁家 所得增大施策의 착실한 推進
  ○ 서비스産業의 開放化 促進과 競爭力 向上
  ○ 國際化關聯 對外交涉能力의 擴充 및 國際化에 대한 政府·企業 및 國民認識의 提高

◇ 上記 課題中 短期的인 措置가 必要한 事項에 대해서는 금년 上半期中 細部對策 마련 推進 ◇ 中·長期的인 對策은 第7次 經濟社會發展5個年計劃에 反映하여 推進

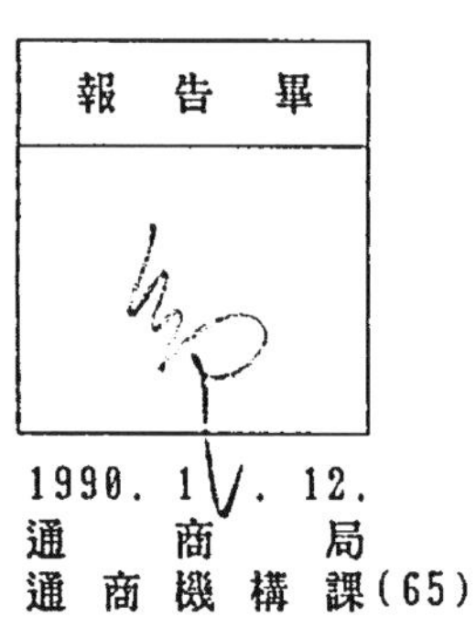

長 官 報 告 事 項

1990. 1 . 12.
通　商　局
通商機構課(65)

題 目 : 1991.1.10 對美通商·UR關係報告時 大統領 指示 事項

別添 大統領 指示 事項은 91.1.10(木) 對美通商·UR關係 報告時 大統領께서 指示한 事項을 大統領 秘書室에서 정리한 것입니다.

添附 : 大統領 指示 事項 1부. 끝.

0191

대통령 지시사항

(1991.1.10 대미통상·UR관계 보고시 지시사항)

1. 대미관계 적극 대처

- o 미국시장의 효율적관리는 우리경제운용의 가장 큰 과제중의 하나이므로 올해는 원만한 대미통상관계가 유지되도록 각별히 힘쓸것(훈시)
- o 미측의 관심사항을 적극 수용하고 약속한 사항들이 실무선으로 내려가면서 제대로 지켜지는가를 장관들이 철저히 챙기고 실무자가 정부의 기본정책방향과 어긋나게 업무를 처리할 경우 반드시 상응하는 책임을 물을 것(훈시)
- o 약속을 할때는 사전에 국내여건을 치밀하게 분석하여 실행가능 여부를 점검하고 일단 약속한 사항은 철저히 지킬것(훈시)
- o 비현실적인 국내제도를 과감히 고치고 하위공직자들에 대하여도 우리의 국제적책임과 의무에 관한 교육을 강화할것(계획수립)

2. 농업문제

- o 농업문제에 대해서도 이번 우루과이 라운드 협상을 계기로 우리 농업정책이 소극적 보호보다 적극적인 구조조정으로 전환하도록 할 것(계획수립)
- o 부총리는 UR협상이 종결되는대로 농림수산장관과 같이 빠른시일내 적극적인 보완대책을 수립·발표하여 농민들을 안심시킬것(계획수립)

3. 전문가 활용·양성

- o 경제의 국제화추세에 부응하여 대외통상문제에 관한 전문가를 양성하고 이들을 우대하는 분위기를 조성하는데 힘쓸것(훈시)
- o 부총리는 총무처장관과 함께 분야별로 박사학위소지 전문인력을 활용하는 방안을 적극 강구할 것(계획수립)

0192

경 제 기 획 원

통조이 10520- 49　　(503-9146)　　1991.1.19.

수신　수신처 참조

제목　제9차 대외협력위원회 회의결과통보

제9차 대외협력위원회 회의결과를 별첨과 같이 통보하오니 업무에 참고하시기 바랍니다.

첨부: 제9차 대외협력위원회 회의록 1부. 끝.

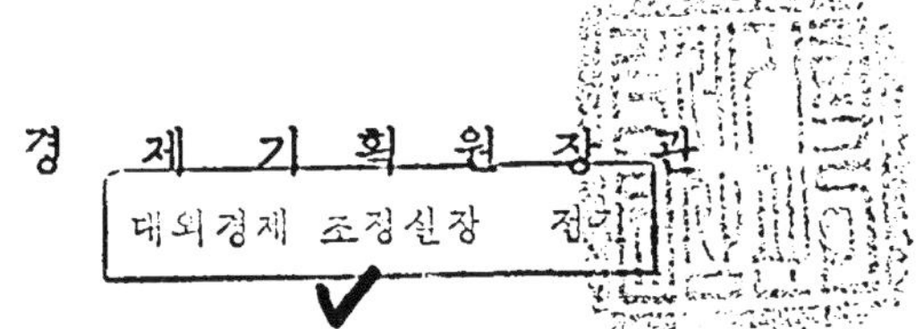

경 제 기 획 원 장 관

대외경제 조정실장 전결

수신처: 국가안전기획부장, 외무부장관, 재무부장관, 농림수산부장관, 상공부장관, 동력자원부장관, 건설부장관, 보건사회부장관, 노동부장관, 교통부장관, 체신부장관, 과학기술처장관, 대통령비서실장(경제수석비서관, 외교안보보좌관), 국무총리행정조정실장.

1991. 1985

0193

제 9차 대외협력위원회 회의록

1. 회의개요

- 일시 및 장소: '91.1.9(수), 10:00 - 11:30, 경제기획원 대회의실

- 참석자: 부총리, 재무부장관, 농림수산부장관, 상공부장관, 동력자원부장관, 건설부장관, 교통부장관, 체신부장관, 외무부차관, 보건사회부차관, 과학기술처 차관, 안기부 제2차장(경제수석비서관, 외교안보보좌관, 행정조정실장 불참)

- 회의안건: 우루과이 협상전망과 대책(원안 접수)

2. 회의내용

<부총리>

- 지금부터 제 9차 대외협력위원회를 개최하겠음. 오늘 논의할 안건은 "우루과이 라운드협상전망과 대책" 임
- 먼저 UR대책실무위원회에서 그동안 관계부처와 충분한 실무협의를 거쳐 준비한 보고안건에 대한 설명을 듣고 논의에 들어가도록 하겠음

<제2협력관>

- 회의안건 보고

<부총리>

- 보고안건에도 나와있지만 UR협상은 지난 브랏셀 각료회의이후 현재는 냉각기간을 거치고 있는 상황임
- 여러분도 잘아시다시피 지난 1개월여동안 내부적으로 특히 각국 정상들간에는 UR협상에 대한 논의가 진행되었으며 우리도 여러차례의 실무협의를 열어 새로운 대안마련에 노력해왔음

0194

- 먼저 외무부 차관보께서 최근의 협상동향과 1.15 TNC회의대책에 대하여 말씀드리겠음

UR협상동향과 TNC대책

<외무부 차관보>

- 먼저 최근의 협상동향에 대하여 말씀드리면 1.15 TNC회의는 UR협상타결을 위한 심도있는 토의가 이루어지지 못할 것으로 판단됨
- 특히 EC가 '91.1.19경에 「멕세리 농업개혁안」에 대하여 논의할 것으로 예상되나 독일과 불란서의 반대로 채택이 어려울 것으로 전망됨
- 2월말까지 농업협상을 타결시키기가 매우 어려울 것으로 전망되나 우리정부로서는 UR협상의 성공적 타결을 위해서 노력할 것이라는 원칙을 천명하는 것이 바람직

<부총리>

- 미국의 Fast Track이 어떻게 될 것인지 불부명한 점도 있고 특히 독일총선후 독일과 미국의 타협가능성이 있다는 전망도 있었는데 현재는 어떤가?

<외무부 차관보>

- 협상은 6개월까지 연장될 가능성도 상존하며 독일은 신축적 입장의 견지가 가능하나 불란서의 반대로 입장변경이 어려울 것으로 보임

농산물 협상대책

<농림수산부 장관>

- 보고서에서도 언급된 것처럼 15개협상중 농업협상이 국내적으로나 대외적으로나 가장 어려움
- 먼저 지난 브랏셀 각료회의에서 미국과 EC의 입장차이로 협상이 실패하였으나 이를 중재하기 위해서 Hellstrom의장이 비공식 협의서를 제시하였는데 농산물 수입국입장에서는 도저히 수용할 수 없는 중재안이었음
- NTC에 대한 언급이 없고 보조감축율, 시장접근수준등은 도저히 우리농업여건을 감안할 때 수용하기 어려웠음(5%의 시장접근: 쌀의 경우 200만석, 9천만불)

0195

- 또 혹자는 우리의 협상력으로 대세를 바꿀수 없기 때문에 헬스트롬의장안에 대한 반대발언을 하지 않는 것이 더 좋은 협상대책이 아닌가라고 문제를 제기하고 있는데 발언을 하지 않는다는 것은 찬성을 의미하기 때문에 반대발언은 불가피했음

- 특히 우리는 EC,일본에 이어 수입국중에서는 3번째로 반대발언을 했고 그다음에 미국이 지지발언을 한 이후 미국과 EC의 논쟁이 계속되었음. 미국의 발언에 우리가 반대를 해서 협상실패국으로 지명받았다는 일부언론의 표현은 사실과 다름

- 만약 국내농업에 미치는 효과가 엄청난 중재안에 침묵을 지키고 귀국했으면 국내적으로 더 어려운 상황이 전개되었을 것임

- 현재의 협상여건하에서 새로운 협상대안을 마련하는 것이 불가피하나 성급하게 대.내외적으로 발표하는 것은 곤란하므로 발표 또는 제출시기는 신중하게 대처해야 함

- 특히 15개 NTC품목을 여러기준에 따라 재분류하는 것은 바람직하며 특히 GATT 11조 2(C)조항을 통하여 수입제한이 가능하도록 적용요건이 개선되어야 함. 또한 개도국 우대적용이 가능하도록 노력해야 함

- 또한 이러한 협상대안마련이 미국의 반발때문에 양보한다고 농민이 인식하게 되면 농민을 설득.홍보하기가 매우 어렵게 되므로 관계부처에서 적극 노력해 주는 것이 필요

<부총리>

- 협상대책을 논의하고 있는 우리장관들이 요약내용만 가지고 상황을 판단하기가 어려우므로 요다음 회의에서는 협상관련 원문을 준비하여 제출해 주기 바람

0196

<외무부 차관보>

- 현재의 협상동향을 보면 2월말이후에야 실질토의가 가능하므로 요번회의에는 선준영 체코대사를 수석대표로 소규모 대표단을 파견하는 것이 바람직하고 다음내용을 중심으로 발언하겠음

  ① 금번회의가 협상진전을 위한 계기가 되기를 바라며 브랏셀회의에서 우리의 협상태도는 협상을 block시키거나 거부하기 위한 것이 아니라 Hellstrom안에 대해서 Comment한것에 불과함
  ② 농산물협상의 진전을 위해 보다 전향적인 자세에서 기제출한 Offer를 개선할 예정이며 향후 농산물협상의 진전상황을 보아 수정 Offer를 제출할 용의가 있음
  ③ 서비스 Offer List는 1.15 제출할 것임
  ④ 일정한 조건하에서 무세화협상에 참여할 것임
  ⑤ BOP등 기존다자간 합의사항을 성실히 이행할 것임

- 미국에 대해서는 사전에 설명해주는 것이 한.미 경제협의회와 부총리 방미를 원활하게 추진 가능하게 할 것으로 판단됨

<농림수산부 장관>

- 새로운 협상안의 설명은 대내적으로나 대외적으로나 중요한 문제임
- 특히 미국의 압력으로 양보안을 마련한 걸로 국민들에게 인식되어서는 않됨
- 요번 TNC회의에서 수정 Offer를 제출하는 것보다는 기조연설을 통하여 우리의 신축적입장을 표명하고 협상과정을 보아가면서 제출여부를 평가해야 한다고 봄
- 또한 「실무협의안」은 이싯점에서 바람직하고 합당한 안이라고 판단됨

<부총리>

- 이번 TNC회의에서는 우리가 앞으로 협상진전상황을 보아 수정 Offer를 제출하겠다는 표현으로 대처하는 것이 바람직할 것으로 봄

0197

<상공부장관>

- 서비스 Offer List제출시기는 1.15일이 맞죠?

<제2협력관>

- 1.15 제출예정임

<동력자원부 장관>

- 농산물협상에서 수정안을 제출할 용의가 있다고 하는 것보다는 신축적인 입장을 견지할 용의가 있다고 언급하는 것이 더 좋을 것으로 판단됨

서비스 협상대책

<부총리>

- 동 사안에 대해서는 여러가지 상황을 검토하여 결정하게된 것을 양해 해주기바람

- 다음은 서비스에 대해서 논의하겠는데 부처별 소관사항에 대하여 각부장관께서 설명해 주기 바람

<상공부장관>

- 상공부는 도소매업에 대해 책임지고 있는데 3월까지 개선하겠다는 미국과의 약속에 따라 Offer를 제출하는 것이 바람직하다고 봄

<대외경제조정실장>

- 서비스 Offer List는 모든서비스를 포괄한다는 기본방향아래 작업해왔음. 여기에 포함된 업종은 예시적인 것에 불과하므로 앞으로 추가개방요구가 가능하고 포함되지 않는 업종도 앞으로 개방요구가 가능하므로 개방에 대비한 대책을 수립해 나가야 할 것임

0198

관세무세화

<부총리>

- 다음은 관세무세화 협상에 대하여 말씀해 주기 바람

<상공부장관>

- 지난 브랏셀 회의에서의 상공부장관의 약속을 지키기 위해서 상공부에서는 최선을 다해 작업중임. 타관련부처에서도 협조해 주기 바람

<재무부 장관>

- 관계부처와 관련업계가 협조하여 무세화안을 마련하여 제출해주시면 이를 종합하여 대책을 마련토록 하겠음

기 타

<부총리>

- 한.미 통상관계가 악화되고 있는 현시점에서 모든부처가 홍보에 소홀한 것으로 알고 있음. 각부처가 협조하여 최선을 다하는 것이 필요

<농림수산부장관>

- UR/농산물협상이 우리에게 불리한 것만은 아니며 BOP의무이행과 관련하여 볼때 BOP보다 유리한점이 많기 때문에 UR농산물협상이 조기타결되는 것이 우리에게 오히려 유리하다는 점을 이해해 주시기 바람

<외무부차관보>

- 외신기자에 대한 홍보도 더욱 강화될 필요가 있으며 관계부처에서 외신기자에 대한 기피현상도 시정되어야 할 것임

0199

<상공부장관>

- C.Hills USTR의 전화를 받았는데 ① UR협상타결에 협조 ② 서비스 List의 1.15 까지 제출여부 ③ 1.29이후 실무협의개최여부에 대한 답변을 2-3일내에 부탁

<부총리>

- 동문제에 대해서는 조속한 시일내에 회의를 소집하여 협의요청 수락여부, 협의방식 등에 대하여 논의, 대응방안에 대하여 조속히 결정하기 바람

- 이제까지 UR협상전반에 대하여 진지하게 논의하여 주신데 감사함. 대통령께서도 기자회견에서 강조하신 것처럼 UR의 성공적 타결이 긴요한 만큼 UR협상에 성공적으로 기여한다는 차원에서 적극적 자세로 대처해 주기 바람

- 오늘 논의된 사항을 중심으로 내일중 UR협상대책을 대통령께 보고할 계획이므로 관계부처에서 좋은 의견이 있으면 회의후에라도 제시해주기바람

0200

분류기호 문서번호	통기20644-	기 안 용 지 (전화 :)	시 행 상 특별취급	
보존기간	영구·준영구. 10. 5. 3. 1.	장 관		
수 신 처 보존기간		3923		
시행일자	1991. 1. 25.			
보조기관 과 장	전결	협조기관	문서통제 1991. 1. 26	
기안책임자	송 봉 헌		발 송 인 1991. 1. 2 외무부	
경 유 수 신 참 조	주제네바대사	발신명의		
제 목	농어촌 대책 자료 송부			

91.1.23(수) 관계부처가 농어촌 대책관련 대통령께 보고한 자료와 기타 관련자료를 별첨 송부하오니 참고하시기 바랍니다.

첨부 : 상기자료 각 1부. 끝.

0201

1505-25(2-1) 일(1)갑
85. 9. 9. 승인 "내가아낀 종이 한장 늘어나는 나라살림"
190mm×268mm 인쇄용지 2급 60g/m²
가 40-41 1990. 3. 30

UR/農産物 協商 現況 및 對策

(農漁村 對策 報告會(1.23(水), 10:00) 陪席 資料)

1991.1.22.

通　　商　　局

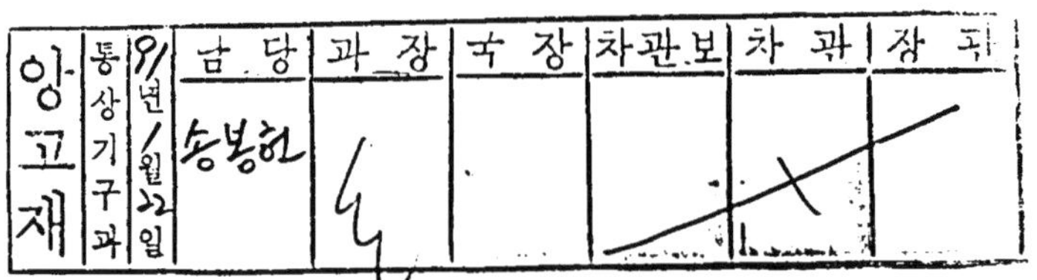

0202

1. 協商 現況

가. 1.15. TNC 會議 結果

o 農産物에 관한 主要國間 合意 基礎不在로 短期間의 會議로 終了

o 農産物 協商 合意 基礎 마련이 全體 UR 協商 再開에 必須的임을 再確認

o Dunkel갓트 事務總長, 各國의 融通性 발휘를 促求하면서 合意 基礎가 마련되는 즉시 協商 再開 豫定임을 表明

- Hellstrom 仲裁案을 대신할 새로운 合意 草案 마련 필요

나. 我國의 措置 內容 및 主要國의 評價

o 1.10 청와대 報告 內容에 立脚, 아래 措置 施行

- 1.15. TNC 會議時 首席代表 演說을 통해 農産物 協商에 대한 立場 再檢討 및 無稅化 協商 參與 用意 表明

. 서비스 協商 讓許 計劃書도 1.14. GATT에 提出

- 同 TNC 會議 前後 立場 再檢討 具體 內容을 各種 外交經路를 통해 主要國에 說明

. 美國, 日本, EC, 스웨덴, 카나다 및 갓트 事務局등

. 美國, 日本에 대해서는 農産物 協商 立場 再檢討의 槪略的 方向도 설명

※ 美國 : 1.14. 韓. 美 經濟協議會, 1.15. 제네바 주재 美國 協商 代表 面談

※ 日本 : 1.9 韓. 日 外相會談, 1.16. 日本外務省 關係官 및 제네바 駐在 日本 協商 代表 面談

1

0203

o 上記 主要國 및 던켈 갓트 事務總長, 我國 立場 再檢討 用意 表明이 協商進展에 상당한 도움을 준 것으로 肯定的 評價, 환영

- 브랏셀 閣僚會議 決裂 以後 美國등 一部 國家의 我國에 대한 批判的 視角 교정 및 韓.美 通商摩擦 要因 除去에 기여

2. 향후 協商 展望 및 對策

가. 協商 展望

o 美, EC등 主要國間 農産物 分野 幕後 折衷 向背에 크게 左右될 展望

- 걸프 戰爭 進展 如何도 妥結 與否에 重要한 變數로 作用

o EC의 會員國內 異見 折衷 및 美國, 케언즈 그룹과의 妥協 努力에도 不拘, 아직까지는 實質的 進展 거의 別無

o 현재로서는 農産物 分野 合意 基礎 마련 與否 不拘, TNC 會議가 2月 初旬頃 再召集될 可能性도 있으나, 걸프 戰爭으로 流動的

- 1.20. EC 執行委, 1.21-22 EC 農務長官會議 豫定

- (1.25-26 EC. 케언즈 그룹내 中. 南美 國家, 1.28. 美. EC, 1.29. EC. 카나다) 協議등 豫定 (Andriessen EC 執行委 副委員長의 巡訪 協議 예정)

0204

나. 對策

o 實質 協商 再開에 對備한 我國 修正 Offer의 조속 確定

o 던켈 事務總長 및 美國, 케언즈그룹등 輸出國과의 接觸 強化를 통해 새로운 合意 基礎에 我國 立場 최대한 反映

- 필수 食糧(쌀)에 대한 例外 근거 마련 — 確保 努力

- 減縮期間, 減縮幅등에 있어서의 開途國優待 ~~근거 마련~~ 確保 努力

- 11조2항(C)의 適用 要件 緩和 改善

o 上記 我國立場 최대 반영 努力을 계속하되, 立場 貫徹이 어려울 경우도 염두에 두고 對處 方案 事前 講究

- 모든 品目에 대해 一律的으로 適用되는 全般的 開途國優待 確保 困難時 品目別 특별 우대 確保

- 11조2항(C)의 適用 要件이 현행대로 유지될 경우 同 條項의 國內 適用 可能 與否 積極 檢討등 끝.

통상국장
통기

農 漁 村 對 策

1991. 1. 23

經 濟 企 劃 院
農 林 水 産 部

0206

目　　次

0207

〈報告의 要旨〉

— 향후 農漁村發展의 **基本課題**는

○ 對外開放에 대비하여 「**競爭力 있는 農業**」을 육성해 나가고

○ 지속적인 實質所得의 向上과 生活環境改善을 통하여 「**活力 있는 農漁村**」을 建設하는데 있음.

— **따라서 政府는**

○ 「우루과이라운드」協商妥結에 대비하여 우리農業의 競爭力을 높일 수 있도록 **構造改善施策을 促進**하고

○ 農漁民과 消費者를 동시에 保護할 수 있도록 **農水産物 流通構造를 과감히 改善**하며

○ 農漁家所得이 지속적으로 增大될 수 있는 **多樣한 所得源을 開發**하고

○ 都市에 比하여 낙후된 **農漁村 生活環境을 改善**하기 위한 對策을 지속적으로 推進해 나가고자 함.

Ⅰ. 農漁村對策의 基本方向

1. 우리農業에 대한 對內外 與件變化

— 먼저 **國內的**으로는

○ 주곡이 不足하던 時代에서 **남는 時代로 전환**되었고 앞으로도 쌀소비는 계속 減少될 展望이나 우리의 農業構造는 아직 **米作中心의 生産構造**를 벗어나지 못하고 있고

○ **生産基盤 投資**도 그동안 벼농사爲主로 擴大되어 왔으나 앞으로 需要가 늘어날 **축산, 채소, 과일등에 대한 投資는 취약**한 상태임.

○ 農業人力이 점차 **高齡化, 婦女化**되어 機械化가 되지 않고서는 營農이 어려워지고 있는 상황이며

○ **流通構造가 낙후**되어 需給與件 變化에 對應하기 어렵고 農家所得增大效果도 거두기 어려움.

— 이러한 國內與件의 취약성에도 불구하고 **對外的**으로는

V ○ 「우루과이 라운드」協商이 어떤 形態로 妥結되든지간에 우리農業은 **단계적인 對外開放**이 불가피한 實情이므로 **競爭力을 도외시한 生産構造**를 계속 維持하기 어렵고

○ 農家所得增大도 계속해서 **價格支持政策에 依存**하기 어려운 實情임.

2. 農漁村對策의 基本方向

- 이러한 對內外 與件變化에 直面하여 政府는 그동안 問題 意識을 가지고 **農漁村發展을 위한 綜合對策**을 꾸준히 推進해 왔으나

  ○ 그동안 農漁村支援投資에 있어서 農漁家負擔輕減, 秋穀收買 支援과 같은 **所得補償的인 部門이 擴大**됨으로써 農業의 競爭力 向上이나 構造改善과 같은 **農漁村問題의 根本的인 解決은** 遲延되어 왔으며

  ○ 우리 農漁民들은 앞으로의 營農에 대해서 **不安感**을 느끼고 있음.

- 따라서 政府는 農漁村問題를 根本的으로 解決해 나갈 수 있도록 中長期的 眼目에서 「**競爭力있는 農漁業**」으로 發展 시키고 「**農漁村의 活力**」을 提高시킴으로써 農漁民의 不安 心理를 解消해 나가겠음.

- **첫째,** 國際化時代를 맞이하여 우리農業도 競爭力을 確保할 수 있도록 **綜合的인 構造改善施策을 推進**해 나가겠음.

  ○ 이를 爲하여 作目別 特性에 따라 **營農規模의 擴大, 機械化, 技術開發**이 促進될 수 있도록 **支援을 擴大**하고

  ○ 國際的으로 農產物 交易障壁이 완화되는 것을 계기로 우리도 **競爭力이 높은 分野**는 技術과 資本을 투입하여 **輸出로까지 連繫**되도록 적극 대응해 나가겠음.

- **둘째**, 國民들의 食品需要가 점차 高級化되는 趨勢에 부응하고 輸入農產物과의 **品質競爭**에 대비해 나가는 한편, **農產物 流通構造를 과감히 改善**하여 農家의 所得增大를 기하고 農產物 價格不安을 克服해 나가겠음.

- **셋째**, 農業所得만으로 都農間 所得隔差를 해소하는 데에는 限界가 있으므로 그동안 추진해온 **農工團地開發**을 통한 就業機會를 계속 擴大하고, 農產物加工產業 및 觀光休養地 開發事業등을 통하여 **農漁村의 所得源 多樣化**를 推進하겠음.

- **넷째**, 農漁民의 所得向上과 더불어 낙후된 生活環境이 시급히 改善되어야 상대적 貧困感이 해소될 수 있기 때문에 道路, 上·下水道등 **基盤施設의 擴充**은 물론 **住居 및 文化生活의 與件등을 綜合的으로 改善**하여 나가겠음.

- 이러한 施策을 效率的으로 뒷받침할 수 있도록

  ○ 農漁村에 대한 **投資를 지속적으로 擴大**해 나가되 生產的인 部門에 대한 支援이 擴大될 수 있도록 **投資配分構造를 改善**하고

  ○ 農漁民들이 政府施策方向을 올바르게 理解하고 **信賴**할 수 있도록 **施策弘報도 强化**하겠음.

그러면 이제부터 主要施策內容을 農林水產部長官이 報告 드리겠음.

II. 主 要 施 策

1. 「우루과이라운드」農産物協商의 影響과 課題

2. 農漁業構造改善의 促進

3. 農水產物의 流通構造改善

4. 農漁家所得向上

5. 農漁村生活環境改善과 福祉基盤造成

1. 『우루과이라운드』 農産物協商의 影響과 課題

「우루과이라운드」協商이 長期間을 통해 段階的인 履行을 前提로 하고 있으므로 構造改善에 박차를 가하면 우리 農業의 새로운 發展의 轉機가 될 수 있을 것임.

가. 國內農業에 대한 豫想影響

- 現在까지 論議된 協商內容을 基準으로 보면

  ○ 앞으로 國內市場에서도 輸入農産物과의 競爭이 擴大되고

  ○ 長期的으로는 國內 農産物價格水準이 全般的으로 낮아지게 될 것이며

  ○ 다른나라의 輸入開放과 輸出補助金 減縮에 따라 輸出有望品目은 海外市場進出을 늘려나갈 수 있는 반면, 競爭力 向上이 어려운 品目은 生産의 減少가 不可避할 것이므로

  ○ 競爭力 向上이 없는한 國內 農業生産의 萎縮이 憂慮됨.

  ○ 또한 앞으로는 價格支持를 통하여 所得을 支援하여 주는 데에도 어려움이 있음.

0214

- 主要 品目別 豫想影響

V ○ 쌀등 食糧安保를 爲한 主要品目은 開放에서 除外되도록 努力하겠으며

○ 무, 배추, 우유등과 같이 輸送費 過多나 新鮮度 維持의 어려움等으로 輸入可能性이 적은 品目은 影響이 거의 없을 것임.

○ 사과, 배, 花卉類, 돼지고기등은 品質向上과 市場開拓으로 輸出을 늘릴 수 있고

○ 쇠고기, 포도, 감자등은 現在로서는 競爭力이 낮으나 品質을 高級化하는 경우 相當水準까지는 지켜나갈 수 있으며

○ 참깨, 녹두, 팥등 農村勞動力 與件上 生產性 向上이 어려운 品目은 生產이 減少될 憂慮가 있음.

- 市場開放이 進行되면 農產物의 價格水準이 낮아지고, 農業人力도 繼續 減少하고 老齡化하는 與件 아래서 우리 農業의 競爭力을 向上시켜 나가기 위해서는 可能性이 있는 品目을 中心으로 生產性을 높이고 品質을 向上시키는데 集中的으로 努力하여야겠음.

나. 農政의 對應課題

— 農業의 開放化에 能動的으로 對應하여

○ 農水産業의 競爭力을 向上시키고 農漁家 所得向上과 農漁村의 福祉基盤을 擴充해 나가겠음.

— 이를 위해서

첫째, 農水産部門의 技術革新을 促進하고 農漁業의 生産基盤을 綜合整備하는등 構造改善을 加速시켜 나가고

둘째, 農水産物 輸入自由化 與件에 맞추어 過剩生産을 事前에 調節할 수 있는 價格政策을 發展시켜 나가는 한편, 農漁民들이 제값을 받을 수 있도록 流通構造도 能率的인 競爭體制로 改善하겠으며

셋째, 農水産物 加工과 輸出을 積極 開發하고 農漁村의 農外所得源을 꾸준히 擴充하여 農漁家所得이 持續的으로 늘어날 수 있도록 하겠음.

넷째, 農漁村 生活環境을 改善하고 農漁民生活安定支援을 擴大함으로써 農漁民의 實質的인 삶의 質을 높여 나가겠으며

다섯째, 開放化에 따라 不可避하게 發生하는 所得減少를 最少化 할 수 있는 補完對策도 講究해 나가겠음.

0216

2. 農漁業構造改善의 促進

가. 品目別 競爭力 向上對策의 積極推進

- 現在 國內農產物價格은 國際價格에 비하여 2~5倍정도 높은 水準이나 開放의 경우 關稅化에 의한 保護가 可能하기 때문에 品目에 따라서는 生產費를 節減하여 競爭力을 높여 나갈 수 있고

- 品質을 高級化시켜 나간다면 國內外 價格差異가 크더라도 輸入農產物과의 競爭이 可能함.

  ○ 例로서 日本에서는 自國產 쇠고기(和牛)의 品質高級化로 輸入쇠고기보다 7倍 높은 價格으로 販賣하고 있음.

- 이를 위해서 지난해에 品目別 競爭力向上 方案을 마련하기 위한 公聽會를 開催하였으며

- 이를 토대로 實踐計劃을 今年 上半期중에 確定하겠음.

〈例〉

○ 사과, 배의 경우 多目的作業機와 高性能噴霧機등 機械化로 生產費의 30%水準 節減이 可能

○ 돼지, 닭등은 畜舍施設의 自動化로 生產費의 10~20% 水準 節減이 可能

나. 農漁家 經營構造의 改善

- 營農의 規模化를 促進하기 위하여 農地購入資金의 支援 規模를 늘려 나가고 賃貸借制度도 早期에 定着시키겠음.

  • 支援規模 : ('90) 2,054億원 → ('91) 2,842億원

  ○ 大型農機械의 一貫作業體系로 生産費를 節減할 수 있도록 委託營農會社등 共同營農組織도 育成하겠으며

  ○ 農業振興地域內 自耕農民에 대하여는 農地所有上限(現在 3ha)을 緩和하는 方案을 檢討하겠음.

- 技術集約的인 施設園藝分野는 主産團地 中心으로 施設의 自動化를 推進하겠으며 果樹分野는 機械化를 促進하고 스프링쿨러등 基盤施設을 擴充해 나가겠음.

- 畜産分野는 經營規模의 擴大와 畜舍施設을 自動化하고 高級쇠고기 生産基盤을 擴充하겠으며, 이를 뒷받침하기 위하여 今年에 畜産振興基金 3,100億원('90年 2,400億원)을 支援하겠음.

- 沿近海 漁業分野는 漁船과 漁撈裝備의 現代化를 推進해 나가겠음.

다. 農業振興地域의 早期指定

- 主穀이 不足한 時代에 規制爲主로 된 絶對·相對農地制度를 廢止하고, 集團化된 優良農地는 農業振興地域으로 指定하여 지켜 나가되, 振興地域밖의 農地는 利用規制를 大幅 緩和하는등 農地制度를 과감히 改善하겠음.

- 農業振興地域은 當初 2個年에 걸쳐 指定하기로 한 것을 今年中에 實施調査와 指定作業을 完了하고 '92年 3月까지 指定告示하겠음.

  ○ 昨年 4月에 農漁村發展特別措置法을 制定하여 法的根據를 마련하였고 6月부터 12月까지 全國 16個 標本郡의 豫備調査를 實施하였으며,

  ○ 郡·道·中央單位의 公聽會(17回)를 開催하여 指定基準 設定을 위한 意見을 收斂하였음.

- 農業振興地域에 대해서는 耕地整理등 農業生産基盤을 綜合整備하는등 投資支援을 集中하고

  ○ 振興地域밖의 農地는 地域 實情에 따라 工場, 住宅 등으로도 쉽게 活用될 수 있게 하겠으며 投機抑制 方案도 倂行 講究하겠음.

— 이와같이 基本制度를 바꾸기에 앞서 **道路, 住宅, 工場등의 開發을 쉽게** 하기 위하여

○ '89年7月과 '90年8月의 **2次에 걸쳐 農地轉用과 利用規制를 緩和**한 바 있으며

• 市・道知事에 委任 : 絕對農地 1 → 3 *ha*, 相對農地 6 → 15 *ha*

• 市長・郡守에 委任 : 絕對農地 200 坪, 相對農地 450 坪

• 申告制로 轉換 : 農家住宅등(450坪), 마을會館등(900坪)

○ **今年에도 農業振興地域指定에 앞서 農地轉用을 大幅 緩和** 하겠음.

• 相對農地 轉用權限 委任 : 15 → 30 *ha*까지

• 農家의 畜舍 申告 轉用 : 450 → 1,000 坪까지

○ 이와 아울러 工場用地 供給을 圓滑하게 할 수 있도록 國土利用計劃 變更權限의 市・道知事 委任範圍를 늘리는 것(10→15 *ha*)을 建設部에서 推進中에 있음.

○ 다만, **그린벨트나 上水保護區域등에서는 農地轉用規制의 緩和措置에도 불구하고 關聯法에 따라 不可避하게 規制를 받고 있음.**

• 〈例〉 上水保護區域의 農家住宅 : 30 坪以下만 垈地에 限하여 許可

— 機械化가 어려운 限界農地는 遊休化가 늘어날 展望 이므로

○ 이를 農漁村振興公社가 買入하여 工場用地, 宅地, 草地, 果樹園등으로 開發해서 地域農民이나 希望하는 非農民에게도 分讓해주는 積極的인 轉用對策을 推進하고

— 農漁村振興公社가 推進하고 있는 干拓農地는 그 實態를 調査하여 與件에 따라 工場用地, 宅地등으로도 活用될 수 있도록 하고

○ 農地로 活用될 干拓地는 大規模 機械化營農이 可能하도록 農民에 대한 分讓方式을 改善하겠음.

— 最近 農地價格은 昨年 5月에 投機抑制를 위하여 農地賣買證明 不正發給을 集中團束하는등 對策을 推進한 結果 全般的으로 安定되었으나 一部地域은 下落하고 있음.

○ 農事規模를 늘리고자 하는 農家에게는 도움을 주고 있으나 農地를 팔고자 하는 不在地主나 離農을 願하는 農家는 不滿이 있음.

— 따라서 팔고자 하는 農地를 農漁村振興公社가 買入하여 營農規模를 늘리고자 하는 農家에 長期低利로 賣渡하는 農地賣買事業을 擴大 實施하여 農地價格 安定과 農業構造改善을 促進해 나가겠음.

라. 農業振興地域의 生産基盤 綜合整備

- 農業振興地域을 中心으로 耕地整理, 用水開發등 生産基盤 投資를 集中實施하기 위하여 「農業生産基盤造成 10個年計劃」을 樹立 推進하겠으며

  ○ 특히 農業振興地域의 논은 밭으로도 兼用할 수 있도록 地下排水改善事業도 併行 推進해 나가고

- 밭의 基盤整備事業을 本格的으로 推進해 나가겠음.

마. 農業機械化의 促進

- 벼農事의 경우 현재 機械化率이 80% 水準이나, 7次 5個年計劃 期間中에 이를 完了하겠음.

- 그동안 機械化가 未洽했던 果樹, 菜蔬, 畜産分野의 施設 自動化를 本格的으로 推進하기 위해

  ○ 高性能噴霧機와 같은 大型機種은 主産團地를 中心으로 共同利用을 推進하겠으며 自動開閉式 하우스나 畜舍 自動施設은 農家別로 支援을 擴大해 나가겠음.

- 특히 農機械 故障修理와 部品購入을 쉽게할 수 있도록 綜合部品센타를 設置, 部品을 충분히 備蓄, 供給할 수 있도록 하고 農民에 대한 農機械整備敎育도 擴大하겠음.

바. 技術革新과 專門農業人力의 育成

- 開放化時代에 對應하여 技術革新을 推進해 나갈 수 있도록 「農業科學技術振興 5個年計劃」을 樹立 推進하고 尖端 技術 開發機能의 强化를 위하여 農村振興廳의 組織도 개편하겠음.

  ○ 특히, 農業生産額의 0.2%에 불과한 現行 研究開發費의 比重을 7次5個年計劃期間中에 0.5%水準(日本 : 0.5%, 美國 : 1.1%)으로 提高해 나가겠음.

- 農家가 直面하고 있는 技術的인 問題를 集中的으로 解決하기 위하여 研究機關, 大學, 生産農家등이 共同參與하는 特定研究開發事業을 活性化하고 農事技術指導는 作目別 專擔指導制를 强化해 나가겠음.

  ○ 農産物에 대한 農藥殘留 許容基準制度가 本格的으로 實施됨에 따라('90.9.1施行) 農家의 安全性높은 農産物 生産을 誘導해 나갈 수 있도록 殘留農藥 事前檢査制度를 强化해 나가겠음.

- 專門農業人力을 體系的으로 育成하기 위하여 4-H會員, 農漁民後繼者, 農村指導者등 年齡階層別 特性에 맞는 支援施策을 마련하고 先導的인 專業農의 海外研修를 擴大하여 開放化에 대한 對應意識과 能力을 培養해 나가겠음.

사. 輸出農業의 重點 開發

- 世界的인 農産物 交易自由化의 흐름을 우리에게 有利하게 活用한다면 果實類, 花卉, 돼지고기등 **輸出有望品目을 段階的으로 育成**할 수 있음.

- 現在도 農畜産物은 年間 8億弗 水準(87個品目)을 輸出하고 있으며 隣接한 日本市場등을 活用한다면 **輸出을 늘려 나갈 수 있는 潛在力**이 있음.

- 農畜産物 輸出의 隘路要因은

  ○ 價格面에서 低廉하더라도 **品質과 商品規格이 未洽**한 경우가 있고(例 : 장미등)

  ○ 國內農産物價格의 騰落에 따라 **輸出物量을 持續的으로 供給하지 않아** 安定된 海外販賣先을 確保하지 못하고 있으며

  ○ 具體的인 檢疫節次와 基準, **海外의 市場動向등에 대한 情報가 不足**하고

  ○ 그동안 우리의 輸出可能 農畜産物을 **海外市場에 弘報하는 努力도 未洽**하였음.

- 앞으로 農畜産物의 輸出을 積極的으로 推進하기 위하여

  ○ 사과, 배, 花卉類등 輸出有望品目의 生産團地에 栽培施設, 選別機, 貯藏庫등을 重點支援하고 專門技術要員을 配置하여 商品化技術을 指導해 나가겠음.

  ○ 園藝組合등 品目別 專門生産組合이 輸出에 參與하여 輸出物量을 安定的으로 供給할 수 있게 하고 輸出商社와의 契約栽培도 定着시켜 나가겠음.

  ○ 農畜産物의 輸出市場開拓을 위하여 海外展示販賣場을 主要都市(오오사카, 2月開場)에 設置하고 權威있는 海外의 農産物博覽會(그린위크 : 베를린등)에 積極 參與하겠으며 協同貿易(農協), 畜産貿易(畜協)등 生産者團體가 出資한 專門貿易會社를 重點 育成하겠음.

  ○ 또한 民間中心의 農水産物 輸出協議會도 運營하여 細部的인 隘路要因을 解消해 나가는 한편 輸出支援을 위한 通商協力活動도 强化하겠음.

- 農水産物 輸出振興을 위한 綜合對策을 樹立하여 年次的으로 推進해 나가고자 함.

아. 農水産物 輸入開放補完對策의 推進

— 輸入開放으로 因한 農漁家의 直接的인 所得損失을 最少化하기 위하여

○ 今年에도 콩, 옥수수는 收買量을 豫示하여 差額을 補償하고

○ 「우루과이라운드」協商妥結 結果에 따라 損失을 받게될 農漁家를 支援하는 적절한 對策을 마련하겠음.

— 輸入되는 品目의 特性에 따라 割當關稅, 季節關稅등 彈力關稅 制度를 積極 活用하겠음.

○ 바나나는 今年부터 割當關稅 90%를 賦課하였고 基本 關稅(50%)에 의한 導入分은 農安基金으로 輸入하여 그 利益金을 農漁民에게 還元하겠으며

○ 外國의 덤핑으로 들어오는 農水産物에 대해서는 相計關稅와 反덤핑關稅로 對應하겠음.

— 一時에 多量으로 輸入됨에 따라 입게되는 被害에 대해서는 産業被害救濟制度를 最大限 活用하겠음.

— 競爭力이 낮은 品目이 集中的으로 生産되는 地域에 對해서는 作目轉換誘導와 함께 地域特性에 맞는 中·長期對策을 推進

3. 農水産物의 流通構造 改善

가. 生産의 事前調節制度 發展

- 農水産物 需給安定과 流通의 圓滑化를 위해서는 過剩·過少生産의 事前調節이 必要함.
  - ㅇ 따라서 農業觀測制度와 流通豫告制度를 實效性있게 發展시키고
  - ㅇ 마늘, 양파등 菜蔬類의 生産·出荷約定制度를 定着시켜 나가겠으며
  - ㅇ 쇠고기와 돼지고기는 價格安定帶制度를 實施하는 한편 돼지, 닭에 대하여는 生産者團體와 政府가 參與하는 自助金制度를 導入하겠음.

- 農水産物 市場價格과 去來量등 流通情報를 多樣한 經路로 迅速히 傳播하여 農漁民의 市場出荷調節能力을 提高해 나가겠음.

나. 農·水·畜協등 生産者團體의 流通機能强化

- 集荷場, 貯藏施設등 産地流通施設을 協同組合 中心으로 擴充함으로써 共同出荷를 擴大하고

- 投機的인 中間商人의 介入을 牽制할 수 있도록 共同出荷組織을 集中育成하며 共同販賣와 共同計算制를 擴大하는등

- 農·水·畜協이 流通事業에 積極的으로 參與할 수 있도록 하겠음.

다. 消費地 都賣市場 建設擴大와 公正去來秩序 確立

- 大都市 公營都賣市場 15 個所 (開場 : 5, 建設中 : 5, 未着工 : 5)를 早期에 建設을 完了하고

- 中小都市에는 公營都賣市場과 農·水·畜協의 共販場을 重點的으로 擴充하겠으며

- 都賣市場에서의 上場競賣制를 菜蔬類까지 擴大 定着시켜 公正價格 形成을 誘導해 나가겠음.

라 . 品目別 等級化, 規格化制度 實施

- 쇠고기의 部位別 販賣制 實施로 韓牛쇠고기를 高級肉化하여 國內消費를 定着시켜 나가고

- 쌀등 다른 農産物의 경우에도 等級化, 規格化등을 擴大 實施해 나가겠음.

- 産地와 出荷者 表示制를 發展시키고 包裝改善으로 品質 等級, 規格등을 表示하게 함으로써 商品性을 提高해 나가겠으며

  ○ 이러한 制度의 發展을 위하여 「農水産物 標準化事業 企劃團」을 設置 運營하겠음.

마. 品目別 流通構造 改善方案

쌀

- 良質米 生産誘導를 위해 今年産 統一벼 收買量을 150萬石으로 大幅 縮小하여 豫示한 바 있으며

- 쌀消費促進을 위하여 **쌀加工製品開發을 專擔하는 「쌀利用研究센타」를 設立**('91. 1.15)하였음.

- 쌀市場의 競爭促進을 위하여

  ○ **벼狀態로 搗精業體에 賣出하는 物量을 늘리고 搗精業體에 대한 許可制를 登錄制로 轉換하는 한편 賣出方式도 漸進的으로 公賣方式으로 發展**시켜 나가며

  ○ **糧穀賣買業에 대해서는 許可制를 申告制로 轉換**하며 包裝된 쌀은 수퍼등 **모든 小賣店에서 自由롭게 販賣**토록 하고

- 民間流通機能 活性化로 政府收買負擔을 줄이기 위해

  ○ 쌀값의 季節變動幅을 許容하여 民間商人도 收穫期에 쌀을 사서 端境期에 팔 수 있는 與件을 造成하고 **收穫期에 洪水出荷抑制를 위한 米穀擔保融資制度의 導入**을 檢討하겠음.

○ 主要産地의 農協을 中心으로 벼의 蒐集, 保管, 搗精, 販賣를 擔當하는 「米穀綜合處理場」 設立支援

— 이러한 쌀 流通改善을 뒷받침하기 위해 今年中 糧穀管理法 改正을 推進하겠음.

畜 産 物

— 畜産物의 流通能率을 높이기 위하여

○ 消費地 都賣市場에서 屠畜競賣하는 制度를 産地 屠畜場에서 枝肉과 部分肉으로 出荷하는 體制로 轉換하고

○ 産地에서 屠畜, 加工, 包裝까지 處理하는 大型肉類處理施設을 圈域別로 設置하여 部分肉의 自由로운 去來를 促進하겠으며 ('91 年 2 個所)

○ 또한 施設이 落後되고 零細한 旣存屠畜場도 年次的으로 大幅 整備하여 現代化시켜 나가겠음.

· 官營屠畜場을 段階的으로 整理하거나 民間에 移讓

○ 今年 下半期부터 品質差異에 따른 肉類等級去來를 實施하겠음.

4. 農漁家 所得向上

가. 農産物 加工産業의 育成

- 消費者의 加工食品에 대한 需要는 늘어나고 있으나 國産 農産物의 加工이 未洽하여 農家所得増大에 寄與하지 못하고 있음.

  ○ 따라서 **農漁民과 生産者團體가 農水産物加工에 參與**하여 實質所得을 올릴 수 있도록 誘導하고 國産農産物 加工産業을 育成해 나가겠음.

- 農漁民과 生産者團體의 食品加工을 支援하기 위하여

  ○ 고추장, 녹차등 傳統食品의 高級化技術을 開發·普及하고

  ○ 地域別 固有한 맛을 가진 特産品으로 開發 育成하겠음.

- 國産農産物의 加工産業育成을 위해서는

  ○ 主産團地 中心으로 **加工會社와 農家間의 原料農産物 契約栽培**를 推進하겠으며

  ○ **大企業과의 注文者生産方式(OEM) 活用을 誘導**하고 같은 製品을 生産하는 中小工場間에 團體廣告등 販促活動을 强化할 수 있게 指導해 나가겠음.

나. 農漁村 工業開發의 促進

- 農工團地는 昨年末까지 220個所를 指定하였으며 今年中에는 45個所를 追加로 指定하여 農漁村 工業用地의 供給을 擴大하겠으며

  ○ 入住企業에 대한 施設 및 運轉資金을 圓滑히 支援함으로써 工場建設과 稼動에 蹉跌이 없도록 하고

  ○ 앞으로는 **大企業과 健實한 中堅企業을 積極 誘致하여 農工團地 運營의 不實化를 事前에 防止**해 나가겠음.

- 農漁民의 就業을 促進하기 위하여

  ○ 農漁民職業訓練을 零細小農中心으로 年次的으로 擴大實施하고('90 : 11千名 → '91 : 30千名)

  ○ 農工團地 入住企業에 대하여도 **技術이 없는 現地 農漁民을 就業시킬 境遇 社內訓練費를 支援**하며

  ○ **郡廳所在地등 生活中心圈에 農工團地를 開發**하여 技能人力 確保가 容易하도록 하겠음.

- 今年부터는 農工團地以外에도 **民間의 個別的인 立地確保 機會를 擴大**하여 農漁村地域에 더많은 工場이 誘致될 수 있도록 하겠음.

다. 多樣한 農外所得源開發

- 農漁家가 家內工業으로 所得을 올리고 있는 特產團地는 昨年末까지 造成된 968個 團地를 '93年까지 1,560個로 擴大해 나가고

  ○ 商品性을 높이기 위한 技術指導와 展示販賣등 國內外 販促活動을 支援하겠음.

- 또한 景觀이 수려한 農漁村地域에는 農漁民들을 參與시켜 農漁村觀光休養團地를 造成해 나가도록 하겠음.

라. 「내고장 으뜸品目」運動 展開

- 地域別로 特色이 있는 品目을 中心으로 優秀한 商品을 農漁民 스스로가 開發해 나가는 「내고장 으뜸品目」 運動을 推進해 나가겠음.

  〈例〉 英陽 고추, 進永 단감, 靈光 굴비, 淳昌 고추장등

  ○ 農·水·畜協, 農村指導者中央會, 農漁民後繼者協議會등 農漁民團體의 自發的인 參與를 誘導하고 地方自治團體에서는 品質保證과 固有商標開發등을 支援하고자 함.

- 現在 國內에서 地域別로 推進되고 있는 事例와 日本의 「一村一品」運動 事例등을 綿密히 評價하여 實效性 있게 運用

5. 農漁村 生活環境 改善과 福祉基盤 造成

가. 農漁村定住生活圈 開發의 擴大實施

- 農漁村地域의 道路, 上·下水道등 生活與件을 改善해 나가기 위하여 지난해부터 着手한 **農漁村定住生活圈 開發事業을 段階的으로 擴大하여 2000年까지 794個面을** 開發完了 하겠으며
  - ('90) 16個面 → ('91) 137個面(既存 16, 新規 121)

○ 地域實情과 住民意思에 適合한 開發計劃을 樹立하여 年次的으로 推進함으로써 **農漁民들이 살기좋은 고장을 만드는 運動으로 發展**시켜 나가겠음.

○ 앞으로 開發需要의 擴大를 勘案하여 支援規模도 段階的으로 늘려나가고자 함.

- 落後된 奧地와 島嶼에 대해서는 現在 內務部에서 **403個 奧地의 面과 449個 島嶼地域을 對象으로 道路, 上·下水道등 基礎施設** 擴充事業을 推進하고 있으며

○ 今年에는 116個面('90年 20個面)과 128個 島嶼地域에 689億원을 支援하고 이를 年次的으로 擴大해 나갈 計劃임.

- 또한 **地方道와 郡道의 鋪裝事業**도 內務部에서 **擴大推進**하고 있으며

  ○ 마을과 마을, 마을과 幹線道路間을 連結하여 農漁民의 生產活動과 生活便宜를 支援하기 위한 **農漁村道路도 今年에 260㎞를 開發**하겠음.('90 까지 1,486㎞ 開發)

나。住居 및 生活環境改善

- 農漁村 마을안길의 **街路燈 設置事業은 今年度에 35千燈을 支援**하고('90 까지 52千燈 設置)

- 부엌, 화장실, 목욕탕등 住宅改良 事業을 持續的으로 擴大해 나가며

- 農村指導者中央會등 農民團體가 推進하고 있는 **農漁村住居環境改善을 위한 「내고장 돕기 運動」도 繼續支援**하겠음.

- 또한 關係部處에서 推進하고 있는 農漁村住宅改良事業과 農漁村醫療 擴充事業등도 繼續 擴大해 나가겠음.

다. 農漁村福祉基盤의 造成

- 農漁家 子女(1 *ha*未滿)에 對한 學資金支援을 擴大하고
  - ('90) 188千名 → ('91) 208千名

- 農漁家人口의 老齡化에 對應, 高齡農漁民의 老後生活安定을 위하여 農漁民에 對한 年金實施方案을 다각적으로 檢討, 7次5個年計劃에 이를 反映하여 推進하겠음.

- 氣象災害로 因한 農作物災害는 農漁業災害對策法等에 依해 支援하되 作物別 支援水準을 合理的으로 改善해 나가고

- 農機械綜合共濟等 農作業에 따른 人的災害에 對한 多樣한 共濟制度를 發展시키며

- 農漁村地域의 教育與件이 落後되어 都市人口 集中과 農漁家의 教育費負擔 增加要因이 되고 있으므로 農漁村地域의 教育環境改善方案을 積極 檢討하겠음.

- 農漁民을 비롯한 國民에게 不便을 주는 各種 制度와 節次를 果敢히 改善해 나가겠음. (制度改善作業班 運營)
  - 時代與件에 맞지 않는 規制事項을 全面 改善함으로써 對政府 信賴感을 높여 나감.
    - (例) 鳥獸保護 및 狩獵에 關한 法律(人工飼育基準등)

農政弘報의 强化

— 그동안 農政弘報를 꾸준히 推進해 온 結果

ㅇ 農漁民들의 農政에 대한 理解가 增進되고 있고

ㅇ 특히 「우루과이라운드」協商을 보는 視角도 協商拒否라는 단순反應에서 積極 對應해야겠다는 肯定的인 方向으로 轉換되고는 있으나

— 아직도 「우루과이라운드」協商以後의 農業과 農漁村에 대한 懷疑와 不安感이 남아 있어 農政全般에 걸쳐 持續的인 弘報를 實施해 나가겠음.

ㅇ 農閑期를 活用하여 農漁民에 대한 弘報敎育을 集中的으로 實施(겨울 農漁民敎育 : 130萬名 對象)하고

ㅇ 主要施策에 대한 幅넓은 共感帶를 形成할 수 있도록 多樣한 弘報媒體를 통해 施策弘報를 强化해 나가는 한편,

• TV, 新聞등 活用, 地域公聽會, 팜프렛, 解說集 發刊등

ㅇ 農林水産公職者 모두가 弘報要員이 되어 農政에 대한 信賴의 幅을 넓혀 나가도록 하겠음.

- 모든 農林水産 公職者는

○ 國際化하는 農政의 與件變化에 能動的으로 對應해 나가고

○ 以上 報告드린 事項을 하나 하나 具體的으로 實踐해 나가겠음.

- 또한, 今年 上半期까지 農漁村發展綜合對策을 補完 發展시켜

○ 「우루과이라운드」등 새로운 挑戰을 克服해 나감으로써

○ 우리農業을 한段階 더높은 次元으로 끌어 올리는데 最善을 다하겠음.

0238

외교문서 비밀해제: 우루과이라운드2 1
우루과이라운드 협상 대책 관계부처 회의 1

초판인쇄 2024년 03월 15일
초판발행 2024년 03월 15일

지은이 한국학술정보(주)
펴낸이 채종준
펴낸곳 한국학술정보(주)
주 소 경기도 파주시 회동길 230(문발동)
전 화 031-908-3181(대표)
팩 스 031-908-3189
홈페이지 http://ebook.kstudy.com
E-mail 출판사업부 publish@kstudy.com
등 록 제일산-115호(2000. 6. 19)

ISBN 979-11-7217-103-2 94340
979-11-7217-102-5 94340 (set)

책에 대한 더 나은 생각, 끊임없는 고민, 독자를 생각하는 마음으로 보다 좋은 책을 만들어갑니다.